AGATHA CHRISTIE

Œuvres complètes

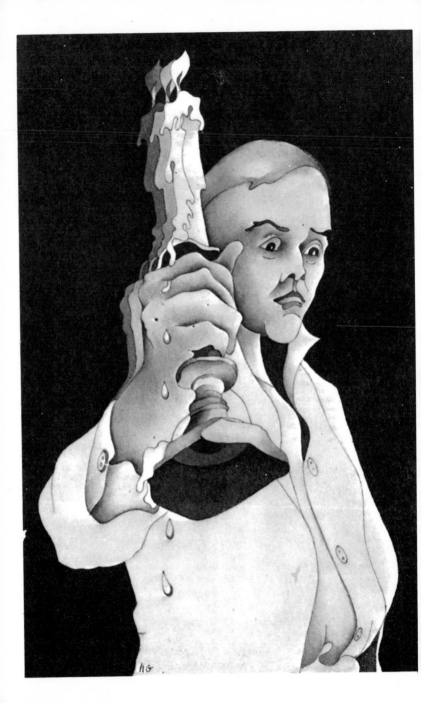

AGATHA CHRISTIE

La mystérieuse affaire de «Styles»
Les pendules

ILLUSTRATIONS ORIGINALES DE
MONIQUE GAUDRIAULT

16 204 10 R9

LA MYSTÉRIEUSE AFFAIRE
DE «STYLES»

The mysterious affaire of Styles

Traduit de l'anglais par Marc Logé

CHAPITRE PREMIER

Je me rends à «Styles»

L'intérêt passionné que suscita dans le public ce qu'on appela, au moment même « L'Affaire de *Styles* » s'est maintenant un peu affaibli. Néanmoins, à cause de la célébrité mondiale qui s'y attacha, j'ai été invité par mon ami Poirot et par la famille elle-même à écrire un résumé de l'histoire. Nous espérons par là mettre fin aux rumeurs sensationnelles qui circulent encore.

Je vais donc noter brièvement dans quelles circonstances je fus mêlé à cette affaire.

J'avais été évacué du front pour blessure, et après avoir passé quelques mois dans un hôpital, j'eus une permission de convalescence d'un mois. N'ayant pas de parent proche, ni aucun ami intime, je réfléchissais au moyen de tirer le meilleur parti de ma liberté provisoire, lorsque, par le plus pur des hasards, je rencontrai John Cavendish. Je l'avais à peu près perdu de vue depuis quelques années. Du reste, je ne l'avais jamais beaucoup fréquenté. Il était d'au moins quinze ans mon aîné, bien qu'il ne portât pas ses quarante-cinq ans. Mais, étant gamin, j'avais souvent fait des séjours à *Styles*, la propriété de sa mère, dans le comté d'Essex.

Nous bavardâmes longuement du bon vieux temps, et il finit par me demander de venir passer ma permission à *Styles*.

— Mère sera ravie de vous revoir, après toutes ces années, ajouta-t-il.

— Se porte-t-elle toujours bien? demandai-je.

— Oh oui! Sans doute savez-vous qu'elle s'est remariée?

Je crains bien d'avoir montré trop clairement ma surprise. Je me souvenais de Mrs. Cavendish (qui avait épousé le père de John alors qu'il était veuf avec deux fils) comme d'une belle femme d'un certain âge. Elle ne pouvait certainement pas avoir moins de soixante-dix ans maintenant. J'évoquais sa personnalité énergique, autocrate, éprise de notoriété charitable et mondaine, avec un faible pour les inaugurations de fêtes de charité et une tendance à jouer à la bienfaitrice. C'était une femme extrêmement généreuse et elle possédait une fortune personnelle considérable.

Leur maison de campagne, *Styles Court*, avait été achetée au début de leur mariage par Mr. Cavendish. Ce dernier avait complètement subi le joug de sa femme, si complètement même, qu'en mourant il lui donna l'usufruit de la propriété et de la plus grande partie de ses revenus; arrangement qui lésait ses deux fils. Mais leur belle-mère s'était toujours montrée extrêmement généreuse envers eux, et ils étaient si jeunes à l'époque du mariage qu'ils songeaient toujours à elle comme à leur propre mère.

Laurence, le plus jeune, avait eu une adolescence délicate. Il avait passé ses examens médicaux, mais avait renoncé à la profession de médecin et s'était contenté de vivre à *Styles Court* en poursuivant des chimères littéraires, bien que ses vers n'eussent jamais eu jusqu'ici un succès éclatant.

John avait exercé quelque temps la profession d'avocat, mais il s'était enfin décidé à mener la vie plus agréable de gentilhomme campagnard. Il s'était marié deux ans auparavant et avait amené sa jeune femme vivre à *Styles*. J'avais l'impression qu'il eût préféré voir sa mère augmenter sa pension, ce qui lui eût permis d'avoir un domicile personnel. Mais Mrs. Cavendish aimait faire ses plans elle-même, et elle entendait que les autres les acceptassent. Et dans ce cas particulier elle avait certainement l'avantage sur lui, puisqu'elle tenait les cordons de la bourse.

John remarqua l'étonnement que me causa la nouvelle du remariage de sa mère, et il sourit avec un peu d'amertume.

— C'est un bien triste sire, dit-il farouchement. Je ne vous cache pas, Hastings, que cela nous rend la vie passablement difficile. Quant à Evie... Vous vous souvenez d'Evie?

— Non.

— Oh! sans doute ne l'avez-vous pas connue. C'est la dame de compagnie de mère. Elle s'occupe de tout... Une brave femme, cette bonne Evie... Pas précisément jeune ni belle, mais un brave cœur.

— Vous alliez me dire?

— A propos de cet individu, il est tombé du ciel, se donnant comme un cousin ou un vague parent d'Evie, qui, entre nous, n'avait pas l'air très enthousiaste de cette parenté. N'importe qui peut voir que c'est là un vulgaire arriviste. Il a une longue barbe noire et porte des bottines vernies par tous les temps! Mais il a tout de suite plu à mère qui l'a engagé comme secrétaire. Vous savez qu'elle dirige toujours une foule d'œuvres diverses?

J'acquiesçai d'un signe de tête.

— Eh bien, la guerre les a multipliées. Sans doute, cet individu lui a été fort utile. Mais vous auriez pu tous nous renverser avec une plume quand, il y a trois mois de cela, elle nous a tout à coup annoncé qu'elle était fiancée à Alfred! Il doit avoir vingt ans de moins qu'elle! Il s'agit, de sa part, ouvertement d'une chasse à la fortune. Mais voilà, elle était parfaitement libre d'agir à sa guise, et elle l'a épousé.

— Ce doit être une situation bien difficile pour vous tous.

— Difficile! Dites intenable!

Trois jours plus tard, je descendis du train à Styles St. Mary, petite gare absurde, sans raison d'existence apparente, perchée au milieu de champs verts et de routes campagnardes. John Cavendish m'attendait sur le quai et me mena vers l'auto.

— Vous voyez, nous avons encore un peu d'essence, remarqua-t-il, grâce surtout aux œuvres de mère.

Le village de Styles St. Mary était situé à environ deux milles de la petite station, et *Styles Court* se trouvait à un mille au-delà. Il faisait une chaude et tranquille journée de juillet. Et en regardant le plat paysage d'Essex qui s'étendait si verdoyant et si paisible sous le soleil d'après-midi, il était presque impossible de croire que là-bas, et pas bien loin, après tout, une grande guerre suivait son cours. Il me semblait que j'avais tout à coup pénétré dans un autre monde. Lorsque nous franchîmes la grille du parc, John dit :

— Je crains que vous ne trouviez la vie bien calme, ici, Hastings.

— Mon cher ami, c'est précisément ce que je désire.

— Oh! c'est assez agréable, si l'on veut mener une existence oisive. Je vais à l'exercice deux fois par semaine avec les volontaires, et je prête la main aux fermiers. Ma femme travaille régulièrement à la terre. Elle se lève à cinq heures tous les matins pour traire les vaches, et ne s'arrête pas un instant jusqu'à l'heure du déjeuner. Mais, somme toute, ce serait une vie très supportable, s'il n'y avait pas ce misérable Alfred Inglethorp.

Il freina brusquement et jeta un regard sur sa montre.

— Je me demande si nous avons le temps de passer prendre Cynthia? Non. Elle a dû déjà quitter l'hôpital.

— Cynthia? Ce n'est pas votre femme?

— Non. Cynthia est une protégée de ma mère. La fille d'une de ses anciennes compagnes de pension, qui avait épousé un avocat véreux. Il fit faillite et sa fille resta orpheline et sans le sou. Ma mère est venue à son secours et voici bientôt deux ans que Cynthia vit chez nous. Elle travaille à l'hôpital de la Croix-Rouge de Tadminster, à environ dix kilomètres d'ici.

Tandis qu'il prononçait ces dernières paroles, nous nous arrêtâmes devant l'entrée de la belle vieille demeure. A notre approche, une dame vêtue d'un solide complet de tweed et penchée sur une corbeille de fleurs se redressa brusquement.

— Hello, Evie, voici notre héroïque blessé : Mr. Hastings, Miss Howard.

Miss Howard me donna une poignée de main énergique, presque pénible. J'eus l'impression d'yeux très bleus dans un visage très hâlé. C'était une femme d'environ quarante ans, d'aspect agréable; elle avait une voix profonde, aux accents de stentor presque masculins, et un corps carré aux pieds énormes, chaussés de grosses bottines d'usage. Je découvris bientôt qu'elle s'exprimait dans le style télégraphique.

— Mauvaises herbes poussent comme du chiendent. Impossible les enrayer. Vous m'aiderez. Faites attention.

— Je vous assure que je serai ravi de me rendre utile, répondis-je.

— Dites pas cela. C'est imprudent. Vous le regretterez plus tard!

— Quelle pessimiste vous faites, Evie, dit John en riant. Où prend-on le thé aujourd'hui? Dedans ou dehors?

— Dehors. Il fait trop beau pour s'enfermer.

— Alors, venez. Vous avez assez jardiné pour aujourd'hui. Le laboureur est digne de son salaire. Venez vous restaurer.

— Eh bien, dit Miss Howard, en enlevant ses gants de jardinage, je partage presque votre avis.

Elle nous précéda et, contournant la maison, se dirigea vers l'endroit où le goûter était servi, à l'ombre d'un grand sycomore.

A notre approche, une jeune femme se leva d'un des fauteuils en osier et fit quelques pas au-devant de nous.

— Ma femme, Hastings, dit John.

Je n'oublierai jamais cette première vision de Mary Cavendish. Sa longue et mince silhouette se dessinait contre la vive clarté : l'éclat amorti d'un feu couvant sous la cendre rayonnait dans ses beaux yeux fauves; elle dégageait une intense tranquillité qui pourtant éveillait l'idée d'un esprit sauvage et indomptable, dans un corps exquisement civilisé.

Elle m'accueillit avec quelques mots de bienvenue prononcés

d'une voix basse mais très distincte, et je me laissai tomber dans un fauteuil, vivement satisfait d'avoir accepté l'invitation de John. Mrs. Cavendish me versa une tasse de thé, et les quelques remarques posées qu'elle prononça me confirmèrent dans mon impression qu'elle était une femme tout à fait charmante. Il est toujours encourageant de trouver un auditoire attentif, et je me flatte d'avoir décrit certains incidents de mon séjour dans la maison de convalescence avec une verve pleine d'humour qui amusa beaucoup mon hôtesse. Car John, tout en étant un excellent garçon, ne pouvait guère prétendre à la réputation d'un brillant causeur.

A ce moment, une voix que je me rappelais bien parvint jusqu'à nous par la porte-fenêtre ouverte la plus proche.

— Alors, Alfred, vous écrirez à la princesse après le thé? J'écrirai moi-même à Lady Tadminster pour lui demander de présider le deuxième jour de la vente. Ou bien serait-il préférable d'attendre la réponse de la princesse? En cas de refus, Lady Tadminster pourrait présider le premier jour, et Mrs. Crosbie le deuxième. Et puis il faut écrire à la duchesse à propos de la fête de l'école.

Nous perçûmes le murmure d'une voix d'homme et celle de Mrs. Inglethorp qui lui répondit :

— Oui, certainement. Ce sera très bien après le thé. Vous pensez à tout, Alfred, mon chéri.

La porte-fenêtre s'ouvrit un peu plus, et une vieille femme, très distinguée et encore fort belle, aux traits autoritaires, sortit et se dirigea vers la pelouse. Un homme la suivait avec une certaine déférence.

Mrs. Inglethorp m'accueillit avec effusion.

— Oh! monsieur Hastings, comme je suis ravie de vous revoir après tant d'années. Alfred chéri, Mr. Hastings. Mon mari.

Je regardai « Alfred chéri » avec quelque curiosité. Il était certainement dans ce milieu un élément assez disparate. Je ne m'étonnai point que sa barbe déplût à John. C'était une des barbes les plus longues et les plus noires que j'eusse jamais vues. Il portait un pince-nez en or et ses traits avaient une curieuse impassibilité. Je me dis qu'il pourrait avoir l'air très naturel à la scène, mais qu'il était étrangement déplacé dans la vie quotidienne. Sa voix était assez profonde et onctueuse. Il plaça une main en bois dans la mienne et dit :

— Ravi de vous connaître, monsieur Hastings.

Puis se tournant vers sa femme :

— Emily, ma chérie, je crains que ce coussin ne soit un peu humide.

Elle jeta vers lui un regard amoureux, tandis qu'il substituait un autre coussin avec toutes les marques de la sollicitude la plus tendre. Étrange infatuation d'une femme sensée sur tant d'autres points!

Avec la présence de Mrs. Inglethorp, un sentiment de contrainte et d'hostilité voilée parut étreindre la compagnie. Miss Howard, en particulier, ne prit aucune peine pour dissimuler ses sentiments. Cependant, Mrs. Inglethorp ne paraissait rien remarquer d'anormal. Elle gardait sa volubilité dont je me souvenais malgré le passage des années, et elle déversa un flot de paroles au sujet de la kermesse qu'elle organisait et qui devait avoir lieu très prochainement. Parfois, elle en appelait à son mari pour une question de date. L'attitude attentive et vigilante de ce dernier ne varia pas. Dès l'abord, je conçus une violente antipathie pour lui, et je me flatte que mes premières impressions sont en général assez perspicaces.

Bientôt, Mrs. Inglethorp se détourna pour donner à Evie Howard quelques instructions au sujet de lettres, et son mari me dit de nouveau, de sa voix appliquée :

— Êtes-vous soldat de métier, monsieur Hastings?

— Non. Avant la guerre, j'étais aux Lloyds.

— Et vous y retournerez lorsqu'elle sera finie?

— Peut-être. Ou bien ferai-je de tout nouveaux débuts.

Mary Cavendish se pencha en avant.

— Et que choisiriez-vous comme profession, si vous étiez libre de suivre votre penchant?

— Eh bien, cela dépend.

— N'avez-vous pas de goûts secrets? insista-t-elle.

— Vous allez vous moquer de moi.

Elle sourit.

— Peut-être.

— Eh bien, j'ai toujours eu le désir inavoué d'être détective!

— Pour de bon? Scotland Yard? Ou bien Sherlock Holmes?

— Oh! Sherlock Holmes, bien entendu. Mais sérieusement, je suis terriblement attiré vers cela. J'ai rencontré un jour en Belgique un détective extrêmement célèbre et il m'a enthousiasmé. C'est un petit homme surprenant. Il soutenait que pour être un bon détective il s'agissait simplement d'avoir de la méthode. Mon système est fondé sur le sien, bien que naturellement je sois allé plus loin que lui. C'est un drôle de petit homme, un grand dandy, mais formidablement doué.

— Moi aussi, j'aime bien une bonne histoire de détective, dit Miss Howard. Mais on écrit tant de bêtises. Le criminel est découvert dans le dernier chapitre. Tout le monde est stupéfait. Dans un crime véritable, on devinerait tout de suite de qui il s'agit.

— Pourtant il y a un grand nombre de crimes qui n'ont jamais été découverts, insistai-je.

— Par la police, je ne dis pas... Mais les gens qui sont mêlés à l'affaire... les parents... Je crois qu'il serait impossible de les berner.

— Alors, dis-je, assez diverti, vous croyez que si vous étiez mêlée à un crime, à un assassinat, par exemple, vous sauriez mettre la main immédiatement sur le coupable?

— Mais bien entendu! Peut-être ne pourrais-je pas le prouver aux avocats. Mais je suis certaine que je le saurais. Je le sentirais dans le bout de mes doigts, s'il s'approchait de moi.

— Ce pourrait être une femme!

— Peut-être. Mais le meurtre est un crime violent. C'est plutôt le fait d'un homme.

— Mais pas dans un cas d'empoisonnement.

La voix claire de Mary Cavendish me fit tressaillir.

— Le docteur Bauerstein me disait hier que, grâce à l'ignorance où se trouvent les médecins concernant les poisons les plus subtils, il y a sans doute d'innombrables cas d'empoisonnement qui sont insoupçonnés.

— Oh! Mary, quelle conversation sinistre! s'écria Mrs. Inglethorp; il me semble que quelqu'un marche sur ma tombe. Ah! voici Cynthia.

Une jeune fille dans l'uniforme des D. A. V.* traversait la pelouse en courant.

— Tiens, Cynthia, vous êtes en retard, aujourd'hui. Voici Mr. Hastings, Miss Murdoch.

Cynthia Murdoch était une jeune créature très fraîche, pleine de vie et de vigueur. Elle enleva son petit bonnet et j'admirai les grandes ondulations de ses cheveux roux et la petitesse et la blancheur des mains qu'elle tendit pour réclamer son thé. Avec des yeux et des cils sombres, elle eût été une véritable beauté. Elle se jeta à terre auprès de John et leva vers moi son visage souriant lorsque je lui tendis l'assiette de sandwiches.

— Asseyez-vous sur l'herbe, là! On est tellement mieux.

Obéissant, je me laissai tomber à ses côtés.

— Vous travaillez à Tadminster, n'est-ce pas, mademoiselle Murdoch?

---

* *Département des Aides Volontaires.*

Elle acquiesça :

— Oui. Pour mes péchés!

— On vous houspille? dis-je, pour la taquiner.

— Faudrait pas qu'on essaie! s'écria Cynthia avec dignité.

— J'ai une cousine qui est aide-infirmière, remarquai-je.
Et elle est terrifiée par l'infirmière-major.

— Ça ne m'étonne pas! Si vous saviez ce qu'elles sont, monsieur Hastings! Vous ne vous en faites pas une idée. Mais, Dieu
merci, je ne suis pas infirmière; je travaille dans le dispensaire.

— Et combien de personnes empoisonnez-vous? demandai-je
en souriant.

— Oh! des centaines...

— Cynthia! appela Mrs. Inglethorp, pourrais-tu écrire quelques lettres pour moi?

— Certainement, tante Emily.

Elle se releva d'un bond, et quelque chose dans sa manière
d'être me rappela qu'elle occupait chez Mrs. Inglethorp une
situation subalterne, et que cette dernière, toute bonne qu'elle
était, au fond, ne lui permettait pas de l'oublier.

Mon hôtesse se tourna vers moi.

— John vous montrera votre chambre. Nous soupons à sept
heures et demie. Nous avons depuis quelque temps renoncé à
dîner plus tard. Lady Tadminster, la femme de notre député
aux Communes (elle était la fille du feu Lord Abbotsbury) fait
de même. Elle partage mon avis que nous devons donner l'exemple
de l'économie. Nous sommes un véritable ménage de temps de
guerre. Ici, rien n'est perdu : chaque bout de papier est soigneusement ramassé et utilisé.

J'exprimai mon admiration pour une organisation aussi parfaite, et John me mena jusqu'à la maison où nous montâmes le
grand escalier qui, à mi-chemin, se séparait en deux branches
menant à droite et à gauche vers les différentes ailes de l'édifice.
Ma chambre se trouvait dans l'aile gauche et donnait sur le parc.

John me quitta, et, quelques instants plus tard, je l'aperçus
qui traversait lentement la pelouse, bras dessus, bras dessous
avec Cynthia Murdoch. J'entendis Mrs. Inglethorp appeler
« Cynthia! » d'une voix impatiente, et je vis la jeune fille tressaillir et regagner la maison en courant. Au même instant, un
homme surgit de l'ombre d'un arbre, et se dirigea lentement dans
la même direction. Il paraissait avoir environ quarante ans, et
son visage basané et imberbe était empreint d'une profonde
mélancolie. En passant, il lança un regard vers ma fenêtre, et je
le reconnus, bien qu'il eût beaucoup changé au cours des quinze

années qui s'étaient écoulées depuis notre dernière rencontre. C'était le frère cadet de John, Laurence Cavendish. Je me demandai ce qui avait bien pu amener cette singulière expression sur son visage.

Puis je n'y songeai plus, reprenant le fil de mes propres pensées.

La soirée se passa fort agréablement, et cette nuit-là je rêvai de cette femme énigmatique, Mary Cavendish.

Le lendemain matin fut clair et ensoleillé, et je me promettais de faire un séjour vraiment délicieux. Je ne vis Mrs. Cavendish qu'à l'heure du déjeuner. Elle me proposa ensuite de faire une promenade, et nous passâmes une fin d'après-midi charmante à errer dans les bois. Nous revînmes à la maison vers cinq heures. En pénétrant dans le grand hall, John nous fit signe de le suivre dans le fumoir. Je vis immédiatement à l'expression de son visage, que quelque incident fâcheux était survenu. Nous le suivîmes, et il referma la porte derrière nous.

— Dis donc, Mary, voilà une vilaine histoire. Evie s'est querellée avec Alfred Inglethorp, et elle s'en va!

— Evie!

John hocha mélancoliquement la tête.

— Oui. Elle est allée voir mère et... tiens, voici Evie elle-même.

Miss Howard entra. Ses lèvres étaient pincées et elle portait une petite valise. Elle paraissait agitée mais résolue, et un peu sur la défensive.

— En tout cas, s'écria-t-elle, je lui ai dit ma manière de penser!

— Ma chère Evie, dit Mrs. Cavendish. Ça ne peut pas être vrai! Vous n'allez pas nous quitter.

Miss Howard hocha la tête.

— C'est parfaitement vrai. Je crains d'avoir dit à Emily certaines choses qu'elle ne pourra ni oublier ni pardonner d'ici longtemps. Tant mieux, si cela la pousse à réfléchir. Mais sans doute cela ne lui fera-t-il pas plus d'effet que de l'eau sur le dos d'un canard. Je lui ai dit tout net : « Emily, vous êtes une vieille femme. Et il n'y a pas d'imbécile comme un vieil imbécile. Cet homme a vingt ans de moins que vous. Ne cherchez pas pourquoi il vous a épousée. Pour votre argent! Eh bien, ne lui en donnez pas trop! Le fermier Raikes a une bien jolie femme. Demandez donc un peu à votre Alfred combien de temps il passe chez eux! » Elle a été furieuse. C'est bien naturel. Je repris : « Je tiens à vous avertir, que cela vous plaise ou non. Cet homme aimerait autant vous assassiner dans votre lit que de vous y regarder. C'est un vaurien. Vous pouvez me dire ce que vous voudrez. Mais n'oubliez pas que je vous ai prévenue. C'est un vaurien. »

— Et qu'a-t-elle répondu?

Miss Howard fit une grimace extrêmement expressive.

— Ce cher Alfred... et cet Alfred adoré... horribles calomnies... mensonges abominables... quelle mauvaise femme d'accuser ainsi son cher mari... Plus tôt je quitterai la maison, mieux cela vaudra. Alors, je pars.

— Mais, pas tout de suite?

— A l'instant même.

Pour un moment, nous demeurâmes figés à la regarder. Enfin, voyant que ses arguments ne servaient de rien, John Cavendish s'en fut consulter l'indicateur des chemins de fer. Sa femme le suivit en murmurant qu'elle allait essayer de faire revenir Mrs. Inglethorp sur sa décision. Lorsqu'elle quitta la chambre, l'expression de Miss Howard changea tout à coup. Elle se pencha vivement vers moi.

— Monsieur Hastings, vous êtes honnête. Puis-je me fier à vous?

J'étais un peu interloqué. Elle posa la main sur mon bras et sa voix ne fut plus qu'un murmure.

— Surveillez-la, monsieur Hastings. Ma pauvre Emily! Ce sont tous des requins. Oh! je sais ce que je dis! Il n'y en a pas un d'entre eux qui ne soit pauvre et n'essaie de lui soutirer de l'argent. Je l'ai protégée autant que j'ai pu. Mais maintenant que je ne serai plus là, ils vont l'exploiter.

— Bien entendu, mademoiselle Howard, dis-je, vous pouvez compter sur moi pour faire mon possible. Mais je crois que vous êtes un peu fatiguée et que vous exagérez les choses.

Elle m'interrompit pour agiter lentement son index.

— Fiez-vous à moi, jeune homme. J'ai vécu dans ce monde un peu plus longtemps que vous. Ce que je vous demande, c'est d'avoir l'œil ouvert. Vous comprendrez ce que je veux dire.

Le ronron d'un moteur monta par la fenêtre ouverte. Miss Howard se leva et se dirigea vers la porte. La voix de John résonna dehors; la main sur la poignée de la porte, elle se tourna vers moi et me fit signe.

— Et surtout, monsieur Hastings, surveillez ce démon, son mari.

Elle n'eut pas le temps d'en dire davantage.

Miss Howard fut engloutie par un chœur de souhaits et d'adieux. Les Inglethorp ne parurent point.

Tandis que l'auto s'éloignait, Mrs. Cavendish se détacha tout à coup du groupe et traversa la pelouse pour aller à la rencontre d'un grand homme barbu qui se dirigeait vers la maison. Elle rougit un peu tout en lui tendant la main.

— Qui est-ce? demandai-je brusquement, car instinctivement je me méfiais de cet homme.

— C'est le docteur Bauerstein! répondit John sèchement.

— Et qui est le docteur Bauerstein?

— Il séjourne dans le village où il fait une cure de repos à la suite d'une crise de neurasthénie aiguë. C'est un grand spécialiste de Londres, un des plus grands experts en toxicologie de notre temps.

— Et c'est un grand ami de Mary, ajouta l'impulsive Cynthia.

John Cavendish fronça les sourcils et changea de sujet.

— Venez faire un tour, Hastings. C'est une bien ennuyeuse histoire que celle-ci. Evelyn Howard a toujours été très vive, mais il n'y a pas d'amie plus sûre qu'elle.

Nous descendîmes jusqu'au village en passant par les bois qui bordaient un côté de la propriété.

Comme nous franchissions une des grilles, à notre retour, une très jolie femme du type de romanichel nous croisa, venant de la direction opposée, et nous salua en souriant.

— La jolie fille! remarquai-je.

Le visage de John se durcit de nouveau.

— C'est Mrs. Raikes.

— Celle que Miss Howard?...

— Précisément! dit John avec brusquerie.

Je songeai à la vieille dame aux cheveux blancs, dans la grande maison, au petit visage brillant qui venait de nous sourire, et un vague frisson me glaça tout à coup, comme un pressentiment que j'écartai aussitôt.

— *Styles* est vraiment un vieil endroit magnifique, dis-je à John.

Il acquiesça d'un air sombre.

— Oui, c'est une belle propriété. Cela m'appartiendra un jour, et devrait même m'appartenir maintenant, si mon père avait seulement fait un testament convenable. Et alors je ne serais pas si diablement gêné.

— Vous êtes donc gêné?

— Mon cher Hastings, je peux bien vous avouer que je ne sais où me tourner pour me procurer de l'argent.

— Votre frère ne pourrait-il pas vous aider?

— Laurence? Il a mangé tout ce qu'il avait pour faire publier des vers déplorables dans des éditions de luxe. Non, nous sommes des sans-le-sou. Mais je dois dire que ma mère s'est toujours montrée très généreuse à notre égard. Jusqu'à présent, du moins... Naturellement, depuis son mariage...

Il s'interrompit, en fronçant les sourcils.

Pour la première fois, je sentis que le départ d'Evelyn Howard avait changé l'atmosphère. Sa présence signifiait la sécurité. Maintenant, cette sécurité avait disparu, et l'air était chargé de suspicion. Je me rappelai le visage sinistre du docteur Bauerstein et, tout d'un coup, j'eus le pressentiment d'un malheur prochain.

CHAPITRE II

Le 16 et le 17 juillet

J'étais arrivé à *Styles* le 5 juillet. J'en viens maintenant aux événements des 16 et 17 du même mois. Pour la commodité du lecteur, je vais récapituler les incidents de ces deux jours avec la plus grande précision possible. Ils furent établis plus tard au cours du procès, grâce à de longs interrogatoires fort ennuyeux.

Deux jours après son départ, je reçus une lettre d'Evelyn Howard m'informant qu'elle était entrée comme infirmière à l'hôpital de Midlingham, grande ville industrielle à une vingtaine de kilomètres de *Styles*. Elle m'implorait de la prévenir au cas où Mrs. Inglethorp paraîtrait désirer une réconciliation.

Une seule contrariété vint troubler mes jours paisibles. Je fus bien obligé de constater le penchant extraordinaire, et que je n'arrivais pas à comprendre pour ma part, que Mrs. Cavendish semblait témoigner pour la société du docteur Bauerstein. Je ne pouvais imaginer ce qui l'attirait en lui, mais elle ne cessait de l'inviter à la maison et faisait souvent de longues expéditions en sa compagnie.

Le 16 juillet était un lundi. Ce fut une journée fort agitée. La fameuse kermesse avait eu lieu le samedi, et le soir du 16 on donnait une fête au cours de laquelle Mrs. Inglethorp devait réciter un poème sur la guerre. Nous fûmes tous très occupés pendant la matinée à décorer la salle du village en vue de la fête. Nous déjeunâmes tard et passâmes l'après-midi à nous reposer dans le parc. Je remarquai que la manière d'être de John était quelque peu étrange. Il paraissait agité. Après le thé, Mrs. Inglethorp monta pour se reposer un peu avant d'affronter les fatigues de la soirée, et j'emmenai Mary Cavendish faire un *single* au tennis.

Vers sept heures moins le quart, Mrs. Inglethorp nous appela pour nous dire que nous serions en retard, car le souper allait être servi plus tôt que de coutume. Nous dûmes nous hâter pour être prêts à temps, et l'auto attendait à la porte avant même la fin du repas.

La fête fut un grand succès. La récitation de Mrs. Inglethorp fut accueillie par des applaudissements enthousiastes. Il y avait aussi quelques tableaux vivants auxquels Cynthia prit part. Elle ne revint pas avec nous, ayant été invitée à souper et à passer la nuit chez des amis qui avaient également joué dans les tableaux vivants.

Le lendemain matin, Mrs. Inglethorp, un peu fatiguée, déjeuna au lit. Mais elle parut, très alerte, vers midi et demi et emmena Laurence et moi déjeuner chez une voisine.

— J'ai reçu une charmante invitation de Mrs. Rolleston. C'est la sœur de Lady Tadminster, vous savez. Les Rolleston sont venus avec le Conquérant... une de nos plus anciennes familles.

Mary s'était excusée, prétextant un rendez-vous avec le docteur Bauerstein.

Le déjeuner fut très agréable, et, comme nous rentrions en voiture, Laurence proposa de revenir par Tadminster pour rendre visite à Cynthia, à son dispensaire. Mrs. Inglethorp répondit que c'était une excellente idée, mais qu'ayant plusieurs lettres à écrire, elle nous y déposerait. Nous pourrions rentrer plus tard avec Cynthia dans le tonneau.

Nous fûmes arrêtés par le portier de l'hôpital qui nous retint jusqu'à ce que Cynthia vînt répondre de nous; elle était très jolie et très fraîche dans sa longue blouse blanche. Elle nous fit entrer dans son bureau et nous présenta à sa collègue, une jeune personne d'aspect assez rébarbatif, répondant au nom de Nibs.

— Quelle quantité de bouteilles! m'écriai-je en laissant mes regards errer autour de la pièce. Savez-vous vraiment ce que contient chacune d'elles?

— Oh! soyez plus original! soupira Cynthia. Chaque personne qui entre ici me débite cette même phrase. Nous songeons sérieusement à décerner un prix au premier individu qui ne dira pas : « Quelle quantité de bouteilles, etc. » Et je sais ce que vous allez me dire ensuite, c'est : « Combien de personnes avez-vous empoisonnées? »

Je m'avouai coupable en riant.

— Si seulement vous saviez comme c'est facile d'empoisonner quelqu'un par erreur, vous n'en ririez pas! Allons, une tasse de thé. Nous avons des tas de provisions secrètes dans cette armoire. Non, Laurence. Ça, c'est l'armoire aux poisons... La grande armoire. Oui, celle-là !

Le goûter fut très gai et nous aidâmes ensuite Cynthia à laver les tasses. Nous venions de ranger la dernière cuiller lorsqu'on frappa à la porte. Les visages de Cynthia et de Nibs se pétrifièrent brusquement en une expression sévère.

— Entrez, dit Cynthia d'un ton professionnel.

Une jeune infirmière assez intimidée parut, tenant une bouteille qu'elle tendit à Nibs, qui, d'un geste, la renvoya à Cynthia en remarquant assez énigmatiquement :

— Je ne suis pas ici aujourd'hui.

Cynthia prit la bouteille et l'examina avec la sévérité d'un juge.

— Vous auriez dû me l'apporter ce matin.

— L'infirmière-major avait oublié. Elle le regrette.

— Et maintenant je ne puis préparer cette potion avant demain.

— Ne croyez-vous pas pouvoir nous la donner ce soir ?

— Eh bien, dit Cynthia gracieusement, nous sommes très occupées, mais je ferai tout mon possible pour la préparer.

La petite infirmière se retira, et Cynthia prit un flacon d'une planche, remplit la bouteille et la plaça sur la table derrière la porte.

Je ris.

— Il faut maintenir la discipline, dis-je.

— Précisément. Venez donc sur notre petit balcon. De là, on peut voir toutes les salles extérieures.

Je suivis Cynthia et son amie, qui me désignèrent ces différentes salles. Laurence demeura dans la pièce, mais Cynthia le pria bientôt de venir nous rejoindre. Puis elle regarda sa montre.

— Plus rien à faire, Nibs ?

— Non.

— Très bien. Allons, nous pouvons fermer et partir.

Laurence m'était apparu sous un jour très différent au cours de cet après-midi. Son caractère était fort difficile à pénétrer. Il était, à presque tous les points de vue, l'opposé de son frère, étant timide et réservé. Pourtant il avait un certain charme, et je supposais que, mieux connu, il pourrait inspirer une affection profonde. Je m'étais toujours imaginé que sa manière d'être en face de Cynthia était assez gênée, et que de son côté elle se montrait un peu timide près de lui. Mais, cet après-midi, ils furent tous deux fort gais et bavardèrent ensemble comme deux enfants.

Tandis que nous traversions le village, je me souviens d'avoir manifesté mon intention d'acheter des timbres, et nous nous arrêtâmes à la poste.

En sortant, je heurtai un petit homme qui entrait. Je m'écartai en m'excusant, lorsque tout à coup il me saisit dans ses bras et m'embrassa chaleureusement en poussant une exclamation de surprise.

— Mon ami Hastings! s'écria-t-il. C'est, en effet, mon ami Hastings!

— Poirot! m'écriai-je.

Je me tournai vers les occupants de la charrette anglaise.

— Voici une bien agréable rencontre pour moi, mademoiselle Cynthia! C'est mon vieil ami, M. Poirot, que je n'avais pas vu depuis des années.

— Oh! vous connaissez M. Poirot? dit Cynthia gaiement. Mais je ne savais pas qu'il était un de vos amis.

— En effet, dit Poirot sérieusement. Je connais Miss Cynthia. Si je suis ici, c'est grâce à la charité de cette bonne Mrs. Inglethorp.

Puis, voyant que je le regardais interrogativement :

— Oui, mon ami, elle a fort aimablement étendu son hospitalité à sept de mes compatriotes qui, hélas! sont des réfugiés. Nous autres, Belges, nous nous souviendrons toujours d'elle avec reconnaissance.

Poirot était un petit homme d'allure extraordinaire. Bien que de petite taille, il avait un port très digne. Sa tête avait exactement la forme d'un œuf, et il la tenait toujours un peu penchée de côté. Sa moustache cirée était très raide et d'allure militaire. Il était toujours tiré à quatre épingles et je crois qu'un grain de poussière lui eût causé plus de douleur que la blessure d'une balle. Pourtant, ce petit homme bizarre, aux allures de dandy, qui, je le constatais avec regret, boitait péniblement, avait jadis été un des membres les plus célèbres de la police belge. Comme détective, son flair était surprenant, et il avait accompli de véritables tours de force en débrouillant certaines des affaires les plus complexes de l'époque*.

Il me désigna la petite maison qu'il habitait avec ses compatriotes, et je promis d'aller l'y voir très prochainement. Puis il salua Cynthia d'un geste assez large et nous nous éloignâmes.

— C'est un charmant petit homme, dit Cynthia; je n'avais pas l'idée que vous le connaissiez.

* *Lire* Le Meurtre de Roger Ackroyd.

— Vous avez reçu une célébrité sans vous en douter, répondis-je.

Et, tout en cheminant, je leur narrai les exploits et triomphes d'Hercule Poirot.

Nous arrivâmes à *Styles* de fort bonne humeur. Au moment où nous pénétrâmes dans le hall, Mrs. Inglethorp sortait de son boudoir. Elle était agitée et congestionnée.

— Oh! c'est vous, dit-elle.

— Est-il arrivé quelque chose, tante Emily? demanda Cynthia.

— Mais non, rien du tout, répliqua Mrs. Inglethorp avec humeur. Que pourrait-il y avoir?

Puis, apercevant Dorcas, la femme de chambre, qui se dirigeait vers la salle à manger, elle l'appela et lui dit de lui apporter des timbres dans le boudoir.

La vieille domestique parut hésiter un instant, puis elle ajouta timidement :

— Madame ne croit-elle pas qu'elle ferait mieux d'aller se coucher? Madame a l'air très fatiguée.

— Peut-être avez-vous raison, Dorcas. Mais pas encore. J'ai certaines lettres à terminer avant l'heure du courrier. Avez-vous allumé un feu dans ma chambre, comme je vous l'ai dit?

— Oui, madame.

— Alors, je me coucherai aussitôt après le dîner.

Elle rentra dans le boudoir, et Cynthia la suivit des yeux, d'un air ahuri.

— Eh bien, je me demande ce qu'il est arrivé? dit-elle, s'adressant à Laurence.

Il ne parut pas l'entendre, car, sans dire un mot, il tourna sur ses talons et sortit de la maison.

Je proposai à Cynthia une rapide partie de tennis avant le souper, et je montai en courant jusqu'à ma chambre y chercher ma raquette.

Mrs. Cavendish descendait l'escalier. Peut-être était-ce un effet de mon imagination, mais il me sembla qu'elle aussi paraissait troublée et mal à l'aise.

— Avez-vous fait une bonne promenade avec le docteur Bauerstein? demandai-je d'un ton que je m'efforçai de rendre aussi indifférent que possible.

— Je ne suis pas sortie, répliqua-t-elle brusquement. Où est Mrs. Inglethorp?

— Dans le boudoir.

Elle parut se raidir comme pour une entrevue désagréable, et, passant rapidement devant moi, elle acheva de descendre et entra dans le boudoir dont elle referma la porte.

Quelques minutes plus tard, je fus obligé, pour aller au tennis, de passer devant la fenêtre grande ouverte du boudoir, et je ne pus m'empêcher d'entendre le bout de dialogue suivant. Mary Cavendish disait, d'une voix qui trahissait un effort désespéré pour se maîtriser :

— Alors, vous refusez de me montrer cela?

Et Mrs. Inglethorp lui répondit :

— Ma chère Mary, cela n'a rien à voir avec cette affaire.

— Alors, montrez-le-moi.

— Je vous dis que ce n'est pas ce que vous vous imaginez, et ne vous concerne nullement.

A quoi Mary Cavendish répliqua avec une amertume cuisante :

— Bien entendu, j'aurais dû savoir que vous le protégeriez.

Cynthia m'attendait et elle m'accueillit en me disant vivement :

— Dites donc! Il paraît qu'il y a eu une scène épouvantable! Dorcas m'a tout raconté.

— Dorcas y assistait donc?

— Mais non, voyons! Elle se trouvait « par hasard » près de la porte. Oh! une scène formidable! Je voudrais bien savoir de quoi il s'agissait.

Je songeai au visage piquant de Mrs. Raikes et aux avertissements d'Evelyn Howard, mais je décidai sagement de ne pas en souffler mot, tandis que Cynthia envisageait toutes les hypothèses possibles et formait le vœu que « tante Emily pût renvoyer Inglethorp et ne lui parlât plus jamais ».

Je désirais vivement mettre la main sur John, mais il demeura invisible. Évidemment, quelque incident sérieux s'était produit au cours de l'après-midi. J'essayai d'oublier les phrases que j'avais surprises, mais j'eus beau faire, je ne pus les chasser complètement de mon esprit. Quel intérêt Mary Cavendish pouvait-elle bien avoir dans l'affaire?

Lorsque je descendis pour le dîner, Inglethorp était dans le salon. Son visage était aussi impassible que d'habitude, et je fus de nouveau frappé par l'étrange singularité de cet homme.

Mrs. Inglethorp parut enfin. Elle semblait encore très agitée, et le dîner fut alourdi d'un silence contraint. Inglethorp était très tranquille. Il entourait sa femme de petites attentions, lui glissant un coussin derrière le dos, et jouant à merveille le rôle de mari dévoué. Le souper terminé, Mrs. Inglethorp se retira aussitôt dans son boudoir.

— Veuillez m'envoyer mon café, Mary, dit-elle. Je n'ai que cinq minutes pour ne pas manquer le courrier.

Cynthia me suivit et nous allâmes nous asseoir près de la fenêtre ouverte du salon. Mary Cavendish nous apporta notre café. Elle paraissait très énervée.

— Voulez-vous qu'on allume, jeunes gens? demanda-t-elle. Ou préférez-vous le crépuscule? Cynthia, voulez-vous avoir la gentillesse de porter à Mrs. Inglethorp son café. Je vais le verser.

— Ne vous donnez pas cette peine, Mary, dit Inglethorp. Je le porterai moi-même à Emily.

Tout en parlant, il versa le café et sortit de la pièce en portant la tasse avec soin. Laurence le suivit et Mrs. Cavendish s'assit auprès de nous.

Nous demeurâmes tous trois silencieux pendant un instant. Il faisait une nuit superbe, très chaude et paisible. Mrs. Cavendish s'éventait doucement avec une feuille de palmier.

— Il fait presque trop chaud, murmura-t-elle. Nous aurons sûrement un orage.

Hélas! pourquoi ne pouvoir prolonger indéfiniment des moments pareils! Je fus brusquement chassé de mon rêve par le son d'une voix bien connue et sincèrement détestée provenant du hall.

— C'est le docteur Bauerstein! s'écria Cynthia. Quelle drôle d'heure pour faire une visite!

Je lançai un regard jaloux vers Mary Cavendish, mais elle ne paraissait nullement troublée et aucune couleur ne vint animer la pâleur délicate de ses joues.

Quelques instants plus tard, Alfred Inglethorp introduisait le docteur qui s'excusa en riant et en protestant qu'il n'était vraiment pas présentable. Et, de fait, il avait fort piteuse mine, était littéralement couvert de boue de la tête aux pieds.

— Mais qu'avez-vous bien pu faire, docteur? s'écria Mrs. Cavendish.

— Je vous dois des excuses, dit le docteur. Je ne voulais pas entrer, mais Mr. Inglethorp a insisté.

— Eh bien Bauerstein, vous voilà dans un bel état! remarqua John qui entrait à ce moment. Prenez du café et racontez-nous vos aventures.

— Merci, j'accepte volontiers!

Il se mit à rire avec quelque dépit, tout en décrivant comment, ayant découvert une espèce de fougère très rare poussant dans un endroit inaccessible, il avait perdu pied dans ses efforts pour l'obtenir et était tombé ignominieusement dans un étang voisin!

— Le soleil eut vite fait de me sécher, dit-il, mais je crois que j'ai vraiment mauvaise apparence!

A ce moment, Mrs. Inglethorp appela Cynthia du hall, et la jeune fille sortit en courant.

— Veux-tu me porter ma mallette à correspondance dans ma chambre, chérie, je vais me coucher.

La porte donnant accès au hall était fort large. Je m'étais levé en même temps que Cynthia, et John était tout près de moi. Il y avait donc trois témoins qui purent jurer que Mrs. Inglethorp portait sa tasse de café auquel elle n'avait pas encore goûté.

La présence du docteur Bauerstein me gâta définitivement la soirée. Je crus qu'il ne s'en irait jamais. Enfin, il se leva et je poussai un soupir de soulagement.

— Je vais descendre avec vous jusqu'au village, dit Mr. Inglethorp, car je dois régler certains comptes avec notre régisseur.

Il se tourna vers John.

— Inutile de m'attendre. Je prendrai la clef avec moi.

CHAPITRE III

La nuit de la tragédie

Afin que cette partie de mon récit soit tout à fait claire, j'ajoute ce plan du premier étage de *Styles*.

On parvient par la porte B aux chambres des domestiques. Elles n'ont aucune communication avec l'aile droite où sont situées les chambres des Inglethorp.

Vers le milieu de la nuit, je fus réveillé par Laurence Cavendish. Il tenait une bougie à la main, et l'agitation de son visage me convainquit tout de suite qu'il se passait quelque chose d'anormal.

— Qu'y a-t-il? dis-je en m'asseyant dans mon lit et en tâchant de rassembler mes pensées éparses.

— Nous craignons que ma mère ne soit gravement malade. Elle est en proie à une sorte de crise. Malheureusement, elle a fermé sa porte à clef.

— Je viens tout de suite.

Bondissant de mon lit, j'enfilai une robe de chambre et je suivis Laurence le long d'un couloir et d'une galerie jusqu'à l'aile droite de la maison.

John Cavendish nous rejoignit, et je vis les domestiques l'air effaré et consterné. Laurence se tourna vers nous.

— Que faut-il faire?

Son caractère n'avait jamais paru plus indécis qu'à cet instant. John tourna violemment la poignée de la porte de Mrs. Inglethorp, mais sans résultat. Elle était évidemment fermée à clef ou verrouillée. A l'intérieur de la chambre, nous distinguions des bruits très alarmants. Il était indispensable d'agir au plus vite.

— Essayez donc d'entrer par la chambre de Mr. Inglethorp! cria Dorcas. Oh! la pauvre madame!

Je me rendis compte soudain qu'Alfred Inglethorp n'était pas avec nous, et que lui seul n'avait pas donné signe de vie. John ouvrit la porte de sa chambre : elle était plongée dans l'obscurité. Mais Laurence suivait avec la bougie, et, grâce à cette lueur vacillante, nous vîmes que le lit n'avait pas été occupé. Nous nous dirigeâmes directement vers la porte de communication. Elle aussi était également fermée ou verrouillée de l'intérieur. Que fallait-il faire?

— Oh! mon Dieu, monsieur! gémit Dorcas se tordant les mains. Qu'allons-nous faire?

— Il nous faut enfoncer la porte; mais ce ne sera guère facile. Dites à une des domestiques d'envoyer Billy chercher immédiatement le docteur Wilkins. En attendant, nous essaierons d'enfoncer la porte. Mais voyons, n'y a-t-il pas une porte de communication entre la chambre de ma mère et celle de Miss Cynthia?

— Oui, monsieur. Mais elle est fermée à clef.

— Eh bien, on peut toujours s'en assurer.

John courut rapidement jusqu'à la chambre de Cynthia. Mary Cavendish s'y trouvait, essayant de réveiller la jeune fille qui devait avoir un sommeil exceptionnellement lourd.

Il revint presque aussitôt vers nous.

— Cette porte aussi est fermée au verrou. Il faut l'enfoncer, puisqu'elle paraît un peu moins résistante que celle qui donne accès au corridor.

Tous ensemble, nous pesâmes sur les panneaux : ils étaient solides et résistèrent longtemps à nos efforts, mais la porte finit par céder avec un fracas formidable.

Nous nous précipitâmes dans la pièce. Laurence tenait toujours la bougie. Mrs. Inglethorp était étendue sur le lit; tout son corps était agité par de violentes convulsions, au cours desquelles elle avait sans doute renversé sa table de chevet. Mais, au moment où nous entrâmes, ses membres se détendirent et elle retomba sur les oreillers.

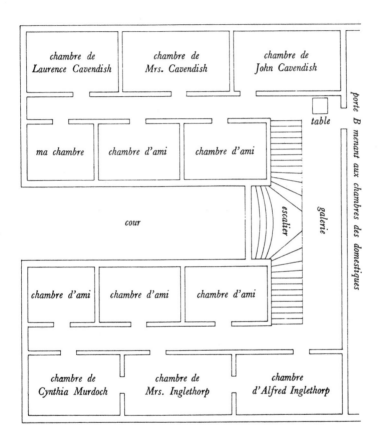

John traversa vivement la chambre et alluma le gaz. Se tournant vers Annie, une des femmes de chambre, il l'envoya en bas chercher du cognac. Puis il alla vers sa mère, tandis que j'ouvrais la porte donnant sur le corridor.

Je me tournai alors vers Laurence pour lui dire que j'allais me retirer, s'il n'avait plus besoin de mes services, mais les mots moururent sur mes lèvres. Je n'ai jamais vu sur un visage d'homme expression plus sinistre que celle que je surpris alors sur le sien. Il était d'une blancheur de craie. Dans sa main tremblante, la bougie dégouttait sur le tapis, et ses yeux pétrifiés d'horreur fixaient par-dessus ma tête un point sur le mur opposé. Je suivis instinctivement la direction de ses regards, mais je ne vis rien d'anormal. Car les cendres qui rougeoyaient encore faiblement dans l'âtre et la garniture de cheminée étaient assurément inoffensives.

La crise de Mrs. Inglethorp semblait se calmer. Elle pouvait parler par phrases hachées.

— Vais mieux, très soudain... stupide de ma part de m'être enfermée.

Une ombre tomba sur le lit. Levant la tête, je vis Mary Cavendish debout près de la porte, le bras jeté autour de Cynthia. Elle semblait soutenir la jeune fille qui paraissait accablée. Son visage était très rouge, et elle ne cessait de bâiller.

— Pauvre Cynthia, elle est très effrayée, dit Mrs. Cavendish.

Je remarquai qu'elle était vêtue de sa blouse blanche de travail. Il devait donc être plus tard que je ne le croyais. Je vis qu'un faible rayon de jour filtrait à travers les rideaux des fenêtres, et que la pendule sur la cheminée marquait presque cinq heures.

Un cri venant du lit me fit sursauter. La malheureuse vieille dame fut la proie d'un nouvel accès très douloureux. Les convulsions étaient d'une violence affreuse. Une confusion extrême régna aussitôt. Nous l'entourâmes, impuissants à soulager sa douleur. Une dernière convulsion la souleva du lit et elle parut se reposer sur la tête et sur les talons, tout son corps étant arqué d'une façon extraordinaire. Mary et John s'efforcèrent en vain de lui faire avaler une gorgée de cognac. De nouveau, le corps décrivit une courbe arquée.

A ce moment, le docteur Bauerstein se fraya avec autorité un passage. Un moment, il s'arrêta net, fixant la silhouette sur le lit, et ce fut alors que Mrs. Inglethorp s'écria d'une voix étranglée, les yeux fixés sur le médecin :

— Alfred ! Alfred !

Puis elle retomba, immobile, sur les oreillers.

Le docteur parvint jusqu'au lit, saisissant les bras de Mrs. Inglethorp, il se mit à les agiter énergiquement, pratiquant ce que je devinai être la respiration artificielle. Il donna quelques ordres brefs aux domestiques. D'un geste impérieux, il nous chassa tous jusqu'à la porte. Nous le regardâmes, fascinés, bien que chacun de nous devinât dans son for intérieur qu'il était trop tard et qu'il n'y avait plus rien à faire. Je vis, d'après l'expression de son visage, que le médecin lui-même conservait peu d'espoir.

Il abandonna enfin sa tâche en secouant gravement la tête. A ce moment, nous perçûmes des pas dans le corridor et le docteur Wilkins, médecin habituel de Mrs. Inglethorp, petit homme gros et important, fit son entrée, l'air affairé.

En quelques mots, le docteur Bauerstein expliqua que passant devant la grille de *Styles* au moment où l'auto en sortait, il avait couru jusqu'à la maison à toutes jambes pendant qu'on allait chercher le docteur Wilkins. D'un geste de la main, il indiqua le lit.

— Très triste! Très triste! murmura le docteur Wilkins. Pauvre chère dame! Elle s'est toujours beaucoup trop surmenée, beaucoup trop, et contre mon avis. Je l'avais prévenue. Son cœur était loin d'être fort. « Allez doucement, lui ai-je dit. Allez doucement. » Mais non, son zèle pour les bonnes œuvres était trop grand. La nature s'est révoltée. La Na-tu-re-s'est-ré-vol-tée.

Je remarquai que le docteur Bauerstein regardait fixement le petit médecin de campagne.

— Les convulsions étaient d'une violence particulière, docteur Wilkins. Je regrette que vous ne soyez pas arrivé à temps pour le constater. Elles étaient de nature tout à fait... tétanique.

— Oh! dit le docteur Wilkins d'un air docte.

— J'aimerais m'entretenir avec vous en particulier, dit le docteur Bauerstein.

Il se tourna vers John.

— Vous n'y voyez pas d'inconvénient?

— Certainement pas.

Nous sortîmes tous dans le corridor, laissant les deux médecins seuls, et j'entendis la clef tourner dans la serrure derrière nous.

Nous descendîmes lentement l'escalier. J'étais en proie à une tension extrême; je me flatte d'avoir un raisonnement déductif, et l'attitude du docteur Bauerstein avait déclenché dans mon esprit toute une série de folles conjectures. Mary Cavendish posa la main sur mon bras. Je la regardai.

— Savez-vous ce que je pense, dis-je.

— Quoi donc?

— Écoutez.

Jetant un coup d'œil autour de nous, je vis que les a t es étaient hors de portée. Je baissai la voix et lui murmurai :

— Je crois qu'elle a été empoisonnée! Je suis certain que le docteur Bauerstein le soupçonne.

— *Quoi ?*

Elle recula contre le mur et ses pupilles se dilatèrent sous l'effroi. Puis, poussant un cri qui m'épouvanta, elle dit d'un ton farouche :

— Non! Non! Pas cela! Pas cela!

Et, me repoussant, elle s'enfuit, remontant l'escalier. Je la suivis, craignant qu'elle ne se trouvât mal. Je la retrouvai appuyée contre la rampe; elle était d'une pâleur mortelle et elle m'écarta d'un geste impatient.

— Non! non! Laissez-moi! Je préfère être seule. Laissez-moi simplement en paix quelques instants. Allez retrouver les autres.

Je lui obéis à contrecœur. John et Laurence étaient au salon, et je les y rejoignis. Nous étions tous silencieux, mais je crois que j'exprimai la pensée de tous, lorsque je rompis enfin le silence en disant :

— Où est Mr. Inglethorp?

John hocha la tête.

— Il n'est pas dans la maison.

Nos regards se rencontrèrent. Où donc était Alfred Inglethorp? Son absence était étrange et inexplicable. Je me souviens des dernières paroles de Mrs. Inglethorp. Que signifiaient-elles! Qu'aurait-elle ajouté si elle en avait eu la force?

Enfin, les médecins descendirent. Le docteur Wilkins avait l'air important, et il se forçait de dissimuler une agitation intérieure sous un masque de froideur.

Le docteur Bauerstein demeura au second plan, son grave visage barbu était inchangé. Le docteur Wilkins prit la parole. Il s'adressa à John :

— Monsieur Cavendish, je vous demande de consentir à une autopsie.

— Est-ce nécessaire? dit John gravement, tandis que son visage se contractait de douleur.

— Absolument, dit le docteur Bauerstein.

— Voulez-vous dire que cela...

— Que ni le docteur Wilkins ni moi ne pourrions délivrer le permis d'inhumer dans les circonstances actuelles.

John courba la tête.

— Dans ce cas, je n'ai pas le choix et je dois consentir.

— Merci, dit le docteur Wilkins vivement. Nous proposons

que l'autopsie ait lieu demain soir, ou plutôt ce soir, rectifia-t-il en jetant un regard vers la fenêtre éclairée par les premiers rayons du soleil. Vu les circonstances, nous ne pourrons, je le crains, éviter une enquête judiciaire, ces formalités sont indispensables, mais je vous conjure de ne pas vous tourmenter outre mesure.

Il y eut une pause. Le docteur Bauerstein tira de sa poche deux clefs qu'il tendit à John.

— Voici les clefs des deux chambres. A mon avis, il serait préférable de les laisser fermées pour le moment.

Sur quoi les médecins s'en allèrent.

Depuis quelques instants déjà, je retournais une idée dans ma tête et je devinai que le moment était venu de l'exprimer.

Pourtant j'hésitai un peu. Je savais que John avait horreur de toute sorte de publicité et qu'il était d'un optimisme insouciant. Il serait donc peut-être difficile de le convaincre de l'opportunité de mon projet. Je devinais que je pourrais compter sur l'appui de Laurence qui avait plus d'imagination. Il n'était pas douteux que le moment était venu pour moi de prendre les devants.

— John, dis-je, je vais vous proposer quelque chose.

— Eh bien?

— Vous souvenez-vous que je vous ai parlé de mon ami Poirot? Le Belge qui séjourne dans le village? Il a été un célèbre détective.

— Oui.

— Eh bien, je veux que vous me permettiez de l'appeler, pour procéder à une enquête sur cette affaire.

— Comment? Maintenant?

— Oui... le temps est un avantage, si... s'il s'agit d'un crime.

— Quelle bêtise! s'écria Laurence, furieux. Dans mon opinion, toute cette histoire est un canard inventé par Bauerstein. Wilkins n'avait pas l'idée d'une pareille chose avant que Bauerstein ne la lui eût mise en tête. Mais Bauerstein a une marotte comme tous les spécialistes. Les poisons sont la sienne, alors il en voit partout.

J'avoue que l'attitude de Laurence me surprit, car il était bien rare qu'il témoignât de la véhémence pour quoi que ce soit.

John hésita.

— Je n'arrive pas à partager tes sentiments, Laurence, dit-il. J'ai bien envie de donner toute liberté d'agir à Hastings, bien que je préférerais attendre un peu. Nous ne voulons pas de scandale inutile.

— Bien entendu! criai-je vivement. N'ayez aucune crainte à ce sujet : Poirot est la discrétion même.

— Eh bien, alors, agissez comme bon vous semblera ! Cependant, l'affaire me paraît très claire, si ce que nous soupçonnons est exact. Mais Dieu me pardonne si je fais un jugement téméraire.

Je consultai ma montre. Il était six heures. Je résolus de ne pas perdre de temps. Cependant, je m'accordai cinq minutes de délai : cinq minutes que je passai à fouiller la bibliothèque, jusqu'à ce que j'eusse trouvé un livre médical contenant une description détaillée de l'empoisonnement par la strychnine.

CHAPITRE IV

Poirot enquête

La maison occupée par les Belges se trouvait tout près des grilles du parc. On pouvait y accéder rapidement par un petit chemin à travers l'herbe haute, ce qui évitait de suivre tous les détours de l'avenue. Je pris donc ce sentier, et je parvenais à la loge des gardiens, lorsque j'aperçus une silhouette d'homme courant vers moi. C'était Mr. Inglethorp. D'où venait-il ? Comment allait-il expliquer son absence ?

Il m'aborda vivement :

— Mon Dieu ! Quelle terrible chose ! Ma pauvre femme ! Je viens seulement d'apprendre la nouvelle !

— Où êtes-vous allé ? lui dis-je froidement.

— Denby m'a retenu très tard hier soir. Il était près d'une heure avant que nous eussions terminé les comptes. Alors, j'ai constaté que j'avais oublié la clef. Comme je ne voulais pas éveiller toute la maison, Denby m'a prêté un lit.

— Comment avez-vous appris la nouvelle ? demandai-je ensuite.

— Wilkins a réveillé Denby pour le mettre au courant. Ma pauvre Emily ! Un si noble caractère ! Elle se sacrifiait continuellement pour autrui, et elle a trop présumé de ses forces.

Une vague répulsion m'envahissait. Inglethorp m'apparut comme un fieffé hypocrite.

— Je dois me dépêcher ! dis-je, me félicitant qu'il ne m'eût pas demandé où j'allais.

Quelques instants plus tard, je frappais à la porte de *Leastways Cottage*. N'obtenant pas de réponse, je répétai mon appel impatiemment. Alors, une fenêtre fut repoussée avec précaution, et

Poirot lui-même, passant la tête par l'entrebâillement, regarda dans la rue. Il poussa une exclamation de surprise en me reconnaissant. Je lui appris brièvement la tragédie, et lui dis que je venais solliciter son aide.

— Un instant, mon ami, je vais vous ouvrir, et vous me raconterez toute l'histoire pendant que je m'habille.

Il eut tôt fait d'ouvrir la porte, et je le suivis jusqu'à sa chambre. Là, il m'installa dans un fauteuil, et je lui narrai les faits, sans rien cacher ni rien omettre, tandis qu'il procédait à une toilette méticuleuse.

Je le mis au courant des dernières paroles de Mrs. Inglethorp, de l'absence de son mari, de la scène de la veille, du fragment de conversation que j'avais surpris entre Mary et sa belle-mère, de la querelle précédente entre Mrs. Ingelthorp et Evelyn Howard, et des instructions de cette dernière.

Je ne fus pas tout à fait aussi clair que je l'eusse souhaité. Je me répétai plusieurs fois et dus, de temps à autre, me référer à un détail oublié. Poirot me souriait avec bienveillance.

— Vous êtes un peu nerveux, n'est-ce pas? C'est bien naturel. Mais prenez votre temps, mon ami. Bientôt lorsque nous serons plus calmes, nous classerons les faits, méthodiquement, chacun à sa place. Nous les examinerons et nous choisirons. Nous mettrons de côté ceux qui nous sembleront importants. Et les autres, pfft! (Il gonfla son visage de chérubin et souffla assez comiquement) nous les volatiliserons!

— Tout cela est fort bien, objectai-je, mais comment allez-vous discerner ce qui est important et ce qui ne l'est pas? Cela me paraît toujours fort difficile.

Poirot secoua énergiquement la tête. Il était occupé à friser sa moustache avec un soin raffiné.

— Mais non, voyons! Un fait mène à un autre, et nous continuons ainsi. Le prochain s'ajuste-t-il au précédent? A merveille. Bon! Nous pouvons continuer. Manque-t-il un chaînon de la chaîne? Nous examinons. Nous cherchons. Et ce petit fait curieux, ce petit détail insignifiant, qui ne paraît pas cadrer avec les autres, nous le plaçons là.

Il fit un geste de la main.

— C'est très important! C'est primordial!

— Oui... oui!...

— Ah! (Poirot me menaça du doigt avec une telle violence que je reculai devant lui.) Prenez garde! Le détective qui dit : « C'est un petit fait qui n'a pas d'importance. Il ne s'accorde pas avec les autres, je vais l'oublier » court un grand danger.

Cette indifférence mène à la confusion. Car tout, *tout* a de l'importance.

— Je le sais. Vous me l'avez toujours dit. C'est pourquoi j'ai noté tous les détails de cette affaire, qu'ils me parussent importants ou non.

— Aussi je suis très content de vous. Vous avez une excellente mémoire et m'avez fidèlement rapporté tout ce qu'il s'est passé. Je ne dirai rien de l'ordre dans lequel vous avez présenté votre exposé, car il est déplorable. Mais je n'oublie pas que vous êtes bouleversé. C'est pourquoi je vous excuse d'avoir omis une chose d'une importance capitale!

— Laquelle? demandai-je, étonné.

— Vous ne m'avez pas dit si Mrs. Inglethorp avait mangé avec appétit, hier soir.

Je le fixai, ahuri. Assurément, la guerre avait dû déranger son cerveau. Il était occupé à brosser soigneusement son veston avant de l'endosser et paraissait entièrement absorbé par ce soin.

— Je ne m'en souviens pas, répondis-je. Et en tout cas, je ne vois pas...

— Vous ne voyez pas? Mais c'est d'une importance capitale!

— Je ne comprends pas pourquoi, répliquai-je, un peu froissé. Mais, si mes souvenirs sont exacts, elle n'a pas mangé beaucoup. Elle était visiblement très troublée et n'avait pas d'appétit. C'est très naturel.

— Oui, répéta Poirot d'un air songeur. C'était très naturel.

Il ouvrit un tiroir, y prit un petit portefeuille et se tourna vers moi.

— Voici, je suis prêt. Nous allons nous rendre au château, pour y étudier l'affaire sur les lieux. Excusez-moi, mon ami, mais vous vous êtes habillé à la hâte et votre cravate est de travers. Permettez-moi.

Il la redressa d'un geste précis.

— Voilà. Eh bien, partons.

Nous remontâmes le village et pénétrâmes dans le parc devant la loge du gardien. Poirot s'arrêta un instant et contempla douloureusement la belle étendue de parc qui scintillait encore sous la rosée matinale.

— Tout cela est si beau, et pourtant la malheureuse famille est prostrée de chagrin et plongée dans le désespoir.

Tout en parlant, il me jeta un regard scrutateur, et je me rendis compte que je rougissais sous son regard aigu.

La famille était-elle vraiment prostrée par le chagrin? La douleur provoquée par la mort de Mrs. Inglethorp était-elle vraiment si vive? Je me rendis compte que l'atmosphère de *Styles* n'était guère chargée d'émotion. La morte n'avait pas eu le don de se faire aimer. Sa mort était un malheur et un grand choc, mais personne ne la regrettait bien vivement.

Poirot parut suivre mes pensées. Il hocha gravement la tête.

— Oui, vous avez raison, dit-il. Ce n'est pas comme s'ils avaient été unis par les liens du sang. Elle a été bonne et généreuse envers ces Cavendish, mais ce n'était pas leur propre mère. Le sang compte, rappelez-vous ça, le sang compte!

— Poirot, lui demandai-je, me direz-vous enfin pourquoi vous vouliez savoir si Mrs. Inglethorp avait beaucoup mangé, hier soir? J'ai beau retourner cette question dans mon esprit, elle ne me paraît avoir aucun rapport avec l'affaire.

Il demeura silencieux quelques instants, tandis que nous marchions, mais il me répondit enfin.

— Je veux bien vous le dire, bien que je n'aie pas l'habitude, comme vous le savez, de donner la moindre explication avant d'avoir atteint mon but. L'hypothèse actuelle est que Mrs. Inglethorp est morte d'empoisonnement par la strychnine qui fut administrée dans son café.

— Oui...

— Eh bien, à quelle heure le café fut-il servi?

— Vers huit heures du soir.

— Donc, elle l'a bu entre huit heures et huit heures et demie. Certainement pas beaucoup plus tard. Eh bien, la strychnine est un poison assez rapide. Ses effets se seraient vite ressentis, sans doute une heure plus tard. Pourtant, dans le cas de Mrs. Inglethorp, les symptômes ne se sont manifestés que le lendemain à cinq heures, c'est-à-dire neuf heures plus tard. Or, un repas copieux absorbé en même temps que le poison pourrait en retarder les effets, mais guère autant que cela. Cependant, c'est une possibilité dont il faut tenir compte. Mais, selon vous, elle mangea fort peu, et pourtant les symptômes ne se manifestèrent pas avant le matin suivant. Or, c'est là une circonstance très curieuse, mon ami. Peut-être l'autopsie nous éclairera-t-elle. En attendant, n'oubliez pas ce détail.

Lorsque nous approchâmes de la maison, John en sortit et vint à notre rencontre. Son visage était hagard et las.

— Voici une bien terrible affaire, monsieur Poirot, dit-il. Hastings vous a sans doute expliqué que nous ne désirons pas qu'on l'ébruite.

— Je vous comprends parfaitement.

— Voyez-vous, jusqu'ici, il ne s'agit que d'un soupçon. Nous n'avons pas de données précises.

— Justement. Il ne s'agit que d'une précaution.

John se tourna vers moi; il prit, dans son étui, une cigarette, et l'alluma.

— Vous savez qu'Inglethorp est de retour?

— Oui. Je l'ai rencontré.

John jeta son allumette dans une corbeille de fleurs voisine, geste qui outra les sentiments d'ordre de Poirot. Il la ramassa et l'enterra avec soin.

— Il est joliment difficile de savoir comment le traiter.

— Cette difficulté n'existera pas longtemps, déclara Poirot tranquillement.

John parut intrigué, car il ne comprenait pas clairement la portée de cette déclaration ambiguë. Il me tendit les deux clefs que le docteur Bauerstein lui avait remises.

— Montrez à M. Poirot tout ce qu'il veut voir.

— Les chambres sont fermées à clef? demanda Poirot.

— Le docteur Bauerstein a jugé que c'était préférable.

Poirot hocha la tête pensivement.

— Alors c'est qu'il est très certain de son fait. Eh bien, voilà qui simplifie les choses pour nous.

Nous montâmes ensemble jusqu'à la chambre de la tragédie. Pour plus de commodité, j'ajoute un plan de la chambre et des principaux meubles qui s'y trouvaient.

Poirot referma la porte à clef de l'intérieur, et se livra à une inspection minutieuse de la pièce. Il courait d'un objet à l'autre avec l'agilité d'un grillon. Je demeurai près de la porte, craignant de détruire un indice quelconque. Mais Poirot ne parut pas apprécier ma discrétion.

— Qu'avez-vous, mon ami? me cria-t-il, qu'avez-vous à demeurer ainsi comme un — comment dites-vous, oh! oui — comme un cochon de paille?

Je lui expliquai que j'avais peur d'effacer quelques empreintes de pas.

— Empreintes de pas! En voilà une idée. Il y a déjà eu pratiquement une armée dans cette chambre. Quelles empreintes pourrions-nous bien y trouver? Non, venez m'aider dans mes recherches. Je vais déposer mon petit portefeuille jusqu'à ce que j'en aie besoin.

Il le mit sur la table ronde près de la fenêtre, mais ce fut là un geste inconsidéré, car le haut de la table étant mobile, il se dressa et le portefeuille tomba sur le plancher!

— En voilà une table! s'écria Poirot. Ah! mon ami, voyez-vous, ce ne sont pas les grandes maisons qui ont le plus de confort. Et sur cette boutade de moraliste, il reprit sa quête.

Une petite mallette violette avec une clef dans la serrure, placée sur le secrétaire, retint quelques instants son attention. Il sortit la clef de la serrure et me la donna à examiner. Je n'y vis rien de particulier. C'était une clef de sûreté ordinaire, du type Yale, et un bout de fil de fer tordu était passé dans l'anneau.

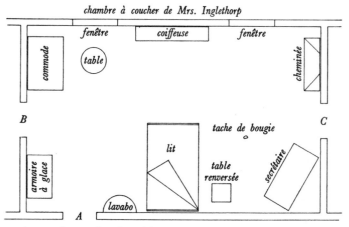

chambre à coucher de Mrs. Inglethorp

A. *porte donnant dans le couloir*

B. *porte donnant chez Mr. Inglethorp*

C. *porte donnant chez Cynthia Murdoch*

Il observa ensuite la charpente de la porte que nous avions défoncée et s'assura si le verrou avait vraiment été poussé. Puis il alla vers la porte d'en face, qui faisait communiquer avec la chambre de Cynthia. Comme je l'ai déjà dit, cette porte était également verrouillée. Pourtant, il prit la peine de pousser le verrou, d'ouvrir et fermer la porte plusieurs fois de suite; ce faisant, il prenait toutes les précautions possibles pour ne point faire de bruit. Tout à coup, quelque chose dans le verrou même parut retenir son attention. Après un sérieux examen, il sortit vivement de sa trousse une paire de petites pinces, extirpa de l'intérieur du verrou un fragment minuscule qu'il glissa avec soin dans une petite enveloppe...

Sur la commode était posé dans un plateau un réchaud à alcool surmonté d'une casserole. Une petite quantité de liquide noirâtre demeurait encore dans la casserole. Tout auprès se trouvait une tasse vide et une soucoupe dont, de toute évidence, on avait fait usage.

Je me demandai comment j'avais pu être assez distrait pour ne pas les remarquer. C'était là un indice important. Poirot trempa délicatement un doigt dans le liquide qu'il goûta du bout des lèvres. Il fit une grimace.

— Du cacao arrosé de rhum!

Il passa ensuite aux débris jonchant le parquet, à l'endroit où la table de chevet avait été renversée. Une lampe de bureau, quelques livres, des allumettes, un trousseau de clefs et les fragments broyés d'une tasse à café étaient éparpillés çà et là.

— Ah! voici qui est curieux, dit Poirot.

— Je dois avouer que je ne vois rien de particulièrement curieux.

— Vraiment? Observez la lampe! Le verre est brisé en deux morceaux qui gisent là où ils sont tombés. Mais voyez, la tasse à café est absolument réduite en poudre.

— Eh bien, dis-je, sans doute quelqu'un a-t-il marché dessus.

— Précisément, dit Poirot d'une voix bizarre. Quelqu'un a marché dessus.

Il se releva et alla lentement vers la cheminée, où il se mit d'un air distrait à manier les ornements et à les aligner en ordre, selon son habitude, lorsqu'il était troublé.

— Mon ami, dit-il, se retournant vers moi. Quelqu'un a marché sur cette tasse, la réduisant en poudre, et pour une des raisons suivantes : ou bien parce qu'elle contenait de la strychnine, ou bien, et ceci serait beaucoup plus sérieux, parce qu'elle n'en contenait pas.

Je ne lui répondis pas. J'étais ahuri, mais je savais qu'il était inutile de lui demander de s'expliquer. Un instant plus tard, il se ressaisit et poursuivit ses recherches. Il ramassa à terre le trousseau de clefs et, le retournant dans ses doigts, en choisit enfin une très brillante, qu'il essaya dans la serrure de la mallette violette. Elle s'adapta et il ouvrit la mallette, mais, après un instant d'hésitation, il la referma à clef, et glissa dans sa poche le trousseau et la clef que nous avions trouvée à la serrure de la mallette.

— Je n'ai pas l'autorisation de parcourir ces papiers. Mais il faudrait le faire sans tarder.

Il procéda ensuite à un examen très méticuleux des tiroirs de la table de toilette. En traversant la chambre vers la fenêtre de gauche, une tache ronde, à peine visible sur le tapis brun foncé, parut l'intéresser particulièrement. Il tomba à genoux et l'examina de près, et alla même jusqu'à la flairer.

Enfin il versa quelques gouttes de cacao dans une petite éprouvette, qu'il scella avec soin. Il tira ensuite un petit cahier de sa poche.

— Nous avons fait dans cette chambre six découvertes intéressantes, dit-il en écrivant rapidement. Voulez-vous que je les énumère, ou préférez-vous le faire?

— Oh! faites-le, répondis-je vivement.

— Très bien. Premièrement : une tasse à café qui a été réduite en poudre. Deuxièmement : une mallette avec une clef dans la serrure. Troisièmement : une tache sur le tapis.

— Elle a peut-être été faite depuis longtemps, interrompis-je.

— Non, car elle est encore nettement humide et sent le café. Quatrièmement : un fragment d'étoffe vert foncé, un ou deux fils seulement, mais très reconnaissables.

— Oh! m'écriai-je. C'est donc cela que vous avez enfermé dans l'enveloppe?

— Oui. Peut-être découvrirons-nous qu'il ne s'agit que d'une robe appartenant à Mrs. Inglethorp, et cet indice ne sera-t-il d'aucune importance. Nous verrons. Cinquièmement : *ceci!*

Et, d'un geste dramatique, il désigna la tache de bougie sur le tapis près du bureau.

— Cette tache a dû être faite hier, sans quoi toute femme de chambre bien stylée l'eût immédiatement enlevée au moyen d'une feuille de papier buvard et d'un fer chaud. Un jour, un de mes meilleurs chapeaux... Mais passons, cela n'a rien à voir avec l'affaire.

— Cette tache date sans doute d'hier soir. Nous étions très agités. Ou bien Mrs. Inglethorp a peut-être laissé tomber sa bougie elle-même.

— Vous avez apporté une bougie dans la chambre?

— Oui. Laurence Cavendish en tenait une à la main. Mais il était bouleversé. Il paraissait apercevoir quelque chose là-bas (je désignai la cheminée) qui le paralysait absolument.

— Cela est intéressant, dit Poirot avec vivacité. Oui, c'est suggestif (et son regard balaya toute l'étendue du mur, mais ce ne fut pas sa bougie qui fit cette grande tache, car vous remarquerez qu'il s'agit ici de graisse blanche. Or, la bougie de Mr. Laurence, qui est encore posée sur la coiffeuse, est rose. D'autre part, Mrs. Inglethorp n'avait pas de bougeoir dans sa chambre, mais simplement une lampe de bureau.

— Qu'en déduisez-vous donc?

Mais à cela, mon ami se contenta de me faire une réponse assez irritante, me suppliant de faire usage de mes facultés naturelles.

— Et la sixième découverte? demandai-je. C'est, je le présume, l'échantillon de cacao?

— Non, répondit Poirot pensivement. J'aurais pu l'inclure dans le sixième point, mais je ne l'ai pas fait. Non, je garderai la sixième découverte pour moi, du moins pour le moment.

Il regarda vivement autour de la pièce.

— Je crois que nous n'avons plus rien à faire ici, à moins que (il fixa longuement les cendres éteintes dans la grille). Le feu brûle, brûle... et détruit... Mais il se pourrait peut-être, par hasard, qu'il y eût... Enfin, voyons toujours.

Agile, il tomba à genoux et se mit à trier les cendres, les ramenant de la grille dans le garde-feu, les maniant avec la plus grande précaution. Tout à coup, il poussa une sourde exclamation :

— Les pinces, Hastings!

Je les lui passai aussitôt et il exhuma, habilement, un petit bout de papier à demi consumé.

— Voilà, mon ami! s'écria-t-il. Que pensez-vous de ceci?

J'examinai le fragment. En voici une reproduction exacte :

J'étais intrigué. Le papier était épais et différent du papier à lettres ordinaire. Tout à coup, j'eus une idée.

— Poirot! m'écriai-je. C'est le fragment d'un testament!

— Tout juste.

— Cela ne vous surprend pas?

— Non, dit-il gravement. Je m'y attendais.

Je lui rendis le fragment de papier qu'il enferma dans son portefeuille avec le même soin méthodique qu'il apportait à toute chose. Mon esprit était emporté dans un tourbillon. Que signifiait ce testament? Qui donc l'avait détruit? Évidemment, la personne qui avait laissé la tache de bougie sur le tapis. Mais comment cette personne s'était-elle introduite dans la chambre, puisque toutes les portes étaient verrouillées de l'intérieur?

— Maintenant, mon ami, dit Poirot avec vivacité, nous allons nous retirer. J'aimerais poser quelques questions à la femme de chambre... Elle s'appelle Dorcas, n'est-ce pas?

Nous traversâmes la chambre d'Alfred Inglethorp et Poirot s'y attarda assez longuement pour l'examiner. Nous sortîmes par cette porte-là, et Poirot referma la chambre à clef, ainsi que celle de Mrs. Inglethorp.

Je le menai jusqu'au boudoir, suivant le désir qu'il m'exprima, et j'allai moi-même à la recherche de Dorcas. Mais lorsque je revins avec elle, le boudoir était vide.

— Poirot, où êtes-vous? criai-je.

— Me voici, mon ami.

Il était sorti par la porte-fenêtre et se tenait comme éperdu d'admiration devant les corbeilles de fleurs aux formes diverses.

— Admirable! murmura-t-il. Admirable! Quelle symétrie. Observez ce croissant, et ces diamants, leur netteté réjouit l'œil. Et l'espace entre les plans est également parfait. Tout cela a été fait récemment, n'est-ce pas?

— Oui, je crois qu'on y travaillait hier après-midi. Mais venez, voici Dorcas.

— Eh bien, eh bien... Ne m'enlevez pas un instant de plaisir.

— Oui, mais cette affaire est plus importante.

— Et comment savez-vous si ces beaux bégonias ne sont pas d'une importance égale?

Je haussai les épaules. Il était vraiment inutile de discuter avec lui lorsqu'il prenait ce ton-là.

— Vous n'êtes pas de cet avis... Eh bien, mais ça s'est vu... Allons, je rentre interviewer Dorcas.

Dorcas se tenait dans le boudoir, les mains croisées devant elle, ses cheveux gris coiffés en ondulations raides sous son bonnet blanc. C'était le type d'une vieille domestique d'autrefois. Elle se tenait devant nous, dans une attitude méfiante, mais Poirot brisa sa réserve. Il lui présenta une chaise.

— Asseyez-vous, je vous prie, mademoiselle.

— Merci, monsieur.

— Vous avez été longtemps auprès de votre maîtresse, n'est-ce pas?

— Dix ans, monsieur.

— C'est un long temps et prouve un service fidèle. Vous lui étiez très attachée, je crois?

— Elle a toujours été très bonne pour moi, monsieur.

— Alors, vous ne refuserez pas de répondre à quelques questions. Je vous les pose avec la pleine approbation de Mr. Cavendish.

— Oh! certainement, monsieur.

— Je commencerai donc par vous interroger au sujet des événements d'hier après-midi. Votre maîtresse s'était querellée?

— Oui, monsieur. Mais je ne sais si je devrais...

Dorcas hésita.

Poirot lui jeta un regard perçant.

— Ma bonne Dorcas, il est indispensable que je sache autant que possible tous les détails de cette querelle. Ne croyez pas que vous trahirez les secrets de votre maîtresse. Votre maîtresse est morte, et il est nécessaire que nous sachions *tout*, si nous voulons la venger. Rien ne peut la rappeler à la vie, mais nous espérons, s'il s'agit d'un crime, amener l'assassin devant la justice.

— Très bien, dit Dorcas d'un ton farouche. Sans nommer personne, je crois qu'il y a *quelqu'un* dans cette maison qu'aucun de nous ne pouvait supporter. Ce fut un jour malheureux que celui où *il* franchit pour la première fois le seuil!

Poirot attendit que son indignation se fût calmée. Puis il dit, reprenant son ton professionnel :

— Et maintenant, à propos de cette querelle. Quand en avez-vous entendu parler pour la première fois?

— Eh bien, monsieur, je traversais le hall, hier...

— Quelle heure était-il?

— Je ne saurais le dire exactement, monsieur, mais il s'en fallait de beaucoup que ce fût l'heure du thé. Peut-être était-il quatre heures ou un peu plus tard. Eh bien, comme je disais, je passais dans le hall, quand j'entendis des voix, ici même, qui parlaient très haut et semblaient furieuses! Je n'avais pas exactement l'intention d'écouter, mais, enfin, voilà. Je m'arrêtai. La porte était fermée, mais ma maîtresse parlait très haut et clairement, et j'entendis parfaitement ce qu'elle disait : « Vous m'avez menti et vous m'avez déçue. » Je n'entendis pas la réponse de Mr. Inglethorp. Il parlait beaucoup plus bas qu'elle; mais elle répliqua : « Comment osez-vous? Je vous ai entretenu, je vous ai vêtu et je vous ai nourri! Vous me devez tout! Et voici comment vous me payez! En jetant la honte sur notre nom! » De nouveau, je ne perçus pas ce qu'il dit, mais elle continua : « Tout ce que vous pouvez me dire n'y pourra rien changer. Je vois clairement mon devoir. Ma décision est prise. Ne croyez pas que la crainte du qu'en-dira-t-on, ni d'un scandale entre mari et femme m'arrêtera. » Alors, je crus qu'ils allaient sortir et je suis partie en toute hâte.

— Vous êtes sûre que c'est la voix de Mr. Inglethorp que vous avez entendue?

— Oh! oui, monsieur. Qui donc serait-ce?

— Eh bien, que s'est-il passé ensuite?

— Plus tard, je suis revenue dans le hall, mais tout était tranquille. A cinq heures, Mrs. Inglethorp me sonna et me pria de lui apporter une tasse de thé, sans gâteaux, dans le boudoir. Elle avait une mine terrible, blafarde et bouleversée. « Dorcas, me dit-elle, je viens d'avoir un grand choc. » — « Je le regrette pour madame, dis-je, madame sera mieux lorsqu'elle aura bu une bonne tasse de thé bien chaud. » Elle tenait un papier à la main. Je ne sais si c'était une lettre, toujours est-il qu'il y avait de l'écriture dessus, et elle regardait fixement ce papier comme si elle n'arrivait pas à comprendre ce qu'elle y lisait. Elle murmura comme si elle avait oublié ma présence : « Ces quelques mots, et tout est changé. » Puis elle me dit : « Ne mettez jamais votre confiance dans les hommes, Dorcas, ils ne la méritent pas. » Je sortis et allai lui chercher une bonne tasse de thé bien infusé, et elle me remercia, en remarquant qu'elle irait mieux sitôt qu'elle l'aurait bu. « Je ne sais que faire, dit-elle. Un scandale entre mari et femme est une chose terrible. J'aimerais mieux faire le silence là-dessus, si je le pouvais. » A ce moment, Mrs. Cavendish est entrée, et elle n'a rien ajouté d'autre.

— Elle tenait encore à la main la lettre ou la feuille de papier?

— Oui, monsieur.

— Qu'a-t-elle bien pu en faire ensuite?

— Eh bien, monsieur, je ne sais pas, mais je pense qu'elle a dû l'enfermer dans sa mallette violette.

— C'est là qu'elle conservait en général ses papiers importants?

— Oui, monsieur. Elle la descendait avec elle tous les matins, et la remontait tous les soirs.

— Quand en a-t-elle perdu la clef?

— Elle en a remarqué la disparition vers l'heure du déjeuner, monsieur. Et elle me pria de la chercher avec elle. Elle était même très contrariée par cette perte.

— Mais elle avait une seconde clef?

— Oh! oui, monsieur.

Dorcas considérait Poirot avec une vive curiosité, et j'avoue que j'en faisais autant. Qu'était toute cette histoire autour d'une clef perdue? Poirot sourit.

— Ne vous troublez pas, Dorcas. C'est mon métier de savoir certaines choses. La clef perdue est-elle celle-ci?

Il tira de sa poche la clef qu'il avait trouvée dans la serrure de la mallette, en haut, dans la chambre de la morte.

Dorcas écarquilla les yeux.

— Mais oui, monsieur, c'est bien elle. Mais où l'avez-vous trouvée? Je l'ai cherchée partout.

— Ah! c'est qu'hier elle n'était pas au même endroit qu'aujourd'hui. Maintenant, pour passer à un autre sujet, dites-moi si votre maîtresse possédait une robe vert foncé?

Dorcas fut un peu effarouchée par cette question imprévue.

— Non, monsieur.

— Vous en êtes bien sûre?

— Oh! oui, monsieur.

— Personne d'autre dans la maison n'a une robe verte?

Dorcas réfléchit.

— Miss Cynthia a une robe du soir verte.

— Vert clair ou vert foncé?

— Vert clair, monsieur. En mousseline de soie.

— Ah! ce n'est pas ce que je veux dire. Vous ne voyez personne d'autre avec un vêtement vert?

— Non, monsieur.

Le visage de Poirot ne trahit point s'il était déçu ou non. Il se borna à remarquer :

— Bon, laissons cela, et continuons. Avez-vous une raison de croire que votre maîtresse prit une poudre somnifère, hier soir?

— Je sais qu'elle n'en a pas pris hier soir, monsieur.

— Pourquoi en êtes-vous certaine?

— Parce que la boîte était vide. Elle a pris la dernière poudre il y a deux jours, et elle n'en avait pas fait refaire depuis.

— Vous êtes tout à fait sûre de cela?

— Absolument.

— Alors voilà qui est éclairci. A propos, votre maîtresse ne vous a-t-elle pas demandé de signer un papier, hier?

— Signer un papier? Non, monsieur.

— Lorsque Mr. Hastings et Mr. Laurence sont rentrés hier soir, ils ont trouvé votre maîtresse en train d'écrire des lettres. Je suppose que vous ne pouvez pas me donner une idée sur le destinataire de ces lettres?

— Je crains bien que non, monsieur. C'était mon soir de sortie. Mais peut-être Annie pourrait-elle vous renseigner, bien qu'elle soit assez négligente. Elle n'a même pas enlevé les tasses à café d'hier soir. Voilà ce qui arrive quand je ne suis pas là pour tout surveiller!

Poirot leva la main.

— Puisqu'elles ont été oubliées, Dorcas, n'y touchez pas, je vous prie. J'aimerais les examiner.

— Très bien, monsieur.

— A quelle heure êtes-vous sortie, hier soir?

— Vers six heures, monsieur.

— Merci, Dorcas, c'est tout ce que j'ai à vous demander.

Il se leva et se dirigea négligemment vers la fenêtre.

— J'ai admiré ces corbeilles. A propos, combien de jardiniers emploie-t-on ici?

— Seulement trois maintenant. Nous en avions cinq avant la guerre, lorsque la propriété était tenue comme celle d'un gentleman devrait l'être. Ah! si vous l'aviez vue alors, monsieur. C'était une merveille! Mais aujourd'hui il n'y a que le vieux Manning, le jeune William et une femme-jardinier en culottes! Ah! dans quel temps affreux vivons-nous!

— Le bon temps reviendra, Dorcas. Du moins, nous l'espérons. Maintenant, voulez-vous m'envoyer Annie.

— Oui, monsieur. Merci, monsieur.

— Comment saviez-vous que Mrs. Inglethorp prenait des poudres somnifères? demandai-je avec une vive curiosité, tandis que Dorcas quittait la pièce. Et comment avez-vous deviné l'histoire de la clef perdue et de la clef de rechange?

— Une chose à la fois. Pour la poudre somnifère, j'ai deviné grâce à ceci.

Il me montra une petite boîte en carton, pareille à toutes celles dont usent les pharmaciens pour vendre leurs poudres.

— Où l'avez-vous trouvée?

— Dans le tiroir de la toilette, dans la chambre de Mrs. Inglethorp. C'était le numéro six de mon catalogue.

— Mais je présume que cela n'a pas grande importance, puisque la dernière poudre fut prise il y a deux jours?

— Peut-être pas. Mais ne voyez-vous rien de singulier dans l'aspect de cette boîte?

Je l'examinai.

— Non, rien.

— Regardez l'étiquette.

Je lus l'étiquette avec attention. *Une dose à prendre au coucher si nécessaire. Mrs. Inglethorp.*

— Non, je ne vois rien d'anormal.

— Pas même le fait qu'aucun nom de pharmacien n'y figure?

— Oh! m'écriai-je, en effet, c'est bizarre.

J'étais très intrigué. Mais Poirot me calma en remarquant :

— Et pourtant l'explication est fort simple. Ne vous inquiétez pas, mon ami.

Un bruit de pas annonça la venue d'Annie, de sorte que je n'eus pas le temps de répondre.

Annie était une belle et forte fille, en proie à une vive surexcitation, qui n'était pas fâchée de se trouver mêlée à l'affaire.

Poirot vint directement au fait avec une vivacité professionnelle.

— Je vous ai fait demander, Annie, parce que je croyais que vous pourriez peut-être m'apprendre quelque chose au sujet des lettres que Mrs. Inglethorp a écrites hier soir. Combien y en avait-il? Et pourriez-vous me dire à qui elles étaient adressées?

Annie réfléchit.

— Il y avait quatre lettres, monsieur. L'une était à Miss Howard, l'autre pour Mr. Wells, l'avoué. Je ne me souviens plus des deux autres. Ah! oui... l'une était pour Ross, le marchand de Tadminster. La quatrième, je ne sais plus.

— Réfléchissez, insista Poirot.

Ce fut en vain qu'Annie se creusa la mémoire.

— Je regrette, monsieur, ça m'est tout à fait sorti de la tête. J'ai dû n'y pas prêter attention.

— Ça ne fait rien, dit Poirot, sans trahir la moindre déception. Je veux vous demander autre chose. Il y a dans la chambre de Mrs. Inglethorp une casserole avec du cacao. En prenait-elle toutes les nuits?

— Oui, monsieur; on en portait chaque soir dans sa chambre, et elle le faisait réchauffer dans la nuit, quand elle en avait envie.

— Qu'était-ce? Du simple cacao?

— Oui, monsieur, fait avec du lait, une cuillerée de sucre et deux cuillerées à café de rhum.

— Qui le portait dans sa chambre?

— Moi, monsieur.

— Toujours?

— Oui, monsieur.

— A quelle heure?

— En général quand j'allais fermer les rideaux, monsieur.

— Le montiez-vous directement de la cuisine?

— Non, monsieur. Vous comprenez qu'il n'y a pas beaucoup de place sur le fourneau à gaz, alors la cuisinière le préparait de bonne heure avant de mettre à cuire les légumes pour le souper. J'avais l'habitude de le monter et de le placer sur la table près de la porte de service ; je ne le portais chez madame que plus tard.

— La porte de service se trouve dans l'aile gauche, n'est-ce pas ?

— Oui, monsieur.

— Et la table est-elle de ce côté de la porte ou de l'autre côté, du côté du quartier des domestiques ?

— Elle est de ce côté, monsieur.

— A quelle heure l'avez-vous monté, hier soir ?

— Vers sept heures et quart, je crois, monsieur.

— Et quand l'avez-vous porté dans la chambre de Mrs. Inglethorp ?

— Lorsque je suis montée faire les couvertures, monsieur. Vers huit heures, Mrs. Inglethorp est allée se coucher avant que j'aie terminé.

— Alors, entre sept heures quinze et huit heures, le cacao était posé sur la table, dans l'aile gauche ?

— Oui, monsieur.

Annie devenait de plus en plus rouge, et elle s'écria tout à coup :

— Et s'il y avait du sel dedans, ce n'est pas ma faute, monsieur. Je n'ai jamais mis de sel.

— Qu'est-ce qui vous fait croire que le cacao était salé ? demanda Poirot.

— J'en ai vu sur le plateau, monsieur.

— Vous avez vu du sel sur le plateau ?

— Oui. On aurait dit du gros sel de cuisine. Je ne l'avais pas remarqué quand j'ai monté le plateau, mais lorsque je suis allée pour le porter dans la chambre de madame, je l'ai vu immédiatement. Je suppose que j'aurais dû descendre le cacao et demander à la cuisinière d'en refaire du frais. Mais j'étais pressée, car Dorcas était sortie, et je me suis dis que le cacao était sans doute très bon, et que le sel n'était tombé que sur le plateau. Alors, je l'ai essuyé avec mon tablier et j'ai porté le plateau chez madame.

Ce fut avec beaucoup de peine que je réprimai mon énervement. Sans le savoir, Annie venait de nous fournir un indice très important. Comme elle aurait été étonnée de savoir que son « gros sel de cuisine » était de la strychnine, un des poisons les plus violents qui soient connus. Je m'émerveillai du calme de Poirot. Sa maîtrise était surprenante. J'attendais la question suivante avec impatience, mais elle me déçut.

— Lorsque vous êtes entrée chez Mrs. Inglethorp, la porte menant à la chambre de Miss Cynthia était-elle verrouillée?

— Oh! oui, monsieur. Elle l'était toujours. Elle n'a jamais été ouverte.

— Et la porte donnant dans la chambre de Mr. Inglethorp? Avez-vous remarqué si elle était également verrouillée?

Annie hésita.

— Je ne saurais le dire, monsieur. Elle était fermée, mais je ne puis affirmer si elle était verrouillée ou non.

— Lorsque vous avez quitté la chambre de Mrs. Inglethorp, a-t-elle ou non verrouillé la porte derrière vous?

— Non, monsieur, pas alors. Mais sans doute le fit-elle plus tard. Elle la fermait généralement à clef pour la nuit. Du moins la porte donnant sur le corridor.

— Avez-vous remarqué une tache de bougie par terre, lorsque vous avez fait la chambre, hier?

— Une tache de bougie? Oh non, monsieur! Mrs. Inglethorp n'avait pas de bougie, mais seulement une lampe de chevet.

— Alors, vous croyez que vous auriez sûrement remarqué une grande tache de bougie sur le tapis?

— Oui, monsieur, et je l'aurais enlevée avec un morceau de papier buvard et un fer chaud.

Alors, Poirot répéta la question qu'il avait posée à Dorcas.

— Votre maîtresse a-t-elle jamais eu une robe verte?

— Non, monsieur.

— Ni un manteau, ni une cape, ni — comment appelez-vous cela? — un manteau de sport?

— Pas vert, monsieur.

— Et personne d'autre dans la maison ne possède un vêtement vert?

— Non, monsieur.

— Vous en êtes certaine?

— Tout à fait.

— Bien. C'est tout ce que je voulais. Merci beaucoup.

Annie s'en fut avec un petit rire saccadé. Aussitôt mon énervement réprimé éclata.

— Poirot, m'écriai-je, je vous félicite! Voilà une grande découverte.

— Laquelle, je vous prie?

— Mais que c'est le cacao et non le café qui a été empoisonné.

Voilà qui explique tout. Naturellement, le poison n'a pas fait d'effet avant le matin, puisque le cacao ne fut absorbé qu'au milieu de la nuit.

— Alors, Hastings, vous croyez que le cacao — notez bien ce que je dis — le *cacao* contenait de la strychnine?

— Bien entendu, autrement, que pouvait bien être le sel répandu sur le plateau?

— Du sel! répliqua Poirot, impassible.

Je haussai les épaules. Inutile de discuter avec lui s'il allait prendre les choses sur ce ton-là! L'idée me traversa l'esprit, et pas pour la première fois, que ce pauvre Poirot devenait vieux.

Et je me dis à part moi qu'il était heureux pour lui d'avoir dans cette affaire un associé à l'esprit plus ouvert.

Poirot me regardait d'un regard tranquille et amusé.

— Vous n'êtes pas content de moi, mon ami?

— Mon cher Poirot, répondis-je froidement, ce n'est pas à moi de vous diriger. Vous avez droit à votre propre opinion, comme j'ai droit à la mienne!

— Sentiment vraiment admirable! remarqua Poirot en se levant vivement. Voilà, j'en ai fini avec cette chambre. A propos, à qui appartient le petit bureau américain qui se trouve là dans le coin?

— A Mr. Inglethorp.

— Ah!

Il essaya de l'ouvrir.

— Fermé à clef. Mais peut-être une des clefs de Mrs. Inglethorp l'ouvrirait-elle?

Il essaya plusieurs clefs, les tournant d'une main experte et, finalement, il poussa une exclamation de satisfaction.

— Voilà, dit-il, ce n'est pas la clef, mais elle l'ouvrira quand même.

Il repoussa le haut du bureau et jeta vivement un regard sur les papiers classés avec ordre. A ma surprise, il ne les examina pas, se bornant à remarquer avec approbation :

— Décidément, ce Mr. Inglethorp est un homme méthodique.

Et, pour Poirot, ce brevet de méthode était la plus haute louange. Mais je compris que mon ami n'était plus ce qu'il avait été, lorsqu'il reprit à propos de rien :

— Il n'y a pas de timbres dans son bureau, mais il pouvait fort bien en avoir, n'est-ce pas? Il pouvait y en avoir. Oui... (son regard fit le tour de la chambre) ce meuble n'a plus rien à nous apprendre. Il n'a pas donné beaucoup de résultats. Seulement ceci.

Il tira de sa poche une enveloppe fermée et me la jeta. C'était un document assez curieux. Une vieille enveloppe ordinaire, très sale, sur laquelle étaient tracés certains mots comme au hasard. En voici un fac-similé :

CHAPITRE V

Dites-moi, ce n'est pas de la strychnine ?

— Où avez-vous trouvé ceci? demandai-je à Poirot avec une vive curiosité.

— Dans le panier à papiers. Vous reconnaissez l'écriture?

— Oui. C'est bien celle de Mrs. Inglethorp. Mais qu'est-ce que cela signifie?

Poirot haussa les épaules.

— Je ne sais, mais c'est assez significatif.

J'eus une idée insensée. Était-il possible que le cerveau de Mrs. Inglethorp eût été dérangé? Entretenait-elle quelque idée fantastique de possession démoniaque? Et, dans ce cas, n'était-il pas également possible qu'elle eût attenté à sa propre vie?

J'allais exposer mes théories à Poirot, lorsque ses paroles détournèrent mon attention.

— Allons, dit-il, allons examiner les tasses à café.

— Mon cher Poirot! A quoi bon faire cela, maintenant que nous sommes fixés au sujet du cacao!

— Oh là, là! ce misérable cacao! s'écria Poirot légèrement.

Il se mit à rire, comme très amusé, en levant les bras au ciel dans un désespoir comique, geste qui, d'ailleurs, me parut du plus mauvais goût.

— En tout cas, continuai-je, avec une froideur marquée, comme Mrs. Inglethorp a emporté son café dans sa chambre, je ne vois pas ce que vous pouvez espérer découvrir, à moins que vous ne pensiez trouver un paquet de strychnine sur le plateau.

Poirot recouvra aussitôt son sérieux.

— Allons, allons, mon ami, dit-il, ne vous fâchez pas. Permettez-moi de m'intéresser à mes tasses à café, et je respecterai votre cacao. Voilà! C'est entendu.

Il eut un air si comiquement désolé que je fus bien obligé de rire; nous nous rendîmes ensemble au salon, où les tasses à café étaient toujours sur le plateau, là où nous les avions laissées la veille.

Poirot me fit récapituler la scène de la veille, m'écoutant très attentivement et vérifiant la position de chacune des tasses.

— Donc, Mrs. Cavendish se tenait auprès du plateau et versa le café. Bien. Puis elle se dirigea vers la fenêtre où vous étiez assis avec Miss Cynthia. Oui. Voici les trois tasses. Et la tasse à demi pleine, sur la cheminée, doit être celle de Mr. Laurence Cavendish. Et celle qui est sur le plateau?

— C'était celle de John Cavendish. J'ai vu qu'il l'avait posée là.

— Bon. Un, deux, trois, quatre, cinq. Mais, dans ce cas, où est la tasse de Mr. Inglethorp?

— Il ne prend jamais de café.

— Ainsi l'emploi de chaque tasse se trouve justifié... Un moment, mon ami.

Avec un soin infini, il prit une ou deux gouttes du fond de chaque tasse et les enferma séparément dans des petits tubes en verre, n'oubliant pas de goûter chaque fois le café ainsi prélevé. Un changement curieux transforma tout à coup sa physionomie : il parut interloqué et pourtant à demi soulagé.

— Bien, dit-il enfin. C'est évident. J'avais une idée, mais il est clair que je m'étais trompé. Oui, tout à fait trompé. Pourtant, c'est étrange. Enfin, tant pis!

Et d'un haussement d'épaules caractéristique, il chassa de sa pensée ce qui le tourmentait. J'aurais pu lui dire que son obsession au sujet du café ne mènerait à rien, mais je me retins. Car, après tout, même s'il était vieux, Poirot était, en même temps, un grand homme.

— Le déjeuner est servi, annonça John Cavendish venant du

hall. Vous déjeunerez avec nous, n'est-ce pas, monsieur Poirot?

Poirot accepta. J'observai John. Il avait déjà presque retrouvé son équilibre après le choc des événements de la nuit. Il est doué de très peu d'imagination, en contraste marqué avec son frère qui en avait peut-être trop!

John avait été très affairé dès l'aube à envoyer des télégrammes (dont l'un des premiers avait été adressé à Evelyn Howard), à écrire des notices nécrologiques pour des journaux et à s'occuper de tous les pénibles devoirs.

— Puis-je vous demander si votre enquête avance? dit-il. Vos recherches semblent-elles indiquer que ma mère est morte d'une mort naturelle, ou... devons-nous envisager le pire?

— Je crois, monsieur Cavendish, répondit Poirot gravement, que vous ferez bien de ne pas vous leurrer de faux espoirs. Pouvez-vous me dire ce que pensent les autres membres de la famille?

— Mon frère Laurence est convaincu que nous faisons beaucoup de bruit pour rien. Il déclare que tout tend à prouver qu'il ne s'agit que d'une simple crise cardiaque...

— Ah! vraiment! Voilà qui est très intéressant! murmura Poirot doucement. Et Mrs. Cavendish?

Un léger nuage voila le visage de John.

— Je n'ai pas la moindre idée sur l'opinion que peut avoir ma femme en cette affaire.

Cette réponse provoqua une gêne momentanée; John rompit le silence qui menaçait de se prolonger péniblement, en disant avec un léger effort :

— Je vous ai prévenu, n'est-ce pas, que Mr. Inglethorp était revenu?

Poirot inclina la tête.

— C'est une situation très embarrassante pour nous tous. Bien entendu, il faut le traiter comme d'habitude, mais cela révolte tout de même de s'asseoir à la même table qu'un individu soupçonné d'assassinat.

Poirot hocha la tête avec sympathie.

— Je comprends fort bien. C'est une situation très difficile pour vous, monsieur Cavendish. J'aimerais pourtant vous poser une question. Si je ne me trompe, Mr. Inglethorp a allégué comme raison de son absence prolongée qu'il avait oublié la clef de la porte d'entrée. C'est exact, n'est-ce pas?

— Oui.

— Je présume que vous êtes certain qu'il avait vraiment oublié la clef, qu'il ne l'avait pas emportée sur lui?

— Je n'en ai aucune idée, n'ayant pas songé à m'en assurer.

Nous tenons toujours la clef dans le tiroir de l'antichambre. Je vais aller y regarder à l'instant même.

Poirot leva la main en esquissant un faible sourire :

— Non, non, monsieur Cavendish. C'est beaucoup trop tard. Je suis certain que vous la trouverez à sa place habituelle. Si Mr. Inglethorp l'avait prise, il a eu tout le temps de la replacer !

— Mais vous croyez que...

— Je ne crois rien. Si par hasard quelqu'un avait constaté la présence de la clef dans le tiroir, ce matin, c'eût été un argument en sa faveur. Voilà tout.

John eut l'air fort perplexe.

— Ne vous tourmentez pas, dit Poirot doucement. Je vous assure qu'il ne faut pas que cela vous inquiète. Et allons déjeuner, puisque vous voulez bien m'inviter.

Tout le monde était assemblé dans la salle à manger... Vu les circonstances, ce ne fut pas une réunion très gaie. La réaction qui suit un choc est toujours très pénible, et je crois que nous en souffrions tous. Le décorum et la bonne éducation exigeaient que notre attitude fût aussi naturelle que possible, et pourtant je ne pus m'empêcher de me demander si le sang-froid était vraiment fort difficile à simuler ? Je ne vis point d'yeux rougis par les larmes, point de signes d'un chagrin secret. Et je compris que j'avais raison de croire que Dorcas était la seule personne profondément affectée.

Je passe sur Alfred Inglethorp qui jouait son rôle de veuf éploré, avec ce qui me parut la plus révoltante hypocrisie. Je me demandai s'il se sentait soupçonné. Il était certainement impossible qu'il ne s'en rendît pas compte, malgré nos efforts pour lui dissimuler nos sentiments. Éprouvait-il quelque crainte secrète ? ou avait-il confiance que son crime serait impuni ? Assurément, l'atmosphère de suspicion devait l'avertir qu'il était déjà un homme marqué.

Mais est-ce que tout le monde le soupçonnait ? Que dire de Mrs. Cavendish ? Elle était assise au bout de la table, sereine, énigmatique. Dans sa robe gris tendre aux ruchés blancs retombant sur ses mains fines, elle était fort belle. Mais lorsqu'elle le voulait, son visage pouvait devenir aussi fermé que celui d'un sphinx. Elle fut très sérieuse et ne desserra guère les lèvres, et, pourtant, je sentais assez bizarrement que la grande force de sa personnalité nous dominait tous.

Et la petite Cynthia ? Avait-elle des soupçons ? Je lui trouvais l'air pâle et fatigué. Je lui demandai si elle était malade, et elle me répondit franchement :

— Oui, j'ai un affreux mal de tête.

— Prenez une tasse de café, mademoiselle, dit Poirot avec sollicitude. Cela vous remettra. Il n'y a rien de pareil pour le mal de tête.

Il se leva d'un bond et prit sa tasse.

— Sans sucre, dit Cynthia.

— Sans sucre? Vous y avez renoncé depuis la guerre, hein?

— Non, je n'en prends jamais dans le café.

— Sapristi! murmura Poirot tout bas, en lui rapportant sa tasse pleine.

Je fus le seul à l'entendre et, le regardant curieusement, je vis son visage tiraillé par un tic nerveux et ses yeux aussi verts que ceux d'un chat. Il avait dû entendre ou voir quelque chose qui l'avait vivement affecté; mais qu'était-ce? Je ne crois pas être obtus, en général, mais j'avoue que je n'avais rien remarqué d'extraordinaire.

Un instant plus tard, la porte s'ouvrait et Dorcas parut sur le seuil.

— Mr. Wells désire voir monsieur, dit-elle en s'adressant à John.

Celui-ci se leva immédiatement.

— Faites-le entrer dans mon bureau.

Il se tourna vers nous.

— C'est l'avoué de ma mère, dit-il.

Et plus bas :

— Il est également coroner, vous comprenez? Peut-être désirez-vous m'accompagner?

Nous acceptâmes et le suivîmes hors de la pièce. John nous précédait et je saisis l'occasion de murmurer à Poirot :

— Alors, il va y avoir une enquête?

Il acquiesça d'un air distrait. Il paraissait tout absorbé dans ses pensées, à un tel point que ma curiosité fut éveillée.

— Qu'y a-t-il? Vous ne faites pas attention à ce que je vous dis.

— C'est exact, mon ami. Je suis très troublé.

— Pourquoi?

— Parce que Miss Cynthia ne prend pas de sucre dans son café.

— Comment? Vous ne parlez pas sérieusement?

— Je suis tout ce qu'il y a de plus sérieux, au contraire. Ah! il y a là quelque chose que je ne comprends pas. Mon instinct avait raison.

— Quel instinct?

— Celui qui me fit insister pour examiner ces tasses de café. Chut! Rien de plus pour le moment.

Nous suivîmes John dans son bureau, et il ferma la porte derrière nous.

Mr. Wells était un quinquagénaire agréable aux yeux perçants et à la bouche fine d'avocat. John nous présenta tous deux et expliqua la raison de notre présence.

— Vous comprenez, Wells, dit-il, que tout ceci est strictement privé? Nous espérons encore qu'aucune perquisition ne sera nécessaire.

— Fort bien, fort bien, dit Mr. Wells doucement. J'aurais voulu vous éviter la douleur et la publicité d'une enquête judiciaire, mais c'est, bien entendu, impossible, puisque les médecins refusent le permis d'inhumer.

— Oui, je le présume.

— Bauerstein est très fort. C'est, je crois, une grande autorité en toxicologie.

— Vraiment! dit John avec une certaine raideur.

Puis il ajouta avec hésitation :

— Serons-nous tous appelés comme témoins?

— Vous, bien entendu... et... Mr. Inglethorp.

Il y eut une courte pause avant que l'avocat reprît, d'un ton doucereux :

— Tout autre témoignage sera simplement confirmatif, une simple formalité.

— Je vois.

Le visage de John se détendit, comme soulagé. Cela m'intrigua, car je n'en compris pas la raison.

— Si vous n'y voyez pas d'objection, poursuivit Mr. Wells, j'avais songé à fixer vendredi comme date de l'enquête. Cela nous donnera le temps d'avoir le rapport des médecins. L'autopsie ne doit-elle pas avoir lieu ce soir?

— Oui.

— Alors, cet arrangement vous convient?

— Parfaitement.

— Je n'ai pas besoin de vous dire, mon cher Cavendish, à quel point je suis bouleversé par cette tragique affaire?

— Ne pouvez-vous pas nous aider à la résoudre, monsieur? dit Poirot, parlant pour la première fois depuis notre entrée dans le bureau.

— Moi?

— Oui. Nous avons appris que Mrs. Inglethorp vous avait écrit hier soir. Vous avez dû recevoir la lettre ce matin.

— En effet, mais elle ne jette aucune lumière sur l'affaire. Ce n'est qu'un mot me priant de passer ce matin, pour avoir mon avis sur une question très importante.

— Elle ne vous a donné aucune idée de ce que pouvait être cette affaire?

— Malheureusement, non.

— C'est très regrettable, dit John.

— Extrêmement regrettable, renchérit Poirot.

Il y eut un silence. Pour quelques instants, Poirot demeura perdu dans ses pensées. Enfin il se tourna de nouveau vers Mr. Wells.

— Monsieur Wells, je voudrais vous poser une question, si toutefois elle n'est pas contraire à la discrétion professionnelle. A la mort de Mrs. Inglethorp, qui doit hériter de son argent?

L'avocat hésita un instant et puis répondit :

— La question sera bientôt résolue publiquement; donc, si Mr. Cavendish n'y voit pas d'inconvénient...

— Aucun, interrompit John.

— Je ne vois aucune raison pour ne pas répondre à cette question. Selon son dernier testament, daté du mois d'août de l'année dernière, après différents legs importants aux domestiques, etc., Mrs. Inglethorp a laissé sa fortune entière à son beau-fils, Mr. John Cavendish.

— N'était-ce pas — excusez ma question, monsieur Cavendish — assez injuste à l'égard de son autre beau-fils, Mr. Laurence Cavendish?

— Non, je ne le crois pas. Vous comprenez, selon les termes du testament de leur père, tandis que John héritait de la propriété, Laurence devait hériter d'une somme d'argent considérable à la mort de sa belle-mère. Mrs. Inglethorp a laissé son argent à l'aîné de ses beaux-fils, sachant qu'il devait entretenir *Styles*. C'était, à mon avis, une distribution fort juste et équitable.

Poirot hocha la tête d'un air pensif.

— Je vois. Mais je crois avoir raison en disant que, par la loi anglaise, le testament fut automatiquement révoqué lorsque Mrs. Inglethorp s'est remariée.

Mr. Wells acquiesça d'un geste.

— J'allais dire, monsieur Poirot, que ce testament est aujourd'hui nul et sans effet.

— Hein! dit Poirot.

Il réfléchit un instant, puis demanda :

— Mrs. Inglethorp était-elle au courant de ce fait?

— Je ne sais. Il se peut.

— Oui, elle l'était, dit John tout à coup. Hier encore, nous discutions le sujet de testaments annulés à la suite d'un mariage.

— Ah! Encore une question, monsieur Wells, s'il vous plaît. Vous avez dit : *son dernier testament*. Mrs. Inglethorp, avait-elle donc fait des testaments précédents?

— Elle faisait, en moyenne, un nouveau testament tous les ans, répondit Mr. Wells imperturbablement. Elle était portée à changer d'avis au sujet de ses dispositions testamentaires, avantageant, parmi les membres de sa famille, tantôt l'un, tantôt l'autre.

— Et si, à votre insu, elle en avait fait un nouveau en faveur d'une personne n'appartenant en aucune façon à sa famille, de Miss Howard, par exemple, en seriez-vous surpris?

— Pas le moins du monde.

— Ah!

Poirot parut avoir épuisé ses questions. Je me rapprochai de lui tandis que John et Mr. Wells discutaient sur l'opportunité d'examiner les papiers de Mrs. Inglethorp.

— Croyez-vous que Mrs. Inglethorp ait fait un testament en faveur de Miss Howard? lui demandai-je à voix basse avec une certaine curiosité.

Poirot sourit.

— Non!

— Alors, pourquoi l'avez-vous demandé?

— Chut!

John Cavendish venait de se tourner vers lui.

— Voulez-vous nous accompagner, monsieur Poirot? Nous allons examiner les papiers de ma mère. Mr. Inglethorp est tout à fait d'avis de laisser ce soin à Mr. Wells et à moi.

— Ce qui simplifie beaucoup l'affaire, dit l'avoué. Car, bien entendu, légalement, il avait le droit...

Il ne termina pas sa phrase.

— Nous allons d'abord examiner le secrétaire dans le bureau, expliqua John. Et nous monterons ensuite dans sa chambre. Elle gardait ses papiers les plus importants dans une mallette violette qu'il nous faut examiner avec soin.

— Oui, dit l'avoué, il peut fort bien exister un testament plus récent que celui que j'ai en main.

— Il existe, en effet, un testament plus récent.

C'était Poirot qui parlait.

— Comment?

John et l'avoué le considéraient tous deux, effarés.

— Ou plutôt, continua mon ami, imperturbablement, il y en avait un.

— Que voulez-vous dire par cela? Où est-il maintenant?

— Il a été brûlé.

— Brûlé?

— Oui. Regardez.

Il sortit de sa poche le fragment calciné que nous avions trouvé dans la grille de la chambre de Mrs. Inglethorp et le tendit à l'avoué avec une brève explication sur l'endroit et la façon dont il l'avait découvert.

— Mais c'est peut-être un testament ancien.

— Je ne le crois pas. En fait, je suis presque certain qu'il fut rédigé seulement hier après-midi.

— Comment? Impossible! s'écrièrent simultanément les deux hommes.

Poirot se tourna vers John.

— Si vous me permettez de faire appeler votre jardinier, je vous le prouverai.

— Certainement, mais, seulement, je ne vois pas comment...

Poirot leva la main.

— Faites d'abord ce que je demande. Ensuite, vous m'interrogerez autant que vous le désirerez.

— Très bien.

Il sonna, et, après un instant, Dorcas parut sur le seuil.

— Dorcas, veuillez dire à Manning de venir me parler ici.

— Bien, monsieur.

Dorcas se retira. Nous attendîmes dans un silence tendu. Seul Poirot paraissait parfaitement à l'aise et épousseta un coin de la bibliothèque.

Le bruit de grosses bottes broyant le gravier du dehors annonça l'arrivée de Manning. John jeta un regard d'interrogation vers Poirot. Ce dernier hocha la tête.

— Entrez, Manning, dit John. Je désire vous parler.

Manning entra lentement et avec hésitation par la porte-fenêtre, près de laquelle il s'arrêta. Il tenait sa casquette à la main et la tortillait lentement entre ses doigts. Il était très voûté, bien qu'il ne fût sans doute pas aussi âgé qu'il le parût, mais ses yeux étaient vifs et intelligents et contredisaient sa façon de parler plutôt lente et prudente.

— Manning, dit John, ce monsieur va vous poser quelques questions auxquelles je vous prie de répondre.

— Bien, monsieur.

Poirot s'avança vivement. Manning le considéra avec un vague mépris.

— N'étiez-vous pas occupé à planter une corbeille de bégonias, près du côté sud de la maison, hier après-midi, Manning?

— Oui, monsieur. Moi et William.

— Et Mrs. Inglethorp s'est approchée de la fenêtre et vous a appelé, n'est-ce pas?

— Oui, monsieur, c'est vrai.

— Dites-moi exactement ce qui s'est passé ensuite...

— Eh bien, pas grand-chose, monsieur. Elle a dit à William de prendre sa bicyclette et d'aller au village chercher une feuille de papier timbré. Elle lui a écrit ce qu'elle voulait.

— Eh bien?

— Eh bien, il y est allé, monsieur.

— Et ensuite?

— Nous sommes retournés aux bégonias, monsieur.

— Mrs. Inglethorp ne vous a-t-elle pas appelé de nouveau?

— Si, monsieur. Moi et William.

— Et puis?

— Elle nous a fait entrer et signer nos noms au bas d'une grande feuille de papier timbré, au-dessous de sa propre signature.

. — Avez-vous vu ce qui était écrit au-dessus de sa signature? demanda Poirot vivement.

— Non, monsieur, ça se trouvait caché par une feuille de buvard.

— Et vous avez signé là où Mrs. Inglethorp vous a indiqué?

— Oui, monsieur. Moi d'abord, et puis William.

— Et qu'a-t-elle fait de cette feuille ensuite?

— Eh bien, monsieur, elle l'a glissée dans une longue enveloppe et l'a enfermée dans une espèce de boîte violette qui était sur le secrétaire.

— Quelle heure était-il quand elle vous a appelé pour la première fois?

— Environ quatre heures, monsieur.

— Pas plus tôt? N'était-il pas plutôt trois heures et demie?

— Non, monsieur, je ne crois pas. C'était plutôt après quatre heures qu'avant.

— Merci, Manning, c'est tout, dit Poirot aimablement.

Le jardinier jeta un regard vers son maître qui lui fit un signe de tête. Alors Manning porta un doigt à son front en poussant un grognement et sortit par la fenêtre, marchant pesamment à reculons.

Nous nous regardâmes.

— Grands dieux! murmura John. Quelle coïncidence extraordinaire!

— Comment cela... une coïncidence?

— Que ma mère ait fait un testament le jour de sa mort!

Mr. Wells toussota un peu et remarqua sèchement :

— Êtes-vous bien sûr qu'il s'agisse d'une coïncidence, Cavendish?

— Que voulez-vous dire?

— Vous me dites que votre mère a eu une violente querelle avec... avec quelqu'un, hier, après-midi.

— Que voulez-vous dire? s'écria John de nouveau.

Sa voix tremblait et il était devenu très pâle.

— A la suite de cette querelle, votre mère rédige précipitamment un nouveau testament. Nous n'en connaîtrons jamais la teneur. Elle ne l'a confiée à personne. Sans doute, ce matin, elle m'aurait consulté là-dessus, mais elle n'en eut pas le temps. Le testament disparaît, et elle emporte son secret avec elle dans la tombe. Je crains bien, Cavendish, qu'il n'y ait pas eu de coïncidence. Et je suis certain, monsieur Poirot, que vous partagez mon avis, que les faits sont très suggestifs.

— Suggestifs ou non, interrompit John, nous sommes très reconnaissants à M. Poirot d'avoir éclairci ce mystère. Sans lui, nous n'eussions jamais connu l'histoire du testament. Je présume que je ne puis pas vous demander, monsieur, ce qui vous a tout d'abord conduit à soupçonner ce fait?

Poirot sourit tout en répondant :

— Une vieille enveloppe toute gribouillée, et une corbeille de bégonias nouvellement plantés.

Je crois que John l'eût volontiers questionné davantage, mais, à ce moment, nous perçûmes le bruit d'un moteur et nous tournâmes tous vers la fenêtre au moment où une auto passait.

— Evie! s'écria John. Excusez-moi, Wells.

Et il sortit précipitamment dans le hall.

Poirot me jeta un regard interrogateur.

— C'est Miss Howard, lui expliquai-je.

— Ah! Je suis content qu'elle soit là. Ça c'est une femme avec une tête et un cœur, bien que le bon Dieu ne lui ai point octroyé la beauté.

Je suivis John et trouvai Miss Howard dans le hall, où elle essayait en vain de se dépétrer des voiles volumineux qui enveloppaient sa tête. Lorsque ses regards se portèrent sur moi, j'éprouvai un soudain remords. N'était-elle pas la femme qui m'avait averti avec une insistance, à laquelle je n'avais, hélas! accordé aucune valeur? Maintenant que ses craintes se trouvaient si tragiquement justifiées, je me sentais honteux. Elle ne connaissait Alfred Inglethorp que trop bien. La tragédie aurait-elle eu lieu si elle était restée à *Styles*, ou le criminel se serait-il méfié de ses yeux vigilants?

Je fus soulagé lorsqu'elle me prit la main, qu'elle étreignit avec sa violence habituelle. Les yeux qui rencontrèrent les miens étaient tristes mais non point chargés de reproches. Je devinai d'après la rougeur de ses paupières qu'elle avait dû pleurer amèrement, mais sa manière d'être gardait sa brusquerie coutumière.

— Je suis partie aussitôt après avoir reçu le télégramme. J'ai loué une auto afin d'arriver plus vite.

— Avez-vous mangé quelque chose ce matin, Evie? demanda John.

— Non.

— J'en étais sûr! Venez, on n'a pas encore débarrassé la table, et on va vous préparer du thé.

Il se tourna vers moi.

— Hastings, voulez-vous la faire servir à sa convenance? Wells m'attend. Oh! Evie, voici M. Poirot... qui nous aide.

Miss Howard tendit la main à Poirot, mais jeta un regard soupçonneux par-dessus son épaule à John.

— Que voulez-vous dire, « qui nous aide »?

— Qui nous aide à poursuivre les recherches.

— Il n'y a rien à chercher. L'a-t-on déjà emmené en prison?

— Qui ça?

— Qui ça? Mais Alfred Inglethorp, bien entendu.

— Ma chère Evie, soyez prudente, je vous en prie. Laurence est d'avis que notre mère est morte d'une attaque cardiaque.

— Laurence n'est qu'un imbécile, répliqua Miss Howard. Bien entendu, notre pauvre Emily a été assassinée par Alfred Inglethorp. Je vous ai toujours dit qu'il y arriverait un jour ou l'autre.

— Ma chère Evie, ne criez donc pas si fort! Quoi que nous puissions penser ou soupçonner, il est préférable de veiller sur sa langue pour l'instant. L'enquête judiciaire n'a lieu que vendredi.

— Ah çà! par exemple, répliqua violemment Miss Howard. Vous avez tous perdu la tête, ma parole! L'homme aura quitté le pays d'ici là. S'il a un peu de bon sens, il ne va pas rester tranquillement ici dans l'attente d'être pendu!

John Cavendish la regarda d'un air impuissant.

— Je sais ce qu'il y a, dit-elle d'un ton accusateur. Vous avez écouté les médecins. Faut jamais faire ça. Que savent-ils? Rien du tout, ou juste assez pour les rendre dangereux. Je devrais savoir ce que je dis, mon propre père était médecin. Ce petit Wilkins est le plus grand imbécile que j'aie jamais vu! Crise cardiaque! En vérité, c'est bien ce qu'il dirait! N'importe qui avec deux grains de bon sens verrait tout de suite que son mari l'a empoisonnée. J'ai toujours dit qu'il l'assassinerait dans son lit; maintenant, il l'a fait! Et vous ne savez que murmurer des sottises comme « crise cardiaque » et « l'enquête aura lieu vendredi ». Vous devriez avoir honte, John Cavendish!

— Mais que voulez-vous que je fasse? demanda John Cavendish, qui ne put s'empêcher de sourire. Mais, Evie, je ne puis tout de même pas le traîner au commissariat par la peau du cou!

— Eh bien! vous pourriez faire quelque chose. Découvrir comment il a agi. C'est un rusé personnage! Peut-être a-t-il fait tremper des attrape-mouches? Demandez donc à la cuisinière s'il ne lui en manque pas.

Je me rendis très nettement compte que ce serait sans doute une tâche herculéenne que d'abriter Miss Howard et Alfred Inglethorp sous le même toit, et je n'enviais guère John. Je voyais, par l'expression de son visage, qu'il entrevoyait clairement la difficulté de la situation. Pour le moment, il chercha un refuge dans la retraite et quitta précipitamment la pièce.

Dorcas apporta le thé. Lorsqu'elle fut partie, Poirot s'avança de l'embrasure de la fenêtre où il s'était tenu jusque-là et s'assit en face de Miss Howard.

— Mademoiselle, dit-il gravement, je désire vous demander quelque chose.

— Allez-y! répondit-elle en le considérant avec une certaine hostilité.

— Je veux pouvoir compter sur votre aide.

— Je vous aiderai à pendre Alfred avec plaisir! répondit-elle rudement. La pendaison est trop bonne pour lui. Il devrait être écartelé, comme au bon vieux temps!

— Alors, nous sommes d'accord, dit Poirot. Car moi aussi je désire pendre le criminel.

— Alfred Inglethorp?

— Lui ou un autre.

— Il n'est pas question d'un autre. Cette pauvre Emily n'a jamais été assassinée avant la venue d'Alfred! Je reconnais qu'elle était entourée de requins. Mais ceux-là ne visaient que son porte-monnaie. Elle n'était pas en danger. Arrive Alfred Inglethorp, et presto!

— Croyez-moi, mademoiselle Howard, dit Poirot très sérieusement, si Mr. Inglethorp est le coupable, il ne m'échappera pas! Je jure sur mon honneur de le faire pendre haut et court!

— Voilà qui est mieux parler! s'écria Miss Howard avec enthousiasme.

— Mais je dois vous demander de vous fier à moi. Votre aide peut m'être très précieuse. Je vais vous dire pourquoi : dans cette maison endeuillée, vos yeux sont les seuls qui ont pleuré.

Miss Howard cligna des yeux, et sa voix rude se voila d'un ton nouveau.

— Si vous voulez dire par là que je l'aimais, c'est exact. Vous n'ignorez pas qu'Emily était une vieille femme très égoïste, à sa façon. Elle était généreuse, mais elle souhaitait toujours recevoir quelque chose en retour de ce qu'elle donnait. Elle ne permettait jamais aux gens d'oublier ce qu'elle avait fait pour eux. Ainsi, elle ne se fit pas aimer, mais ne croyez pas qu'elle s'en rendît jamais compte ni qu'elle en souffrît. Moi, j'étais sur un tout autre pied avec elle. Je pris nettement position dès le premier jour. « Je veux de vous tant de livres par an. Fort bien. Mais je ne veux pas un sou de plus, pas une paire de gants, ni un billet de théâtre! » Elle ne comprit pas d'abord, et en fut même très offensée. Elle disait que j'étais sottement orgueilleuse. Elle se trompait, mais je ne pouvais pas lui expliquer. En tout cas, je conservai ma dignité. Et de toute la bande, je fus la seule qui pouvait se permettre de l'aimer. Je veillai sur elle. Je la protégeai contre tous les autres. Mais voilà qu'arrive un vaurien flatteur et mielleux, et pouf! toutes mes années de dévouement ne comptent pour rien!

Poirot hocha la tête d'un air de profonde sympathie.

— Je comprends, mademoiselle. Je comprends tout ce que vous ressentez. Vous croyez que nous manquons de zèle et d'énergie, mais vous vous trompez.

A ce moment, John entrebâilla la porte et passa la tête. Il nous demanda de monter dans la chambre de Mrs. Inglethorp, car Mr. Wells et lui avaient terminé l'inspection du secrétaire dans le boudoir. Comme nous montions l'escalier, John jeta un regard en arrière vers la porte de la salle à manger et me glissa en confidence.

— Dites donc, qu'est-ce qu'il arrivera quand ces deux-là vont se rencontrer?

Je secouai la tête.

— J'ai dit à Mary d'essayer, autant que possible, de les tenir séparés.

— Mais réussira-t-elle?

— Dieu le sait! En tout cas, Inglethorp lui-même ne doit pas être très désireux de rencontrer Evie... C'est vous qui avez les clefs, n'est-ce pas, Poirot? demandai-je en parvenant à la porte verrouillée.

John prit les clefs que lui tendait Poirot, et nous pénétrâmes dans la chambre. L'avoué alla tout droit au secrétaire, et John le suivit.

— Ma mère tenait tous ses papiers les plus importants dans cette mallette, dit-il.

Poirot tira de sa poche un trousseau de petites clefs.

— Permettez. Je l'avais fermée à clef ce matin, pour plus de précaution.

— Mais elle n'est plus fermée à clef, maintenant!

— Impossible!

— Voyez plutôt!

Et, tout en parlant, John souleva le couvercle.

— Mille tonnerres! s'écria Poirot, ahuri. Et cependant j'ai les deux clefs dans ma poche!

Il se jeta sur la mallette.

Tout à coup, il se raidit.

— En voilà une affaire! Cette serrure a été forcée.

— Comment?

Poirot reposa la mallette.

— Mais qui l'a forcée? Pourquoi? Et quand cela? La porte était fermée à clef.

Toutes ces exclamations nous échappèrent tour à tour, s'entre-choquant.

Poirot répondit catégoriquement, presque machinalement :

— Qui? Voilà la question. Pourquoi? Ah! si seulement je le savais! Quand? Depuis mon départ d'ici, il y a à peine une heure. Pour la porte fermée à clef, c'est une serrure très ordinaire et sans doute la clef d'une porte quelconque du corridor l'ouvrirait-elle sans difficulté.

Nous nous regardâmes, ahuris. Poirot alla jusqu'à la cheminée. Extérieurement, il paraissait calme, mais je remarquai que ses mains, qui, par force d'habitude, alignaient sur la cheminée les vases remplis d'allumettes de papier, tremblaient violemment.

— Voici ce qui s'est passé, dit-il enfin. Cette mallette renfermait une preuve, sans importance apparente peut-être en soi, mais suffisante pour rattacher le crime au meurtrier. Celui-ci avait un intérêt vital à la détruire avant qu'elle ne fût découverte et que sa signification n'apparût clairement. Comme la mallette était fermée à clef, il fut obligé de forcer la serrure et de trahir ainsi sa présence. Mais pour qu'il courût un risque pareil, il fallait que cette preuve fût d'une importance capitale.

— Mais qu'est-ce que cela pouvait être?

— Ah! s'écria Poirot avec un geste de colère. Cela, je ne le sais pas. Sans aucun doute, un document quelconque, peut-être le bout de papier que Dorcas remarqua hier dans la main de Mrs. Inglethorp. Et moi, maladroit que je suis! je n'ai rien deviné! J'ai agi comme un idiot. Je n'aurais jamais dû laisser cette mallette ici. J'aurais dû l'emporter avec moi! Ah! triple imbécile! Et maintenant, tout est envolé, détruit! Mais n'y a-t-il pas encore une chance? Nous ne devons négliger aucune piste!

Il se précipita hors de la chambre comme un fou, et je le suivis dès que j'eus suffisamment recouvré mes esprits. Lorsque je parvins au haut de l'escalier, il était déjà hors de vue.

Mary Cavendish se tenait à l'endroit où l'escalier bifurquait, et ses regards suivaient la direction par où Poirot avait disparu.

— Qu'est-ce qu'il arrive à votre étonnant petit ami, monsieur Hastings? Il vient de me croiser comme un taureau furieux.

— Il a un gros ennui, remarquai-je assez mollement, car je ne savais si Poirot voulait tenir cachée sa découverte.

Et voyant un sourire errer sur les lèvres de Mrs. Cavendish, je changeai de conversation en disant :

— Ils ne se sont pas encore rencontrés, n'est-ce pas?

— Qui ça?

— Oh! Inglethorp et Miss Howard.

Elle me fixa d'un regard assez déconcertant.

— Croyez-vous que ce serait un tel désastre, s'ils se rencontraient?

— Mais... et vous? dis-je, interloqué.

— Non.

Elle souriait tranquillement.

— Non, j'aimerais assister à une bonne scène! Cela allégerait l'atmosphère. En ce moment, nous pensons tous beaucoup trop, et nous parlons trop peu!

— John n'est pas de cet avis, dis-je. Il est désireux de les empêcher de se rencontrer, si possible.

— Oh, John!

Quelque chose dans le ton me piqua au vif et je m'écriai vivement :

— Le vieux John est un joliment chic type!

Elle me considéra avec curiosité pendant une ou deux minutes, et puis elle dit :

— Vous êtes loyal envers votre ami. Vous me plaisez pour cela.

— N'êtes-vous pas également mon amie?

— Je suis une très mauvaise amie.

— Pourquoi dites-vous cela?

— Parce que c'est vrai. Un jour, je suis charmante envers mes amis, mais le lendemain, je les ai complètement oubliés.

Je ne sais ce qui me prit. Peut-être étais-je blessé. En tout cas, je fis la remarque suivante, qui était d'ailleurs de fort mauvais goût :

— Pourtant, vous paraissez invariablement charmante envers le docteur Bauerstein.

Je regrettai immédiatement mes paroles. Son visage se raidit. J'eus l'impression qu'un rideau de fer se fermait. Sans prononcer un mot, elle se détourna et monta rapidement l'escalier, tandis que je demeurai à la suivre des yeux comme un imbécile.

Je fus rappelé à la vérité par les échos d'une violente discussion. Je perçus la voix de Poirot qui criait et vociférait. J'étais vexé de songer que toute ma diplomatie avait été vaine. Le petit homme semblait mettre toute la maison dans sa confidence, procédé dont la sagesse me paraissait fort douteuse. Et, de nouveau, je ne pus m'empêcher de regretter que mon ami fût si apte à perdre la tête en des moments de nervosité. Je m'élançai dans le hall, et, à ma vue, Poirot se calma instantanément. Je l'attirai de côté.

— Mon cher ami, lui dis-je, êtes-vous fou? Vous ne voulez certainement pas que toute la maison soit au courant de cette disparition? Vous faites le jeu du criminel!

— Vous croyez, Hastings?

— J'en suis sûr! dis-je d'un ton péremptoire.

— Très bien, mon ami, je me laisse guider par vous.

— Bon. Malheureusement, c'est trop tard maintenant.

— C'est vrai!

Il eut l'air si contrit que j'eus pitié de lui, bien que mon reproche me parût fort juste et sage.

— Eh bien, dit-il. Partons, mon ami.

— Vous n'avez plus rien à faire?

— Pas pour le moment. Voulez-vous m'accompagner jusqu'au village?

— Très volontiers.

Il ramassa son portefeuille et nous sortîmes par la porte-fenêtre du salon. Cynthia Murdoch rentrait précisément à cet instant, et Poirot s'effaça pour la laisser passer.

— Excusez-moi, mademoiselle, un instant, s'il vous plaît.

— Oui, dit-elle, surprise.

— Avez-vous jamais préparé le remède de Mrs. Inglethorp?

Elle rougit légèrement tout en répondant d'un air gêné :

— Non.

— Seulement ses poudres?

La rougeur de Cynthia s'accentua, tandis qu'elle répondait :

— Oh! oui, une fois, je lui ai préparé des poudres somnifères.

— Celles-ci?

Poirot montra la boîte vide qui avait contenu les poudres. Elle inclina la tête affirmativement.

— Pouvez-vous me dire ce qu'elles contenaient? Du sulphonal? Du véronal?

— Non, c'étaient des poudres de bromure.

— Ah! merci, mademoiselle. Adieu.

Comme nous nous éloignions rapidement de la maison, je le regardai plus d'une fois. J'avais souvent remarqué déjà que lorsqu'il était surexcité ses yeux devenaient verts comme ceux d'un chat; or, ils brillaient comme des émeraudes, en ce moment.

— Mon ami, s'écria-t-il enfin. J'ai une petite idée, très étrange et sans doute complètement impossible... Mais elle s'adapte...

Je haussai les épaules et songeai dans mon for intérieur que Poirot était un peu trop enclin à ajouter foi à ces idées fantastiques. Dans le cas présent, la vérité n'était vraiment que trop apparente.

— Alors, c'est là l'explication de l'étiquette blanche sur la boîte, dis-je. Très simple, comme vous l'avez dit. Je suis surpris de ne pas y avoir pensé plus tôt.

Poirot ne parut pas m'écouter.

— Ils viennent de faire une autre découverte, là-bas, dit-il, en indiquant d'un coup de pouce la direction de *Styles Court.* Mr. Wells me l'a confié comme nous montions l'escalier.

— Et qu'est-ce donc?

— Enfermé à clef dans le secrétaire du boudoir, ils ont trouvé un testament de Mrs. Inglethorp daté d'avant son mariage, et laissant toute sa fortune à Alfred Inglethorp. Il a dû être rédigé au moment où ils étaient fiancés. Ce fut une vraie surprise pour Wells comme pour John Cavendish. Ce testament était rédigé sur une formule imprimée, et signé par deux domestiques en guise de témoins, mais pas par Dorcas.

— Mr. Inglethorp avait-il connaissance de ce document?

— Il assure que non.

— On ne peut prendre sa déclaration comme un article de foi, dis-je avec scepticisme. Tous ces différents testaments sont fort embrouillants. Dites-moi comment les mots griffonnés sur l'enveloppe vous ont-ils permis de découvrir qu'un testament avait été rédigé hier après-midi?

Poirot sourit.

— Mon ami, n'avez-vous jamais, en écrivant une lettre, été arrêté parce que vous ne saviez plus comment épeler certains mots?

— Oui, bien souvent. Comme tout le monde, sans doute.

— Précisément. Et dans pareil cas, n'avez-vous pas griffonné le mot une ou deux fois sur le bord du papier buvard ou sur un bout de papier quelconque, pour juger de l'orthographe correcte? Eh bien, c'est ce que fit Mrs. Inglethorp. Vous remarquerez que le mot *posséder* est écrit d'abord avec un seul *s*, puis avec deux, correctement. Pour être sûre, elle l'essaya dans une phrase comme celle-ci : « Je suis possédée. » Or, qu'est-ce que cela m'apprit? Cela m'apprit que Mrs. Inglethorp avait écrit ce mot *posède* hier après-midi, et me souvenant du fragment de papier trouvé dans la cheminée, je songeai un moment à la possibilité d'un testament, document qui contiendrait presque sûrement ce mot. Cette possibilité fut confirmée par d'autres circonstances. Dans la confusion générale qui régnait ce matin, le boudoir n'avait pas été balayé, et, près du secrétaire, je remarquai plusieurs traces de terreau. Il avait fait très beau depuis plusieurs jours, et aucune chaussure ordinaire n'eût causé un dépôt aussi épais.

J'allai alors jusqu'à la fenêtre, et je constatai tout de suite que les corbeilles de bégonias étaient nouvellement plantées. Le terreau des corbeilles était de même nature que celui relevé sur le tapis du boudoir, et j'appris par vous qu'elles avaient été plantées hier après-midi. J'étais maintenant certain qu'un des jardiniers, sinon les deux, car il y avait deux rangées d'empreintes dans la corbeille, était entré dans le boudoir, car si Mrs. Inglethorp avait simplement désiré leur parler, elle se serait tenue près de la fenêtre, et ils ne seraient pas entrés dans la pièce. J'étais donc bien persuadé qu'elle avait rédigé un nouveau testament, et avait appelé les deux jardiniers pour lui servir de témoins. Les événements prouvèrent l'exactitude de mes suppositions.

— C'était vraiment fort ingénieux de votre part, reconnus-je. Et je dois avouer que les conclusions que j'avais formées d'après ces quelques mots griffonnés étaient tout à fait erronées.

Il sourit.

— Vous avez donné trop libre cours à votre imagination. Celle-ci est une bonne servante et une mauvaise maîtresse. L'explication la plus simple est toujours la plus probable.

— Autre point, comment avez-vous su que la clef de la mallette avait été perdue?

— Je ne le savais pas. C'était une supposition qui fut correcte, par hasard. Vous avez remarqué qu'un bout de fil de fer tordu était passé dans l'anneau de cette clef? Cela me donna tout de suite à penser qu'elle avait peut-être été arrachée à un anneau à clefs léger. Or, si elle avait été perdue et retrouvée, Mrs. Inglethorp l'eût immédiatement remise à son trousseau. Mais sur le trousseau je trouvai ce qui était évidemment une clef neuve et brillante. Cela me fit penser que quelqu'un d'autre avait dû glisser la première clef dans la serrure de la mallette.

— Oui, dis-je, sans doute Alfred Inglethorp.

Poirot me regarda curieusement.

— Vous êtes très certain de sa culpabilité?

— Mais naturellement! Chaque nouvelle circonstance tend à la prouver plus clairement.

— Au contraire, dit Poirot, tranquillement; il y a plusieurs points en sa faveur.

— Oh! allons donc.

— Mais si.

— Je n'en vois qu'un.

— Lequel?

— Le fait qu'il était absent de *Styles Court* hier soir.

— Erreur! Erreur! Vous avez choisi le seul point qui, à mon avis, lui soit défavorable!

— Comment cela?

— Parce que si Mr. Inglethorp savait que sa femme allait être empoisonnée hier soir, il aurait certainement pris ses dispositions pour être absent de *Styles Court*. Son excuse était évidemment fabriquée de toutes pièces. Cela nous laisse deux possibilités. Ou bien il savait ce qui allait arriver, ou bien il avait une raison personnelle pour motiver son absence.

— Et cette raison? demandai-je avec scepticisme.

Poirot haussa les épaules.

— Comment le saurais-je? inavouable, sans aucun doute. Le temps montrera lequel de nous deux a raison. Tournons-nous maintenant vers d'autres aspects du cas. Que déduisez-vous du fait que toutes les portes de la chambre à coucher étaient verrouillées de l'intérieur?

Je réfléchis un instant.

— Eh bien, il faut considérer ce fait logiquement.

— C'est juste.

— Voici mon idée. Les portes étaient verrouillées, nous l'avons constaté nous-mêmes; pourtant la présence d'une tache de bougie sur le tapis et la destruction du testament indiquent que quelqu'un a dû pénétrer dans la chambre pendant la nuit. Vous êtes de mon avis jusqu'ici?

— Parfaitement. Vous vous exprimez avec une clarté admirable. Veuillez continuer.

— Eh bien, repris-je, encouragé, comme la personne qui est entrée n'a pas pu pénétrer par la fenêtre ou par quelque moyen miraculeux, il s'ensuit que la porte a dû être ouverte de l'intérieur par Mrs. Inglethorp elle-même. Ceci renforce ma certitude que la personne en cause n'était autre que son mari. Elle ouvrirait naturellement la porte à son mari.

Poirot secoua la tête.

— Pourquoi cela? Elle avait verrouillé la porte menant dans sa chambre, procédé vraiment extraordinaire de sa part, et elle avait eu une violente querelle avec lui l'après-midi même. Non, il était la dernière personne qu'elle eût admis.

— Mais vous partagez mon avis que la porte a dû être ouverte par Mrs. Inglethorp elle-même?

— Il y a une autre possibilité. Elle a pu oublier de verrouiller la porte dans le corridor lorsqu'elle est allée se coucher et s'être levée plus tard, vers l'aube, pour réparer cet oubli?

— Poirot, est-ce là sérieusement votre opinion?

— Non, je ne dis pas cela, mais c'est très possible. Et, pour envisager encore un autre aspect de l'affaire, que faites-vous de la bribe de conversation que vous avez surprise entre Mrs. Cavendish et sa belle-mère?

— Je n'y songeai plus, dis-je pensivement. Cela demeure toujours aussi énigmatique. Il me semble incroyable qu'une femme comme Mrs. Cavendish, qui est orgueilleuse et réticente au dernier degré, intervienne aussi violemment dans ce qui ne la regardait certainement pas.

— Précisément. C'est très surprenant de la part d'une femme de son éducation.

— C'est certainement curieux, dis-je, mais sans importance et n'a pas à être pris en considération.

Poirot poussa un gémissement.

— Mais que vous ai-je toujours dit? Il faut *tout* prendre en considération. Si le fait ne s'adapte pas à la théorie, alors abandonnez la théorie.

— Eh bien, nous verrons, répliquai-je un peu froissé.

— Oui, nous verrons.

Nous étions parvenus à *Leastways Cottage*, et Poirot me fit monter jusque dans sa chambre. Il m'offrit une de ces minuscules cigarettes russes qu'il fumait parfois. Je remarquai avec amusement qu'il prit soin de placer les bouts d'allumettes dans un petit pot en porcelaine. Mon agacement passager disparut aussitôt.

Poirot avait placé nos deux chaises devant la fenêtre ouverte qui commandait toute la rue du village. L'air entrait chaud et agréable. Il allait faire une journée accablante.

Tout à coup, mon attention fut attirée par un jeune efflanqué qui descendait la rue à toute allure. L'expression de son visage était extraordinaire : on y lisait un mélange de terreur et d'agitation.

— Regardez, Poirot! dis-je.

Il se pencha en avant.

— Tiens! dit-il. C'est Mr. Mace, le préparateur du pharmacien. Il vient chez nous.

Le jeune homme s'arrêta devant *Leastways Cottage*, et, après avoir hésité un instant, il frappa vigoureusement à la porte.

— Un petit instant, lui cria Poirot de la fenêtre. Je viens!

Me faisant signe de le suivre, il descendit et ouvrit la porte. Mr. Mace se mit aussitôt à parler fébrilement.

— Monsieur Poirot, je regrette de vous déranger, mais on me dit que vous revenez à l'instant de *Styles Court?*

— En effet.

Le jeune homme avait les lèvres sèches. Son visage était tiraillé de tics convulsifs.

— Tout le village ne parle que de la mort soudaine de cette pauvre vieille Mrs. Inglethorp. On va même jusqu'à dire (et il baissa prudemment la voix) qu'il s'agit d'un empoisonnement.

Le visage de Poirot demeura tout à fait impassible.

— Seuls les docteurs pourront nous dire cela, monsieur Mace.

— Oui... bien entendu.

Le jeune homme hésita, mais son agitation l'emporta. Il saisit Poirot par le bras et sa voix ne fut plus qu'un murmure :

— Dites-moi simplement ceci, monsieur Poirot... Ce n'est pas... Ce n'est pas de la strychnine, n'est-ce pas?

Je perçus à peine la réponse de Poirot. Sans doute, était-elle assez vague. Le jeune homme partit et comme il refermait la porte derrière lui, le regard de Poirot rencontra le mien.

— Oui, dit-il, en hochant la tête gravement. Il lui faudra venir témoigner à l'enquête.

Nous remontâmes lentement. J'allais parler lorsque Poirot m'arrêta d'un geste.

— Pas maintenant! Pas maintenant! mon ami. J'ai besoin de réfléchir. Mes idées sont dans un grand désordre, ce qui est regrettable...

Il demeura assis dans un silence complet, pendant environ dix minutes, immobile, avec, par instant, des tics nerveux assez expressifs de ses sourcils, et pendant ce temps ses yeux devenaient de plus en plus verts. Enfin, il poussa un profond soupir.

— Ça va. Le mauvais moment est passé. Maintenant, tout est arrangé et classé. On ne doit jamais tolérer la confusion. Le cas est encore loin d'être clair. Car il est d'une complication peu ordinaire. Il m'intrigue, moi! Hercule Poirot! Il y a deux faits extrêmement significatifs.

— Lesquels?

— Le premier est le temps qu'il faisait hier. Cela est d'une haute importance.

— Mais il faisait une journée radieuse! m'écriai-je. Décidément, Poirot, vous vous moquez de moi!

— Nullement. Le thermomètre marquait 26° à l'ombre. N'oubliez pas cela, mon ami. C'est la clef de toute l'énigme.

— Quel est le deuxième point? dis-je.

— C'est que les vêtements de Mr. Inglethorp sont assez bizarres, qu'il a une barbe noire et porte des lunettes.

— Poirot, je ne puis pas croire que vous parlez sérieusement!

— Je suis absolument sérieux, mon ami.

— Mais c'est enfantin.

— Non, c'est extrêmement grave...

— Et à supposer que les jurés du coroner rendent un verdict d'assassinat avec préméditation contre Alfred Inglethorp? Que deviennent alors vos théories?

— Elles ne seraient point ébranlées simplement parce que douze hommes stupides se seraient trompés. Mais cela n'arrivera pas. Premièrement, un *jury* campagnard n'a guère envie d'assumer pareille responsabilité, et Mr. Inglethorp occupe en fait la situation de châtelain du pays. Et ensuite, ajouta-t-il tranquillement, je ne le permettrai pas.

— *Vous* ne le permettriez pas?

— Non.

Je dévisageai ce petit homme extraordinaire, partagé entre l'irritation et l'amusement. Il était si étonnamment sûr de lui. Et il hocha doucement la tête, comme s'il lisait mes pensées.

— Mais oui, mon ami, je ferai ce que je dis.

Il se leva et posa une main sur mon épaule. Sa physionomie fut tout à coup bouleversée, ses yeux se remplirent de larmes.

— Voyez-vous, dans tout ceci, je songe à la pauvre Mrs. Inglethorp qui est morte. Elle ne fut pas beaucoup aimée, non. Mais elle se montra très bonne envers nous autres, Belges, et j'ai une dette envers elle.

J'essayai de l'interrompre, mais Poirot continua :

— Laissez-moi vous dire ceci, Hastings. Elle ne me pardonnerait jamais si je permettais que son mari, Alfred Inglethorp, fût arrêté maintenant, alors que je n'ai qu'un mot à dire pour l'empêcher.

CHAPITRE VI

L'enquête

Dans le temps qui précéda l'enquête, Poirot fut d'une activité inlassable. Il s'enferma deux fois avec Mr. Wells. Il fit aussi de longues promenades dans la campagne. Je fus un peu froissé qu'il ne me mît pas dans ses confidences, d'autant plus que je n'arrivais pas à deviner son but.

Il me vint à l'esprit qu'il avait peut-être fait des recherches à la ferme Raikes ; le mercredi, il était sorti quand je passai à *Leastways Cottage*. Je pris alors à travers champs pour gagner la ferme, dans l'espoir de l'y rencontrer. Mais je ne trouvai pas trace de lui, et j'hésitai à aller jusqu'à la ferme elle-même. Comme je rebroussais chemin, je croisai un vieux paysan qui me dévisagea d'un air finaud.

— Vous venez du *Court*, n'est-ce pas ? me demanda-t-il.

— Oui. Je cherchais un de mes amis que je pensais trouver ici.

— Ah ! un petit homme, qui agite les mains en parlant ? Un des Belges du village ?...

— Oui, dis-je vivement. Alors, il est bien venu ici ?

— Oh ! pour sûr qu'il y est venu ! Et plus d'une fois encore. Et c'est un de vos amis ? Ah ! vous autres, les messieurs du *Court*, vous êtes de joyeux drôles !

— Les messieurs du *Court* viennent donc souvent dans ces parages ? demandai-je avec une feinte indifférence.

Il cligna de l'œil.

— *Un*, en tout cas. Mais j'dis pas de noms ! Et c'est un gentleman très généreux. Oh ! merci, m'sieur ! Vous êtes trop bon.

Je regagnai vivement le village. Evelyn Howard avait donc eu raison, et j'éprouvai un sentiment de dégoût à songer qu'Alfred Inglethorp pratiquait la générosité avec l'argent de sa femme. La cause du drame, était-ce le visage de tzigane de la fermière, ou bien l'amour de l'argent? Sans doute s'agissait-il d'un mélange judicieux des deux.

Quand je rejoignis Poirot, il semblait en proie à une obsession curieuse. Il me fit une ou deux fois l'observation que Dorcas avait dû se tromper en fixant l'heure de la querelle. Il lui suggéra que c'était à quatre heures et demie et non à quatre heures qu'elle avait entendu les voix qui se querellaient.

Mais Dorcas demeurait inébranlable. Une heure au moins avait dû s'écrouler entre le temps où elle perçut les voix et le moment où elle porta le thé à sa maîtresse, vers cinq heures.

L'enquête eut lieu le vendredi à l'auberge du village, *Les Armes Stylites*. Poirot et moi étions assis côte à côte, n'ayant point été appelés à témoigner. Les préliminaires d'usage eurent lieu. Le juge examina le cadavre. John fut appelé pour l'identifier.

Interrogé, il déclara s'être éveillé au petit jour et décrivit les circonstances de la mort de sa mère.

On entendit ensuite le témoignage des médecins. Il y eut un silence profond, et tous les yeux étaient fixés sur le célèbre spécialiste de Londres, connu pour être une des plus grandes autorités contemporaines en toxicologie.

En quelques mots brefs, il résuma le résultat de l'autopsie.

Dépouillé de la phraséologie médicale, le certificat officiel concluait clairement que Mrs. Inglethorp était morte à la suite d'un empoisonnement dû à la strychnine. A en juger d'après la quantité retrouvée dans les viscères, elle n'avait pas dû avaler moins de trois quarts de gramme de strychnine et, plus probablement, un gramme ou peut-être davantage.

— Est-il possible qu'elle ait avalé le poison accidentellement? demanda le coroner.

— Cela me paraît fort peu probable. La strychnine n'est pas employée pour des buts domestiques, comme le sont certains poisons, et sa vente est soumise à certaines restrictions.

— Y a-t-il quoi que ce soit dans votre examen qui vous permette de saisir comment le poison fut administré?

— Non.

— Vous êtes arrivé à *Styles* avant le docteur Wilkins, je crois?

— C'est juste. J'ai croisé l'auto en dehors de la grille du parc et je me suis hâté vers la maison aussi vite que possible.

— Voulez-vous nous dire exactement ce qui s'est passé ensuite?

— Je suis entré dans la chambre de Mrs. Inglethorp. Elle était à ce moment en proie à une convulsion tétanique caractérisée. Elle se tourna vers moi et appela : « Alfred! Alfred! »

— La strychnine aurait-elle pu être administrée à Mrs. Inglethorp dans le café que son mari lui porta?

— Peut-être, mais la strychnine agit assez rapidement. Les symptômes se font sentir une ou deux heures après l'absorption. Cela peut être retardé sous certaines conditions, dont cependant aucune ne semble avoir été présente dans ce cas particulier. Je présume que Mrs. Inglethorp absorba le café après son dîner, vers huit heures, tandis que les symptômes d'empoisonnement ne se sont manifestés qu'à l'aube, ce qui tend à prouver que la drogue fut absorbée beaucoup plus tard dans la soirée.

— Mrs. Inglethorp avait l'habitude de prendre une tasse de cacao au milieu de la nuit. La strychnine a-t-elle pu être introduite dans ce breuvage?

— Non! J'ai moi-même prélevé un peu de cacao qui restait dans la casserole et l'ai fait analyser. Il ne contient pas de strychnine.

J'entendis Poirot qui riait doucement à mes côtés.

— Comment le saviez-vous? murmurai-je.

— Écoutez.

— J'avoue, continua le docteur, que j'eusse été très surpris par tout autre résultat.

— Pourquoi?

— Simplement parce que la strychnine a un goût extraordinairement amer. On peut la reconnaître dans une solution au soixante-dix millième, et son goût ne peut être dissimulé que par quelque substance très parfumée. Le cacao serait impuissant à le masquer.

Un des jurés désira savoir si les mêmes objections s'appliquaient au café.

— Non. Le café a un goût amer qui suffirait sans doute à déguiser celui de la strychnine.

— Alors, vous considérez comme plus probable que la drogue fut mise dans le café, mais que son action fut retardée pour une raison quelconque?

— Oui, mais comme la tasse a été broyée, il n'y a point de possibilité d'analyser son contenu.

La déposition du docteur Bauerstein prit fin, et le docteur Wilkins la confirma en tous points. Interrogé sur l'hypothèse du suicide, il la rejeta absolument. La morte, déclara-t-il, avait un peu souffert de faiblesse cardiaque, mais en dehors de cela jouissait d'une santé normale et était d'une humeur sereine et bien équilibrée. C'était une des dernières personnes qui eût pu songer à se supprimer.

On appela ensuite Laurence Cavendish. Sa déposition fut sans importance, étant une répétition de celle de son frère. Comme il allait se retirer, il s'arrêta et dit avec une certaine hésitation :

— J'aimerais, si vous me le permettez, faire une suggestion.

Il jeta un coup d'œil suppliant vers le coroner qui dit vivement :

— Certainement, monsieur Cavendish. Nous sommes ici pour découvrir la vérité sur cette affaire, et nous accueillerons volontiers tout ce qui peut faciliter notre tâche.

— Ce n'est qu'une idée personnelle, expliqua Laurence. Il se peut que je me trompe tout à fait. Pourtant, il me semble que la mort de ma mère peut résulter de causes naturelles.

— Comment cela, monsieur Cavendish?

— Ma mère, au moment de sa mort, et même depuis quelque temps au préalable, prenait un tonique contenant de la strychnine.

— Ah! dit le coroner, tandis que les jurés se redressaient, très intéressés.

— Si je ne me trompe, continua Laurence, on a constaté des cas où une drogue, administrée depuis quelque temps, à doses répétées, a fini par causer la mort. Et de plus, n'est-il pas possible que ma mère ait pris accidentellement une trop forte dose de son remède?

— C'est la première fois que nous entendons dire que la défunte prenait de la strychnine au moment de sa mort! Nous vous sommes très obligés, monsieur Cavendish.

Le docteur Wilkins, rappelé, tourna cette idée en ridicule :

— Ce que Mr. Cavendish suggère est tout à fait impossible, dit-il. Tout médecin vous le dira. La strychnine est, en un certain sens, un poison cumulatif, mais qui ne saurait jamais causer une mort subite. Il y aurait d'abord une longue période de symptômes chroniques qui eussent immédiatement attiré mon attention. Cette hypothèse est absurde.

— Et la deuxième suggestion? Que Mrs. Inglethorp a peut-être pris par inadvertance une dose trop forte de son remède?

— Trois ou même quatre doses n'eussent point provoqué la mort. Mrs. Inglethorp s'approvisionnait chez Coots, le pharmacien de Tadminster. Il lui aurait fallu absorber la bouteille presque entière pour qu'on pût expliquer la quantité de strychnine retrouvée au cours de l'autopsie.

— Vous estimez donc que nous pourrons conclure que le tonique ne fut pas la cause de la mort?

— Certainement, la supposition est ridicule.

Le même juré qui était déjà intervenu suggéra que le pharmacien qui avait préparé la médecine avait peut-être commis une erreur.

— Bien entendu, cela est toujours possible, répondit le médecin.

Mais Dorcas, qui fut ensuite appelée à déposer, écarta même cette possibilité. Il ne s'agissait pas d'une nouvelle bouteille du remède, car Mrs. Inglethorp avait pris la dernière dose le jour de sa mort.

On abandonna enfin la question du tonique, et le coroner continua son interrogatoire. Ayant appris que Dorcas avait été réveillée par l'appel violent de la sonnette de sa maîtresse et qu'elle avait ensuite alerté toute la maison, il en vint à la querelle qui avait eu lieu l'après-midi de la veille. La déposition de Dorcas sur ce point fut, en substance, ce que Poirot et moi avions déjà entendu. Donc, je ne la répéterai point ici.

Le témoin suivant fut Mary Cavendish. Elle se tenait très droite et parla d'une voix basse, mais fort nette et parfaitement calme. En réponse à la question du coroner, elle déclara qu'ayant été éveillée comme d'habitude à quatre heures et demie par son réveil, elle s'habillait lorsqu'elle fut effrayée par le bruit d'une chute lourde.

— Sans doute, était-ce la table près du lit, commença le coroner.

— J'ouvris ma porte, continua Mary, et une sonnette retentit, stridente. Dorcas descendit en courant et éveilla mon mari; nous courûmes tous jusqu'à la chambre de ma belle-mère, mais la porte était fermée.

Le coroner s'interrompit.

— Nous ne vous ennuierons pas davantage sur ce point. Nous savons tout ce qu'il faut savoir sur les événements suivants. Mais je vous serais bien obligé de nous dire tout ce que vous avez entendu de la dispute de la veille.

— Moi?

Sa voix était empreinte d'une légère insolence. Elle leva la main et rajusta le volant de dentelle à sa gorge, en détournant un peu la tête. Et j'eus brusquement la pensée : « Elle essaie de gagner du temps. »

— Oui. Je crois comprendre, dit le coroner lentement, que vous étiez assise sur le banc placé juste en dessous de la fenêtre oblongue du boudoir. C'est exact, n'est-ce pas?

Ce détail était nouveau pour moi, et, jetant un coup d'œil de biais sur Poirot, je crus constater qu'il l'était également pour lui.

Il y eut une petite pause, à peine une hésitation d'un instant, avant qu'elle ne répondît :

— Oui, c'est exact.

— Et la fenêtre du boudoir était ouverte, n'est-ce pas?

Il me sembla que son visage pâlit un peu, tandis qu'elle répondait :

— Oui.

— Alors, vous n'avez pu manquer d'être frappée par le bruit des voix à l'intérieur. D'ailleurs, la colère avait fait hausser le ton et il était plus facile d'entendre là où vous étiez que dans l'antichambre.

— C'est possible.

— Voulez-vous nous répéter ce que vous avez retenu de la dispute?

— Je ne me souviens pas d'avoir entendu quoi que ce soit.

— Voulez-vous dire que vous n'avez pas entendu des voix?

— Oh! si, j'ai bien entendu des voix, mais je n'ai pas compris ce qu'elles disaient.

Une rougeur subite brûla ses joues.

— Je n'ai pas l'habitude d'écouter les conversations privées.

Le coroner insista.

— Et vous ne vous rappelez rien, *rien du tout*, madame Cavendish? Pas un seul mot ou une phrase qui ait pu vous faire comprendre qu'il s'agissait « d'une conversation privée »?

Elle s'arrêta et parut réfléchir, sans se départir de son calme extérieur.

— Oui, je me souviens, Mrs. Inglethorp a dit quelque chose, je ne me rappelle pas exactement quoi, sur le fait de causer un scandale entre mari et femme.

— Ah! (le coroner s'appuya contre le dossier de son fauteuil, l'air satisfait). Cela correspond à ce que Dorcas a entendu. Mais, excusez-moi, madame Cavendish, bien qu'ayant compris qu'il s'agissait d'une conversation privée, vous n'avez pas eu l'idée de vous éloigner? Vous êtes demeurée assise à la même place?

J'entrevis le scintillement momentané de ses yeux fauves tandis qu'elle les relevait. J'étais certain qu'à ce moment elle eût volontiers mis en pièces le petit avoué avec ses perfides insinuations. Pourtant elle répondit assez tranquillement :

— Non. Je me trouvais fort bien où j'étais. Je fixai mon attention sur mon livre.

— Et c'est tout ce que vous pouvez nous dire?

— C'est tout.

L'interrogatoire était terminé, mais je me doutais que le coroner n'était pas entièrement satisfait. Je crois qu'il soupçonnait que, si elle l'avait voulu, Mary Cavendish aurait pu lui donner de plus amples renseignements.

Amy Hill, vendeuse, fut ensuite appelée; elle déclara avoir vendu une feuille de papier timbré, l'après-midi du 17 juillet, à William Earl, aide-jardinier de *Styles Court*.

William Earl et Manning lui succédèrent et déclarèrent avoir apposé leurs signatures, en tant que témoins, sur un document. Manning fixa l'heure à environ quatre heures et demie. William objecta qu'il était un peu plus tôt.

Cynthia Murdoch vint ensuite. Elle avait peu de chose à dire. Elle ne se doutait point de la tragédie, jusqu'au moment où elle fut réveillée par Mrs. Cavendish.

— Je dormais à poings fermés!

Le coroner sourit.

— Une bonne conscience fait un profond dormeur, observat-il. Merci, mademoiselle Murdoch, c'est tout.

— Mademoiselle Howard.

Miss Howard produisit la lettre que Mrs. Inglethorp lui avait écrite le soir du 17 juillet. Poirot et moi l'avions déjà lue, bien entendu. Elle n'a rien ajouté à ce que nous savions de la tragédie. En voici un fac-similé :

La lettre fut remise au jury qui l'examina attentivement.

— Je ne crois pas qu'elle puisse nous être d'une grande aide, dit le coroner avec un soupir. Elle ne contient aucune allusion aux faits de l'après-midi.

— Pour moi, c'est clair comme le jour, déclara Miss Howard

nettement. Cette lettre prouve indubitablement que ma pauvre vieille amie venait de découvrir qu'elle avait été jouée.

— Elle ne dit rien de pareil dans la lettre, remarqua le coroner.

— Parce que Emily ne pouvait supporter d'avoir tort. Mais moi, je la connais. Elle voulait me voir revenir. Mais elle se refusait à reconnaître que j'avais eu raison. Alors elle a biaisé, comme font la plupart des gens. Mais moi, je ne suis pas dupe de cette manière de faire.

Je remarquai que Mr. Wells esquissa un sourire, comme du reste plusieurs des jurés. On connaissait évidemment Miss Howard.

— En tout cas, tous ces bavardages ne sont qu'une grande perte de temps, continua cette femme irascible en jetant un regard chargé de mépris sur le jury. Papotages! papotages! quand nous savons tous très bien que...

Le coroner l'interrompit brusquement.

— Merci, mademoiselle Howard. C'est tout.

J'ai l'idée qu'il poussa un soupir de soulagement lorsqu'elle lui obéit et se retira.

Ce fut alors qu'eut lieu le coup de théâtre de la journée. Le coroner appela Albert Mace, le préparateur en pharmacie, qui n'était autre que notre jeune homme agité au visage pâle. Répondant aux questions du coroner il déclara avoir son titre de pharmacie, mais qu'il ne travaillait que depuis peu de temps dans cette pharmacie particulière où il remplaçait le préparateur habituel qui venait d'être appelé aux armées.

Ces préliminaires terminés, le coroner alla droit au but.

— Monsieur Mace, avez-vous récemment vendu de la strychnine à une personne non autorisée à en acheter?

— Oui, monsieur.

— Quand cela?

— Lundi dernier, dans la soirée.

— Lundi? Pas mardi?

— Non, monsieur. Lundi, le 17 juillet.

— Veuillez nous dire à qui vous l'avez vendue?

On aurait pu entendre tomber une épingle.

— Certainement, monsieur. C'était à Mr. Inglethorp.

Tous les regards se tournèrent instantanément vers l'endroit où Alfred Inglethorp était assis, impassible et flegmatique. Pourtant, il tressaillit légèrement lorsque ces mots tombèrent des lèvres du jeune homme. Je crus même qu'il allait se lever, mais il demeura assis, bien que son visage trahît une stupeur fort bien simulée.

— Vous êtes sûr de ce que vous dites? demanda le coroner sévèrement.

— Tout à fait sûr, monsieur.

— Avez-vous l'habitude de vendre de la strychnine ainsi à tout venant?

Le malheureux jeune homme frémit sous l'œil courroucé du coroner.

— Oh! non, monsieur! Jamais! Mais, comme il s'agissait de Mr. Inglethorp, au *Court*, je n'y ai pas vu de mal. Il m'a dit que c'était pour empoisonner un chien.

En mon for intérieur, je sympathisai avec lui. C'était très humain d'essayer de plaire au *Court*, surtout quand pareille complaisance pouvait assurer la clientèle du *Court* à la pharmacie locale.

— N'est-il pas d'usage que toute personne achetant du poison signe dans un registre?

— Oui, monsieur. C'est ce qu'a fait Mr. Inglethorp.

— Avez-vous apporté ce registre?

— Oui, monsieur.

Le registre fut produit, et après quelques mots de blâme sévère, le coroner congédia le malheureux jeune homme.

Alors Alfred Inglethorp fut appelé au milieu d'un silence angoissé. Je me demandais s'il se rendait compte à quel point la corde se resserrait autour de son cou?

Le coroner alla droit au but.

— Lundi dernier, dans la soirée, avez-vous acheté de la strychnine pour empoisonner un chien?

Inglethorp répondit avec le plus grand calme :

— Non. Il n'y a pas de chien à *Styles*, sauf un chien de berger qui dort dehors et qui est du reste en parfaite santé.

— Vous niez absolument avoir acheté de la strychnine à Albert Mace, lundi dernier?

— Je le nie.

— Niez-vous également *ceci*?

Le coroner lui tendit le registre sur lequel était apposée sa signature.

— Certainement. L'écriture diffère entièrement de la mienne. Je vous le prouverai sans tarder.

Il tira de sa poche une enveloppe, et après avoir signé de son nom, il la tendit au chef juré. L'écriture différait de celle qui figurait sur le registre.

— Alors, comment expliquez-vous la déclaration de Mr. Mace?

Alfred Inglethorp répondit imperturbablement :

— Mr. Mace a dû se tromper.

Le coroner hésita un instant, puis il dit :

— Monsieur Inglethorp, comme simple formalité, veuillez nous dire où vous étiez dans la soirée de lundi, le 17 juillet?

— Vraiment, je ne puis me le rappeler.

— C'est absurde, monsieur Inglethorp, déclara le coroner sèchement. Réfléchissez de nouveau.

Inglethorp secoua la tête.

— Je ne puis vous le dire. Je crois que je suis allé me promener.

— Dans quelle direction?

— Je ne m'en souviens vraiment pas...

Le visage du coroner devint plus grave.

— Quelqu'un vous accompagnait-il?

— Non.

— Avez-vous rencontré quelqu'un au cours de votre promenade?

— Non.

— C'est très regrettable, remarqua le coroner ironiquement. J'en déduis que vous refusez de dire où vous étiez au moment où Mr. Mace vous a formellement reconnu, entrant dans la pharmacie pour y acheter de la strychnine?

— Vous pouvez déduire ce que bon vous semble.

— Soyez prudent, monsieur Inglethorp.

Poirot s'agitait avec nervosité, à mes côtés.

— Nom d'un chien! dit-il. Est-ce que cet imbécile désire être arrêté?

Et, de fait, Inglethorp produisait une très mauvaise impression. Ses dénégations futiles n'auraient pas convaincu un enfant. Cependant le coroner passa vivement au point suivant, et Poirot poussa un profond soupir de soulagement.

— Vous avez eu une discussion avec votre femme, mardi soir?

— Excusez-moi, interrompit Alfred Inglethorp, vous avez été mal renseigné. Je n'ai eu aucune querelle avec ma chère femme. Toute cette histoire est absolument fausse. J'étais absent de la maison pendant tout l'après-midi.

— Avez-vous quelqu'un qui puisse le prouver?

— Vous avez ma parole! répliqua Inglethorp avec hauteur.

Le coroner négligea de relever cette réponse.

— Nous avons deux témoins qui peuvent jurer avoir entendu votre querelle avec Mrs. Inglethorp.

— Ces témoins se sont trompés.

J'étais très intrigué. L'homme parlait avec une si tranquille assurance que j'étais dérouté. Je regardai Poirot, dont le visage reflétait une surexcitation que je ne pouvais comprendre. Était-il enfin convaincu de la culpabilité d'Alfred Inglethorp?

— Monsieur Inglethorp, dit le coroner, vous avez entendu répéter ici les dernières paroles de votre femme mourante. Pouvez-vous les expliquer d'une manière quelconque?

— Certainement.

— Vraiment?

— Cela me paraît fort simple. La chambre était mal éclairée. Le docteur Bauerstein est de ma taille et de ma corpulence, et porte une barbe comme moi. Dans la faible lumière et en proie comme elle l'était à d'atroces souffrances, ma pauvre femme l'a pris pour moi.

— Ah! murmura Poirot à part lui. Ça c'est une idée!

— Vous croyez que c'est vrai? murmurai-je.

— Je ne dis pas cela, mais c'est une supposition ingénieuse.

Inglethorp reprit :

— Vous avez interprété les dernières paroles de ma femme comme une accusation, alors qu'elles étaient, au contraire, une supplication.

Le coroner réfléchit un instant, puis il dit :

— Je crois, monsieur Inglethorp, que ce soir-là vous avez vous-même versé le café et l'avez porté à votre femme?

— Je l'ai versé, en effet, mais je ne le lui ai pas porté. J'allais le faire, mais on me prévint qu'un ami était à la porte. Je posai donc la tasse sur la table du hall, et, lorsque je suis revenu, quelques instants plus tard, elle avait disparu.

Cette déclaration pouvait être vraie ou fausse, mais elle ne me semblait guère améliorer la situation de Mr. Inglethorp. En tout cas, il avait eu amplement le temps d'introduire le poison dans le café. A ce moment, Poirot me donna un petit coup de coude et me désigna deux hommes assis ensemble près de la porte. L'un était petit, brun, rusé, au visage de fouine; l'autre était grand et blond.

J'interrogeai Poirot du regard. Il colla ses lèvres contre mon oreille et souffla :

— C'est le détective inspecteur James Japp, de Scotland Yard, le célèbre Jimmy Japp. L'autre est également de Scotland Yard. Ça va barder, mon ami.

Je fixai les deux hommes. Ni l'un ni l'autre n'avaient rien du policier. Je ne les aurais jamais pris pour des personnages officiels.

Je les regardais encore lorsque le verdict me fit brusquement tressaillir.

— Assassinat avec préméditation, par une personne ou des personnes inconnues.

CHAPITRE VII

Poirot paie ses dettes

Lorsque nous sortîmes des *Armes Stylites*, Poirot m'attira de côté par une petite pression sur le bras. Je compris pourquoi. Il attendait les détectives de Scotland Yard.

Ceux-ci parurent quelques instants plus tard, et Poirot alla immédiatement au-devant d'eux et aborda le plus petit.

— Je crains bien que vous ne me reconnaissiez pas, inspecteur Japp.

— Mais c'est M. Poirot! s'écria l'inspecteur.

Il se tourna vers son compagnon.

— Vous n'avez pas entendu parler de M. Poirot? Nous avons travaillé ensemble en 1904, sur l'affaire des faux d'Abercrombie; vous vous rappelez que le coupable fut arrêté à Bruxelles? Ah! c'était le bon vieux temps, monsieur! Et vous souvenez-vous du « baron » Altara? En voilà un joli sacripant! Il réussit à éluder toutes les polices de l'Europe. Nous avons fini par mettre la main sur lui à Anvers, grâce à M. Poirot.

Tandis que s'échangeaient ces amicaux souvenirs, je m'étais rapproché, et je fus présenté à l'inspecteur Japp qui, à son tour, nous présenta tous deux à son ami, le surintendant Summerhaye.

— Je n'ai pas besoin de vous demander ce que vous faites ici, messieurs, dit Poirot.

Japp cligna de l'œil.

— En effet. Cela me paraît une affaire bien simple.

Mais Poirot répondit gravement :

— Ici, je ne suis pas de votre avis.

— Oh! voyons, dit Summerhaye, ouvrant les lèvres pour la première fois. C'est clair comme le jour. Il est pris la main dans le sac.

Mais Japp regardait attentivement Poirot.

— Tais-toi, Summerhaye, dit-il jovialement. Monsieur et moi sommes d'anciennes connaissances, et il n'y a point d'homme dont j'accepterais plus volontiers le jugement que le sien. Si je ne me trompe, il nous réserve une petite surprise à sa façon. N'est-ce pas, monsieur Poirot.

Ce dernier sourit.

— Oui, j'ai déjà fait quelques déductions.

Summerhaye avait encore l'air assez incrédule, mais Japp continua à dévisager Poirot.

— Car, dit-il, jusqu'ici nous n'avons vu l'affaire que de l'extérieur. Scotland Yard a un net désavantage dans une affaire où le meurtre n'est admis, pour ainsi dire, qu'après l'enquête. Le grand point, c'est de se trouver sur les lieux dès le début, et là M. Poirot nous a devancés. Nous ne serions pas même là à l'heure qu'il est s'il ne s'était pas trouvé ici un médecin qui nous fit prévenir par le coroner. Mais vous avez été présent dès le début, et vous avez pu recueillir quelques indications. D'après les dépositions entendues à l'enquête, Mr. Inglethorp a assassiné sa femme aussi sûrement que je m'appelle Japp, et si un autre que vous me donnait à entendre le contraire, je lui rirais au nez! Je dois avouer que je suis surpris que les jurés n'aient pas prononcé immédiatement contre lui un verdict d'assassinat avec préméditation. Je crois qu'ils l'eussent fait, n'eût été le coroner qui paraissait les retenir.

— Peut-être avez-vous un mandat d'arrêt pour lui en poche, à l'instant même? suggéra Poirot.

Le volet de bois du parfait fonctionnaire descendit sur le visage expressif de Japp.

— Peut-être que oui, peut-être que non! répondit-il sèchement.

Poirot le considéra d'un œil méditatif.

— Je suis très désireux, messieurs, qu'il ne soit pas arrêté.

— Sans doute! répliqua Summerhaye d'une voix sarcastique.

Japp regarda Poirot avec une perplexité comique.

— Ne pouvez-vous pas nous donner vos raisons, monsieur Poirot? Car un clin d'œil de votre part vaut un hochement de tête. Vous avez été sur les lieux, et le Yard n'a guère envie de commettre des bévues.

Poirot acquiesça gravement.

— C'est précisément ce que je pense! Eh bien, je vous dirai ceci. Faites usage de votre mandat d'arrêt. Arrêtez Mr. Inglethorp. Vous n'en tirerez aucun profit. L'accusation contre lui sera immédiatement rejetée. Comme ça!

Il fit claquer ses doigts en un geste expressif.

Le visage de Japp s'assombrit, et Summerhaye poussa une exclamation d'incrédulité.

Quant à moi, j'étais littéralement muet d'étonnement, et j'en conclus simplement que Poirot était fou.

Japp avait tiré son mouchoir et s'essuyait doucement le front.

— Je n'ose pas le faire, monsieur Poirot. S'il ne s'agissait que de moi, je me contenterais de votre parole. Mais il y a certains de mes chefs qui me demanderont pourquoi j'ai agi ainsi. Ne pouvez-vous pas me donner d'autres indications?

Poirot réfléchit un instant.

— Cela peut se faire, dit-il. C'est évidemment à mon cœur défendant. Vous me forcez la main. J'aurais préféré travailler dans l'obscurité pour le moment, mais ce que vous dites est fort juste. La parole d'un policier belge dont la vogue est finie ne suffit pas! Et il ne faut pas qu'Alfred Inglethorp soit arrêté. Cela, je l'ai juré, comme peut en témoigner mon ami Hastings, ici présent. Alors, mon bon Japp, vous vous rendez tout de suite à *Styles*?

— Eh bien, dans une demi-heure environ. Nous devons d'abord voir le coroner et le médecin.

— Bon. Eh bien, passez me prendre sur votre chemin, la dernière maison du village. Je vous accompagnerai. A *Styles*, Mr. Inglethorp vous donnera, ou bien, s'il refuse, comme c'est fort probable, je vous donnerai les preuves qui vous démontreront qu'une accusation ne saurait tenir contre lui. Est-ce entendu?

— Entendu! s'écria Japp avec enthousiasme. Et je vous suis très obligé au nom de Scotland Yard, bien que pour le moment, je ne voie pas, d'après les dépositions, la moindre échappatoire pour Inglethorp. Mais vous avez toujours été surprenant! Alors, à tout à l'heure.

Les deux détectives s'éloignèrent à grandes enjambées, et Summerhaye ne cachait point un sourire moqueur.

— Eh bien! mon ami! s'écria Poirot avant que je pusse prononcer une parole. Qu'en pensez-vous? Mon Dieu! j'ai eu chaud, à l'enquête! Je ne m'imaginais pas que cet homme serait assez entêté pour refuser de dire quoi que ce soit. Décidément, c'était une sotte tactique.

— Hein! Il existe d'autres explications en dehors de la sottise, remarquai-je. Car, si l'accusation portée contre lui est exacte, comment pouvait-il se défendre autrement que par le silence?

— Mais de mille façons ingénieuses! s'écria Poirot. Tenez! Supposons que ce soit moi qui aie commis le meurtre, eh bien! je puis penser à sept histoires extrêmement plausibles et infiniment plus convaincantes que les dénégations glacées d'Inglethorp.

Je ne pus m'empêcher de rire.

— Mon cher Poirot, je suis sûr que vous pourriez penser à soixante-dix histoires fort plausibles. Mais, sérieusement, malgré ce que je vous ai entendu dire aux détectives, vous ne pouvez pas continuer à croire à l'innocence d'Alfred Inglethorp.

— Pourquoi pas maintenant autant qu'auparavant? Il n'y a rien de changé.

— Mais les dépositions sont si concluantes!

Nous franchîmes la grille de *Leastways Cottage* et gravîmes l'escalier si familier maintenant.

— Oui, oui, trop concluantes, reprit Poirot en aparté. Les preuves véritables sont généralement vagues et peu satisfaisantes. Elles doivent être examinées et passées au crible. Mais ici tout est préparé d'avance. Non, mon ami, ces preuves ont été fabriquées très adroitement, si adroitement même qu'elles dépassent leur propre but!

— Comment établissez-vous cela?

— Parce que tant que les preuves contre Inglethorp étaient vagues et intangibles, elles étaient très difficiles à contredire. Mais, dans son inquiétude, le criminel a resserré le filet si étroitement qu'un seul coup suffirait à libérer Inglethorp.

Je demeurai silencieux. Et un instant plus tard, Poirot reprit :

— Considérons cette affaire ainsi. Voici, disons-nous, un homme qui se propose d'empoisonner sa femme. Il possède assurément quelque bon sens. Eh bien, comment s'y prend-il? Il va hardiment chez le pharmacien du village et achète de la strychnine en alléguant une absurde histoire de chien. Il n'emploie pas le poison le même soir. Non, il attend d'avoir eu avec sa femme une violente querelle, dont toute la maison est au courant, et qui, naturellement, dirige tous les soupçons contre lui. Il ne prépare aucune défense, pas l'ombre d'un alibi, bien qu'il sache que le préparateur en pharmacie sera naturellement appelé à déposer. Bah! ne me demandez pas de croire qu'un homme pourrait être aussi bête que cela! Seul, un fou qui désire en finir avec la vie en se faisant pendre agirait de la sorte!

— Pourtant, je ne vois pas...

— Ni moi non plus. Je vous l'avoue, mon ami. Cette affaire me déroute, moi, Hercule Poirot!

— Mais si vous le croyez innocent, comment expliquez-vous qu'il ait acheté de la strychnine?

— Très simplement. Il ne l'a pas achetée.

— Mais Mace l'a reconnu!

— Je vous demande pardon; il a vu un homme avec une barbe noire comme celle de Mr. Inglethorp, et vêtu des vêtements de Mr. Inglethorp, et portant des lunettes comme Mr. Inglethorp. Il ne pouvait reconnaître un homme qu'il n'avait sans doute vu que de loin, car n'oubliez pas qu'il n'était arrivé à Styles St. Mary que depuis une quinzaine, et que Mrs. Inglethorp se fournissait généralement chez Coots, à Tadminster.

— Alors, vous pensez que?...

— Mon ami, vous rappelez-vous les deux points sur lesquels j'ai particulièrement insisté? Laissons le premier pour le moment, mais quel était le deuxième?

— Le fait important qu'Alfred Inglethorp a des vêtements particuliers, une barbe noire et porte des lunettes, répétai-je.

— Précisément. Or, supposez que quelqu'un veuille se faire passer pour John ou Laurence Cavendish, serait-ce facile?

— Non, dis-je lentement. Bien entendu, un acteur...

Mais Poirot m'interrompit tout court.

— Et pourquoi cela ne serait-il pas facile? Je m'en vais vous le dire. Parce que ce sont tous deux des hommes imberbes. Pour se grimer comme l'un des deux en plein jour, il faudrait un acteur de génie et une certaine ressemblance faciale fondamentale. Mais dans le cas d'Alfred Inglethorp, tout cela est changé. Ses vêtements, sa barbe, ses lunettes : voilà quels sont les points saillants de son aspect personnel. Or, quelle est la première préoccupation du criminel? Écarter tout soupçon, n'est-ce pas? Et comment peut-il atteindre son but le plus sûrement? En jetant le soupçon sur un autre. Dans ce cas particulier, il avait une homme à portée de main. Tout le monde était prédisposé à croire à la culpabilité de Mr. Inglethorp. On prévoyait qu'il serait soupçonné, mais il fallait une preuve tangible, telle que l'achat du poison. Rappelez-vous que ce jeune Mace n'avait jamais parlé à Mr. Inglethorp. Comment pouvait-il donc se douter que l'homme portant ses habits, sa barbe et son lorgnon n'était point Alfred Inglethorp?

— Vous avez peut-être raison, dis-je, fasciné par l'éloquence de Poirot. Mais, dans ce cas, pourquoi ne veut-il pas dire où il se trouvait à six heures, lundi soir?

— Ah! pourquoi? dit Poirot, retrouvant tout à coup son calme. Sans doute, parlerait-il s'il était arrêté, mais je ne veux pas en venir là, je dois lui faire comprendre la gravité de sa situation. Bien entendu, son silence cache quelque chose de peu avouable. S'il n'a pas assassiné sa femme, il n'en demeure pas moins un être taré, et certainement, en dehors de ce meurtre, il a quelque chose à cacher.

— Qu'est-ce que cela peut être? dis-je, gagné pour l'instant aux vues de Poirot, tout en retenant une faible conviction que la déduction évidente était cependant la plus probable.

— Ne le devinez-vous pas? demanda Poirot avec un sourire.

— Non. Et vous?

— Oh! oui, j'avais ma petite idée depuis quelque temps, et elle s'est révélée exacte.

— Vous n'en avez jamais soufflé mot, lui dis-je d'un ton de reproche.

Poirot fit un geste d'excuse.

— Pardon, mon ami, vous étiez assez mal disposé.

Puis, se tournant vers moi, il ajouta sérieusement :

— Vous vous rendez compte maintenant qu'il ne faut pas qu'il soit arrêté ?

— Peut-être, dis-je d'un ton de doute, car le sort d'Alfred Inglethorp m'était tout à fait indifférent, et je me disais qu'une bonne alerte lui ferait peut-être du bien.

Poirot, qui me regardait fixement, poussa un soupir.

— Voyons, mon ami, dit-il doucement, comment les dépositions de l'instruction vous ont-elles frappé, à part celle de Mr. Inglethorp ?

— Oh! c'était, à peu de chose près, ce que j'attendais !

— Vous n'avez été frappé par rien de particulier ?

Mes pensées se portèrent sur Mary Cavendish et je biaisai :

— De quelle façon ?

— Eh bien, par la déposition de Mr. Laurence Cavendish, par exemple.

Je fus soulagé.

— Oh! Laurence! Non, je ne crois pas. Il a toujours été un garçon très nerveux.

— Sa suggestion que sa mère avait pu s'empoisonner accidentellement avec le tonique qu'elle prenait ne vous a pas paru étrange, hein ?

— Non, je ne puis dire cela. Les médecins se sont moqués, bien entendu. Mais, de la part d'un profane, c'était une suggestion toute naturelle.

— Mais Mr. Laurence n'est pas un profane. Vous m'avez dit vous-même qu'il avait commencé par étudier la médecine, et qu'il avait même passé ses examens.

— En effet, c'est exact. Je n'y songeais plus, dis-je, un peu effrayé. C'est *très* bizarre.

Poirot hocha la tête.

— Son attitude a été bizarre dès le début. De toute la maison, lui seul pourrait reconnaître les symptômes d'empoisonnement par la strychnine, et pourtant il est le seul membre de la famille qui soutienne énergiquement la théorie de mort provoquée par des causes naturelles. J'aurais pu comprendre cela de la part de Mr. John. Il n'a pas de connaissances techniques, et il n'a aucune imagination. Mais de Mr. Laurence, non ! Et aujourd'hui encore il avance une suggestion qu'il devait savoir être ridicule. Il y a là matière à réflexion, mon ami.

— C'est très complexe, dis-je.

— Et puis, il y a Mrs. Cavendish, continua Poirot. Voilà une autre qui ne dit pas tout ce qu'elle sait. Que pensez-vous de son attitude?

— Je ne sais qu'en penser. Il me paraît inconcevable qu'elle protège Alfred Inglethorp, et pourtant elle en a tout l'air.

Poirot hocha la tête pensivement.

— Oui. C'est bizarre. En tout cas, une chose est certaine. Elle a entendu beaucoup plus de cette « conversation privée » qu'elle ne veut en convenir.

— Et pourtant, c'est la dernière personne que l'on accuserait de s'abaisser à écouter aux portes.

— Précisément. Mais son témoignage tend à prouver une chose. J'ai commis une erreur. Dorcas avait parfaitement raison. La querelle eut lieu assez tôt dans l'après-midi, vers quatre heures comme elle l'a affirmé.

Je le regardai avec curiosité. Je n'avais jamais compris son insistance sur ce point.

— Oui, plusieurs choses assez singulières ont été révélées aujourd'hui, continua Poirot. Tenez, que faisait le docteur Bauerstein debout et habillé à cette heure aussi matinale? Je suis surpris que personne n'ait commenté ce fait.

— Je crois qu'il souffre d'insomnies, dis-je.

— Ce qui est une explication excellente ou bien fort mauvaise, dit Poirot. Cela couvre tout et n'explique rien. Je vais avoir l'œil sur notre brillant docteur Bauerstein.

— Trouvez-vous d'autres défauts aux dépositions? demandai-je, d'un ton sarcastique.

— Mon ami, dit Poirot gravement, quand vous découvrez que les gens ne disent pas la vérité, soyez sur vos gardes. Or, à moins que je ne me trompe beaucoup, à l'enquête d'aujourd'hui, une seule personne, deux tout au plus, ont dit la vérité sans réserves ni subterfuges.

— Oh! voyons, Poirot. Je ne citerai pas Laurence ni Mrs. Cavendish. Mais il y a John et Miss Howard... Sûrement ceux-là disaient la vérité.

— Tous deux, mon ami? Un, je vous l'accorde, mais tous deux?

Ces paroles me causèrent un choc pénible. La déposition de Miss Howard, bien que peu importante, avait été faite avec tant de spontanéité et de franchise qu'il ne m'était jamais venu à

l'esprit de douter de sa sincérité. Cependant, j'avais un grand
respect pour la sagacité de Poirot, sauf en ces occasions où il était
ce que j'appelais à part moi « stupidement opiniâtre ».

— Est-ce bien votre avis? dis-je. Miss Howard m'a toujours
paru si essentiellement et même presque péniblement honnête.

Poirot me jeta un regard bizarre que je ne pus déchiffrer. Il
fut sur le point de parler, mais se ravisa.

— Miss Murdoch aussi, ajoutai-je. Il n'y a rien d'équivoque
en elle.

— Non. Mais il est fort étrange qu'elle n'ait pas entendu le
moindre bruit, bien qu'elle couchât à côté de Mrs. Inglethorp...
Tandis que Mrs. Cavendish, dont la chambre se trouvait dans
l'aile opposée de la maison, a distinctement entendu tomber la
table.

— Eh bien, elle est jeune. Elle a un sommeil de plomb!

— Ah! en effet! Elle doit avoir un fameux sommeil, celle-là!

Le ton de sa voix me déplut quelque peu, mais à ce moment
nous entendîmes heurter à la porte et, en regardant par la fenêtre,
nous vîmes les deux détectives qui nous attendaient dans la rue.

Poirot saisit son chapeau, fit un croc féroce à sa moustache,
et brossant avec soin un grain de poussière imaginaire de sa
manche, il me fit signe de descendre le premier. En bas, nous
rejoignîmes les détectives et prîmes sans tarder la direction de
Styles.

Je crois que l'apparition des deux émissaires de Scotland Yard
causa une émotion — surtout à John — bien qu'il eût pu deviner,
d'après le verdict, que leur arrivée serait imminente. Pourtant
la présence des détectives lui rendit plus sensible la gravité de la
situation.

Pendant le trajet, Poirot s'était entretenu à voix basse avec
Japp, et ce fut ce dernier qui demanda à tous les habitants de
Styles, à l'exception des domestiques, de se réunir dans le salon.
Je compris la signification de cette demande. Poirot devait prouver
ses dires.

Personnellement, je n'avais pas grand espoir. Poirot pouvait
avoir d'excellentes raisons de croire à l'innocence d'Inglethorp,
mais un homme comme Summerhaye devait exiger des preuves
tangibles, et je doutais que Poirot pût les lui fournir.

Bientôt nous fûmes tous réunis dans le salon, dont Japp referma
la porte. Poirot avança poliment des chaises pour tout le monde.
Tous les regards étaient fixés sur les détectives de Scotland Yard,
et je crois que nous comprîmes alors pour la première fois qu'il
ne s'agissait point d'un mauvais rêve, mais d'une réalité. Nous

avions bien lu que pareilles choses arrivaient parfois, mais maintenant nous étions nous-mêmes les acteurs du drame. Demain, les journaux proclameraient les nouvelles en en-têtes énormes :

TRAGÉDIE MYSTÉRIEUSE
EN ESSEX
RICHE PROPRIÉTAIRE
EMPOISONNÉE

Il y aurait des photographies de *Styles*, des instantanés de « la famille quittant l'enquête », car le photographe du village n'avait pas perdu son temps. Tous ces récits qu'on avait lus cent fois d'aventures arrivées à d'autres mais pas à soi-même. Et pourtant, maintenant, un assassinat avait été commis dans cette maison. En face de nous étaient les « détectives chargés de l'affaire ». La phraséologie courante me traversa rapidement l'esprit dans l'intervalle qui précéda l'interrogatoire mené par Poirot.

Je crois que tout le monde fut quelque peu surpris que ce fût lui qui prît l'initiative, et non point des détectives officiels.

— Mesdames, messieurs, dit Poirot en saluant comme un conférencier, je vous ai demandé de vous réunir ici. Le but de cette réunion concerne Mr. Alfred Inglethorp.

Inglethorp était assis un peu à l'écart. Je crois qu'inconsciemment chacun avait légèrement éloigné sa chaise de la sienne. Il eut un léger tressaillement lorsque Poirot prononça son nom.

— Monsieur Inglethorp, dit Poirot, s'adressant directement à lui, une ombre tragique plane sur cette demeure.

Inglethorp hocha tristement la tête.

— Ma pauvre femme, murmura-t-il. Pauvre Emily ! C'est terrible.

— Je ne crois pas, monsieur, continua Poirot sèchement, que vous vous rendiez tout à fait compte combien la situation peut être grave pour vous.

Et comme Inglethorp ne paraissait pas saisir la portée de ces paroles, il ajouta :

— Monsieur Inglethorp, vous courez un très grand danger.

Les deux détectives s'agitèrent. Je vis l'avertissement officiel : « Tout ce que vous direz servira contre vous », voler sur les lèvres de Summerhaye. Poirot reprit :

— Me comprenez-vous, maintenant, monsieur?

— Non, que voulez-vous dire?

— Je veux dire, déclara Poirot délibérément, que l'on vous soupçonne d'avoir empoisonné votre femme.

A cette franchise, un petit cri s'échappa de la bouche de tous les assistants.

— Juste ciel! s'écria Inglethorp, en se levant d'un bond. Quelle idée monstrueuse! *Moi!* empoisonner ma très chère Emily?

— Je ne crois pas, continua Poirot, en le surveillant étroitement, que vous ayez bien compris l'impression défavorable que votre déposition a produite à l'enquête. Monsieur Inglethorp, après ce que je viens de vous dire, continuerez-vous à refuser de nous apprendre où vous étiez lundi après-midi, à six heures?

Alfred Inglethorp se laissa retomber sur sa chaise en poussant un sourd gémissement, et il enfouit son visage dans ses mains. Poirot s'approcha de lui et le domina.

— Parlez! cria-t-il d'une voix menaçante.

— Non, je ne crois pas que personne puisse être assez infâme pour m'accuser de ce que vous dites.

Poirot hocha la tête, comme s'il venait de prendre une grave décision.

— *Soit,* dit-il. Alors, je parlerai pour vous.

Alfred Inglethorp se dressa de nouveau.

— Vous? Comment pouvez-vous parler? Vous ne savez pas.

Il s'interrompit vivement.

Poirot se retourna et nous fit face :

— Mesdames, messieurs. Je vais parler! Écoutez! Moi, Hercule Poirot, j'affirme que l'homme qui est entré chez le pharmacien et qui y a acheté de la strychnine à six heures, lundi soir, n'était pas Mr. Inglethorp, car, à six heures du soir de ce jour, Mr. Inglethorp raccompagnait Mrs. Raikes chez elle, revenant d'une ferme voisine. Je puis citer cinq témoins qui jureront les avoir vus ensemble, soit à six heures, soit un peu plus tard. Et comme vous le savez peut-être, la ferme de l'Abbaye, la demeure de Mrs. Raikes, est située à au moins deux milles et demi du village. L'alibi ne fait donc aucun doute.

CHAPITRE VIII

Nouveaux soupçons

Il y eut un instant de lourd silence. Japp, qui paraissait le moins étonné, parla le premier :

— En vérité, vous êtes stupéfiant, monsieur Poirot. Je suppose que les témoins dont vous parlez sont des gens dignes de foi?

— Voici! J'ai préparé une liste contenant leurs noms et leurs adresses. Bien entendu, vous les verrez vous-même. Mais vous constaterez l'exactitude de mes dires.

— J'en suis certain!

Japp baissa la voix :

— Je vous suis bien obligé! J'aurais fait une belle gaffe en l'arrêtant.

Il se tourna vers Inglethorp.

— Excusez-moi, monsieur, mais pourquoi n'avez-vous pas dit cela à l'instruction?

— Je vais vous donner la raison, interrompit Poirot. Il courait une certaine rumeur...

— Une rumeur absolument fausse et très injuste, déclara Alfred Inglethorp d'une voix agitée.

— Et Mr. Inglethorp était très désireux qu'aucun scandale n'éclatât en ce moment. Ai-je raison?

— Tout à fait! dit Inglethorp. Ma pauvre Emily n'est même pas enterrée! Pouvez-vous donc trouver étonnant mon désir de couper court à d'autres rumeurs mensongères?

— Entre nous, monsieur, déclara Japp, je préférerais mille rumeurs au risque d'être arrêté pour assassinat. Et je crois que Mrs. Inglethorp eût partagé mon avis. Car si ce n'était M. Poirot, ici présent, vous étiez bel et bien arrêté, aussi sûr que je m'appelle Japp!

— Sans doute ai-je été imprudent, murmura Inglethorp. Mais vous ne savez pas, inspecteur, comme j'ai été persécuté et diffamé!

Et il lança un coup d'œil vindicatif vers Evelyn Howard.

— Maintenant, monsieur, dit Japp vivement en s'adressant à John, j'aimerais voir la chambre de la victime. Après quoi, je bavarderai un peu avec les domestiques. Ne vous dérangez pas, M. Poirot me montrera bien le chemin.

Comme ils sortaient tous de la pièce, Poirot se tourna vers moi et me fit signe de le suivre au premier étage. Là, il me saisit par le bras et me tira de côté.

— Allez vite dans l'autre aile. Arrêtez-vous là, de ce côté de la porte de service. N'en bougez pas avant mon retour.

Puis, tournant rapidement sur ses talons, il suivit les deux détectives.

Je lui obéis et me postai près de la porte, me demandant les raisons secrètes de cet ordre. Pourquoi devais-je monter la garde sur ce point particulier? Je regardai pensivement le corridor qui s'étendait devant moi. Soudain, j'eus une idée. A l'exception de celle de Cynthia Murdoch, toutes les chambres donnaient sur cette aile gauche. Devrais-je noter qui allait et venait? Je demeurai fidèlement à mon poste. Les minutes s'écoulèrent. Personne ne passa. Aucun incident ne se produisit. Après vingt bonnes minutes, Poirot me rejoignit.

— Vous n'avez pas bougé?

— Non. Je suis demeuré ici comme un roc. Il n'est rien arrivé.

— Ah!

Était-il content ou fâché?

— Vous n'avez rien vu? reprit-il.

— Non.

— Mais vous avez sans doute entendu quelque chose? Comme un grand coup sourd? Hein, mon ami?

— Non.

— Est-ce possible? Ah! mais je suis furieux contre moi-même. Je ne suis pas très gauche en général, je n'ai fait qu'un petit geste (je connais les gestes de Poirot) de la main gauche, et la table placée près du lit s'est renversée.

Il paraissait si puérilement vexé et décontenancé que je me hâtai de le consoler.

— Voyons, mon vieux, qu'est-ce que ça fait? Votre triomphe en bas vous a énervé. Je vous l'affirme, ce fut une surprise pour nous tous. L'intrigue d'Inglethorp avec Mrs. Raikes doit être plus sérieuse que nous le supposons, pour qu'il persiste dans un silence aussi complet. Qu'allez-vous faire maintenant? Et où sont les hommes de Scotland Yard?

— En bas, en train d'interroger les domestiques. Je leur ai tout montré. J'avoue que Japp m'a quelque peu déçu. Il n'a pas de méthode.

— Hello! dis-je en regardant par la fenêtre. Voici le docteur Bauerstein. Je suis d'accord avec vous au sujet de cet homme, Poirot. Il ne me plaît guère.

— Il est intelligent, observa Poirot méditativement.

— Oh! diablement intelligent! J'avoue que j'étais ravi de le voir, mardi! Vous n'avez jamais vu pareil spectacle!

Et je décrivis l'aventure de Bauerstein.

— On eût dit un épouvantail à moineaux, continuai-je. Il était couvert de boue des pieds à la tête.

— Vous l'avez vu alors?

— Oui. Bien sûr, il ne voulait pas entrer. Nous finissions à peine de dîner, mais Mr. Inglethorp a insisté.

— Comment! Poirot me saisit vivement par les épaules. Le docteur Bauerstein était ici mardi soir? *Ici?* et vous ne me l'avez pas dit? Pourquoi ne pas m'en avoir parlé? Pourquoi? Pourquoi?...

Il paraissait en proie à une véritable frénésie.

— Mon cher Poirot, m'écriai-je, je ne croyais pas que cela vous intéresserait. Cela ne me semblait pas avoir la moindre importance.

— Pas d'importance! vociféra Poirot. Mais c'est d'une importance capitale! Alors le docteur Bauerstein était ici mardi soir, le soir de l'assassinat! Mais, Hastings, ne voyez-vous pas que cela change tout, absolument *tout?*

Je ne l'avais jamais vu aussi bouleversé. Me lâchant, il redressa machinalement une paire de chandeliers en murmurant toujours comme en lui-même :

— Oui, cela change tout, absolument tout.

Soudain, il parut prendre une décision.

— Allons, dit-il, nous devons agir sans tarder. Où est Mr. Cavendish?

Nous trouvâmes John au fumoir. Poirot se dirigea tout droit vers lui.

— Monsieur Cavendish, une affaire importante m'appelle à Tadminster. Un nouvel indice. Puis-je disposer de votre auto?

— Mais, bien entendu. La désirez-vous tout de suite?

— S'il vous plaît.

John sonna et commanda l'auto. Dix minutes plus tard, nous dévalions le parc et nous roulions sur la grande route menant à Tadminster.

— Maintenant, Poirot, dis-je avec résignation, peut-être voudrez-vous bien me dire tout ce que ceci signifie?

— Eh bien, mon ami, vous pouvez le deviner vous-même en partie. Vous vous rendez bien compte que, puisque Mr. Inglethorp est hors de cause, toute la situation est changée. Nous avons à résoudre un nouveau problème. Nous savons maintenant qu'il y a *une* personne qui n'a pas acheté le poison. Nous avons écarté les faux indices. A nous de trouver les véritables. Je me suis assuré que n'importe quel membre de la famille, à part Mrs. Cavendish, qui jouait au tennis avec vous, aurait pu revêtir la personnalité de Mr. Inglethorp, lundi soir. D'autre part, nous savons, par sa déclaration, qu'il posa le café dans l'antichambre. Or, à l'enquête, personne n'a prêté beaucoup d'attention à ce détail, mais maintenant il prend toute sa signification. Nous devons rechercher la personne qui, en fin de compte, a porté ce café à Mrs. Inglethorp, et qui a passé dans le hall alors que la tasse était encore sur la table. D'après votre version, deux personnes seulement n'ont pas touché à cette tasse de café : Mrs. Cavendish et Miss Cynthia.

— Oui, c'est exact.

J'éprouvai un allégement très sensible. Mary Cavendish ne serait certainement pas compromise.

— En innocentant Alfred Inglethorp, continua Poirot, j'ai été obligé de montrer mon jeu plus tôt que je ne le prévoyais. Car tant que l'on croyait que je le poursuivais, le criminel véritable n'était pas sur ses gardes. Maintenant, il sera doublement prudent.

Il se tourna brusquement vers moi.

— Dites-moi, Hastings, n'avez-vous pas de soupçons précis au sujet de quelqu'un ?

J'hésitai. A dire vrai, une idée folle et extravagante m'avait traversé une ou deux fois le cerveau. Je l'avais rejetée comme absurde, mais elle me poursuivait quand même.

— On ne pourrait l'appeler un soupçon, murmurai-je, tant c'est insensé !

— Allons, ne craignez rien ! dit Poirot d'un ton encourageant. Parlez franchement. Il faut toujours tenir compte de ses intuitions.

— Eh bien, alors, avouai-je, c'est tout à fait absurde ! Mais je soupçonne Miss Howard de ne pas dire tout ce qu'elle sait.

— Miss Howard ?

— Oui. Vous allez vous moquer de moi.

— Pas du tout. Pourquoi me moquerais-je ?

— Je ne puis m'empêcher de penser que nous avons omis de la comprendre dans les suspects possibles, dis-je gauchement, simplement sur le fait qu'elle était éloignée de *Styles*. Mais, après tout, elle n'était qu'à une vingtaine de kilomètres d'ici. Une auto les franchirait en une demi-heure. Pourrions-nous affirmer vraiment qu'elle n'était pas à *Styles* le soir du crime ?

— Oui, mon ami, déclara Poirot, nous le pouvons. Un de mes premiers soins a été de téléphoner à l'hôpital où elle travaillait.

— Eh bien ?

— Eh bien, j'appris que Miss Howard avait été de garde mardi après-midi, et comme un convoi de blessés était arrivé à l'improviste, elle avait très aimablement offert de demeurer de garde cette même nuit, et cette offre fut acceptée avec reconnaissance. Voilà qui dispose de vos doutes.

— Oh! dis-je, un peu dépité. Vraiment, c'est la violente antipathie qu'elle manifeste contre Inglethorp qui me la fit soupçonner en premier lieu. Je ne puis m'empêcher de croire qu'elle chercherait à lui nuire de toutes les façons possibles. Et j'avais comme une idée qu'elle pouvait savoir quelque chose sur la destruction du testament. Elle aurait pu brûler le nouveau, le prenant pour le testament précédent, rédigé en faveur d'Inglethorp. Elle est si montée contre lui.

— Sa véhémence ne vous paraît pas naturelle?

— Non. Elle est si extraordinairement violente. Je me demande même si elle n'est pas un peu déséquilibrée?

Poirot secoua énergiquement la tête.

— Non, non. Là, vous vous trompez. Il n'y a rien d'anormal en Miss Howard, elle est un exemple excellent du bon sens britannique. Elle est la personnification même de la santé du corps et de l'esprit.

— Cependant sa haine d'Inglethorp paraît presque une manie. Mon idée, qui est sans doute très ridicule, est qu'elle avait l'intention de l'empoisonner, lui, et que Mrs. Inglethorp a pris ce poison par mégarde. Mais je ne vois pas comment cela aurait pu se passer. Toute cette affaire est absurde au dernier degré.

— Pourtant vous avez raison sur un point. Il est toujours sage de soupçonner tout le monde jusqu'à ce que vous puissiez prouver logiquement, et à votre propre satisfaction, l'innocence de chacun. Or, quelle raison y a-t-il contre l'opinion que Miss Howard empoisonna délibérément Mrs. Inglethorp?

— Mais elle lui était toute dévouée! objectai-je.

— Allons donc! s'écria Poirot. Vous raisonnez comme un enfant. Si Miss Howard était capable d'empoisonner la vieille dame, elle serait tout aussi capable de simuler le dévouement. Non. Il nous faut chercher ailleurs. Vous avez parfaitement raison de trouver son antipathie contre Inglethorp trop violente pour être naturelle, mais vous avez tout à fait tort dans la déduction que vous en tirez. J'ai fait mes propres déductions que je crois correctes, mais je n'en parlerai pas pour le moment.

Il s'arrêta un instant, puis reprit :

— Or, suivant ma façon de penser, il y a une objection insurmontable à ce que Miss Howard soit la meurtrière.

— Et c'est?

— Que la mort de Mrs. Inglethorp ne pouvait en aucune façon profiter à Miss Howard. Or, il n'y a pas d'assassinat sans mobile.

Je réfléchis.

— Mrs. Inglethorp n'a-t-elle pas pu faire un testament en sa faveur?

Poirot secoua la tête.

— Mais vous avez vous-même suggéré cette hypothèse à Mr. Wells.

Poirot sourit.

— J'avais une raison de le faire. Je ne voulais pas prononcer le nom que j'avais dans l'esprit. Miss Howard occupait presque la même position, et j'ai employé son nom au lieu de l'autre.

— Cependant, ce testament rédigé l'après-midi de sa mort peut être...

Poirot secoua si énergiquement la tête que je m'arrêtai.

— Non, mon ami. J'ai mes petites idées au sujet de ce testament. Je puis au moins vous dire ceci : il n'est pas en faveur de Miss Howard.

J'acceptai cette assurance, sans bien comprendre, pourtant, comment il pouvait être aussi affirmatif.

— Eh bien, dis-je, avec un soupir, nous allons acquitter Miss Howard. C'est en partie votre faute si j'ai pu la soupçonner. C'est ce que vous avez dit de sa déposition à l'enquête qui m'a fait songer à elle.

Poirot parut intrigué.

— Qu'ai-je dit de sa déposition à l'enquête?

— Ne vous rappelez-vous pas? Lorsque j'ai dit qu'elle et John Cavendish étaient au-dessus de tout soupçon?

— Oh! ah! oui!

Il paraissait un peu confus, mais se ressaisit aussitôt.

— A propos, Hastings, je désire que vous fassiez quelque chose pour moi.

— Certainement. Qu'est-ce?

— La prochaine fois que vous serez seul avec Laurence Cavendish, vous lui direz ceci : « Poirot m'a chargé de vous dire : « Trouvez la tasse à café qui manque et vous pourrez reposer en « paix. » Rien de plus, rien de moins.

— « Trouvez la tasse à café qui manque et vous pourrez reposer en paix. » C'est bien cela?

— Excellent.

— Mais qu'est-ce que cela veut dire?

— Ah ça! Je vais vous le laisser deviner. Vous avez les atouts en main. Dites-lui cela, tout simplement, et voyez ce qu'il vous répondra.

— Très bien, mais tout cela est fort mystérieux.

Nous entrions dans Tadminster et Poirot dirigea l'auto vers le *Laboratoire d'Analyses*. Il descendit lestement, entra dans la boutique et ressortit quelques minutes plus tard.

— Voilà, dit-il, j'ai fait ce que je désirais.

— Pourquoi êtes-vous venu ici? dis-je, pris d'une vive curiosité.

— J'ai laissé quelque chose à analyser.

— Mais quoi donc?

— Quelques gouttes de cacao que j'ai prélevées au fond de la casserole, dans la chambre à coucher.

— Mais on l'a déjà analysé! m'écriai-je, stupéfait. Le docteur Bauerstein l'a fait analyser et vous-même vous avez ri à l'idée qu'il pût contenir de la strychnine.

— Je sais que le docteur Bauerstein l'a fait analyser, répliqua Poirot tranquillement.

— Eh bien, alors?

— Eh bien, j'ai envie de le faire analyser de nouveau, voilà tout.

Et il me fut impossible de tirer de lui un autre mot sur le sujet.

Cette démarche de Poirot m'intrigua vivement. Je n'y voyais ni rime ni raison. Pourtant, ma confiance en lui qui, à un moment avait quelque peu faibli, était pleinement rétablie depuis que son opinion sur l'innocence d'Alfred Inglethorp avait été si triomphalement justifiée.

L'enterrement de Mrs. Inglethorp eut lieu le lendemain, et le lundi, lorsque je descendis assez tard pour déjeuner, John m'attira de côté et m'affirma que Mr. Inglethorp partait le matin même et allait s'installer aux *Armes Stylites* jusqu'à nouvel ordre.

— Je suis vraiment bien soulagé de penser qu'il s'en va, Hastings, dit mon honnête ami. C'était assez pénible auparavant quand nous le soupçonnions d'être coupable, mais c'est encore plus désagréable maintenant que nous nous reprochons tous notre injustice à son égard. Car c'est un fait : nous l'avons traité abominablement. Bien entendu, tout semblait contre lui... Je ne vois pas comment on pourrait nous blâmer! Cependant, nous nous sommes trompés, et nous avons la sensation désagréable qu'il nous faudrait faire des excuses, ce qui est bien difficile, alors que l'individu nous déplaît tout autant qu'auparavant. La situation est fort embarrassante. Heureusement que mère n'a pas pu lui laisser *Styles*. L'idée qu'il trônerait un jour ici m'était insupportable. Mais il peut bien empocher l'argent.

— Pouvez-vous, cependant, entretenir la propriété? dis-je.

— Oh! oui. Il y a, bien entendu, le fisc à payer, mais la moitié de l'argent de mon père va avec la propriété. Et Laurence restera avec nous pour le moment, de sorte que sa part vient s'ajouter à la nôtre. Nous serons un peu privés d'argent au début, car, je vous l'ai dit, je suis assez gêné financièrement. Mais maintenant les créanciers consentiront à attendre.

Dans le soulagement général causé par le prochain départ d'Inglethorp, nous fîmes le déjeuner le plus paisible qui fût depuis la tragédie. Cynthia, qui avait le ressort de la jeunesse, était de nouveau tout à fait elle-même et plus jolie que jamais. Et, sauf Laurence, qui paraissait toujours aussi taciturne et nerveux, nous étions sereins comme à l'ouverture d'un avenir plein d'espoir.

Les journaux étaient, évidemment, remplis de la tragédie. Des manchettes énormes, des biographies de tous les membres de la famille, des insinuations subtiles et l'annonce habituelle de l'indice possédé par la police : rien ne nous fut épargné. Les opérations du front marquaient une accalmie, et les journaux s'emparèrent avec avidité de ce crime mondain. « La mystérieuse affaire de *Styles* » fut le sujet de toutes les conversations du moment.

Tout cela fut, naturellement, fort désagréable aux Cavendish. Leur maison fut continuellement assiégée par les reporters, à qui l'on refusa la permission d'entrer, mais qui continuèrent à hanter le village et le parc, fusillant de leurs Kodaks tout membre de la maison qui s'aventurait imprudemment dehors. Nous vivions dans un tourbillon de publicité. Les émissaires de Scotland Yard allaient et venaient, observant, interrogeant, avec des yeux de lynx et une langue bridée. Nous ne savions ni les buts ni les résultats de leurs recherches. Possédaient-ils vraiment quelque indice, ou bien l'affaire serait-elle classée dans un prochain avenir?

Après le déjeuner, Dorcas vint me trouver avec mystère et me demanda quelques moments d'entretien.

— Certainement. Qu'y a-t-il, Dorcas?

— Eh bien, voici, monsieur. Peut-être monsieur verra-t-il le monsieur belge, aujourd'hui?

Je fis un signe affirmatif.

— Eh bien, monsieur se souvient qu'il m'a demandé très particulièrement si madame ou quelqu'un d'autre avait une robe verte?

— Oui, oui. Avez-vous fait une découverte?

Mon intérêt était éveillé.

— Non pas, monsieur. Mais je me suis rappelée que les jeunes messieurs (pour Dorcas, John et Laurence étaient toujours « les jeunes messieurs ») avaient ce qu'ils appelaient la *malle aux costumes*. Elle est dans le grenier, monsieur : c'est un grand coffre rempli de vieux habits, de costumes et de choses de ce genre. Et il m'est tout à coup venu à l'esprit qu'il peut fort bien s'y trouver une robe verte. Donc, si monsieur voulait bien prévenir le monsieur belge...

— Je le préviendrai, Dorcas.

— Merci beaucoup, monsieur. C'est un monsieur bien gentil, très différent des deux détectives de Londres, qui fourrent leur nez partout et posent mille questions. En général, je n'aime guère les étrangers, mais d'après ce que disent les journaux, je vois que ces braves Belges c'est pas des étrangers ordinaires. Et il est certainement un *gentleman* très poli.

Cette excellente Dorcas! Tandis qu'elle me parlait, son honnête visage levé vers le mien, je songeai qu'elle était vraiment le modèle de ces domestiques d'autrefois, si rares aujourd'hui.

Je me décidai à descendre au village, y relancer Poirot. Mais je le rencontrai à mi-chemin qui montait vers *Styles Court*, et je lui fis tout de suite la commission de Dorcas.

— Ah! la brave Dorcas! Nous allons examiner ce coffre, bien que... enfin, qu'importe, nous l'examinerons tout de même.

Nous pénétrâmes dans la maison par une des fenêtres. Il n'y avait personne dans le hall, et nous montâmes directement au grenier. Nous y trouvâmes, en effet, un beau vieux coffre décoré de clous de cuivre, et bourré de toutes sortes de vêtements.

Poirot vida sans cérémonie le contenu sur le plancher. Il y avait une ou deux robes vertes, de nuances différentes. Mais Poirot les rejeta aussitôt. Il semblait procéder à sa recherche assez mollement, comme s'il n'espérait guère de résultats. Tout à coup, il poussa une exclamation.

— Qu'est-ce?

— Regardez!

Le coffre était à peu près vide, et je vis, reposant sur les planches du fond, une superbe barbe noire.

— Oh! oh! dit Poirot.

Il la retourna dans ses mains, l'examinant de près.

— Neuve, tout à fait neuve, dit-il.

Après un instant d'hésitation, il la replaça dans le coffre et entassa par-dessus tous les vêtements. Puis il descendit vivement et se dirigea vers l'office, où nous trouvâmes Dorcas en train de polir son argenterie.

— Nous venons d'examiner ce coffre, Dorcas, lui dit Poirot. Je vous suis très obligé d'en avoir parlé. Il contient vraiment une belle collection d'habits. Puis-je vous demander si on les emploie souvent?

— Eh bien, monsieur, pas très souvent de nos jours, bien que, de temps à autre, nous ayons ce que « les jeunes messieurs » appellent « une soirée costumée », et c'est quelquefois bien amusant, monsieur. Mr. Laurence est étonnant! Tout ce qu'il y a de plus comique. Je n'oublierai jamais le soir où il est descendu en *char* de Perse, — une sorte de roi oriental. Il tenait le grand couteau à papier à la main, et m'a dit : « Attention, Dorcas! Ceci est mon cimeterre fraîchement aiguisé et je suis fâché contre vous; je vous trancherai la tête! » Miss Cynthia était un apache, ce qui est, si je comprends bien, un vaurien français! On n'aurait jamais pu croire qu'une jolie fille comme elle se serait transformée en un aussi affreux garnement. Personne ne l'aurait reconnue!

— Ces soirées devaient être fort amusantes, en effet, remarqua Poirot avec bonhomie. Je suppose que, lorsqu'il s'est déguisé en shah de Perse, Mr. Laurence a porté cette belle barbe noire que j'ai vue dans le coffre, au grenier?

— Il avait en effet une barbe, monsieur, dit Dorcas en souriant. Et je la connais bien, car il m'a emprunté deux écheveaux de laine noire pour la fabriquer. Et de loin elle avait l'air extraordinairement naturelle. Je ne savais pas qu'il y avait une barbe là-haut. On a dû l'acheter tout récemment! Je sais qu'il y avait une perruque rousse. Ils emploient en général du bouchon brûlé, bien que c'est difficile à faire partir. Une fois, Miss Cynthia s'est déguisée en nègre, et le mal qu'elle a eu ensuite!

— Dorcas ne sait évidemment rien au sujet de cette barbe noire, dit Poirot, tandis que nous nous dirigions de nouveau lentement vers le hall.

— Vous croyez qu'il s'agit de la barbe? murmurai-je vivement Poirot hocha la tête.

— Oui. Avez-vous remarqué comment elle était taillée?

— Non.

— Elle est taillée exactement de la même forme que celle de Mr. Inglethorp, et j'ai trouvé un ou deux cheveux coupés. Hastings, cette affaire est bien mystérieuse.

— Je me demande qui a bien pu mettre cette barbe dans le coffre? dis-je.

— Quelqu'un doué de beaucoup d'intelligence, dit Poirot sèchement. Vous rendez-vous compte qu'il a choisi pour la cacher le seul endroit de la maison où sa présence ne serait pas remarquée? Oui, il est intelligent. Mais il nous faut l'être encore davantage. Il nous faut être si intelligents qu'il nous soupçonne de ne pas l'être du tout.

J'acquiesçai.

— Et c'est ici, mon ami, que vous allez m'être d'une grande aide.

Je fus très heureux du compliment. Car, à certains moments, je m'étais imaginé que Poirot ne m'appréciait vraiment pas à ma juste valeur.

— Oui, reprit-il, en me dévisageant fixement, vous allez m'être très précieux.

Ceci était naturellement flatteur, mais j'accueillis avec moins de plaisir les paroles suivantes de Poirot :

— Je dois avoir un allié dans la maison, observa Poirot.

— Vous m'avez, moi, protestai-je.

— C'est exact, mais vous ne me suffisez pas.

Je me montrai vexé. Poirot se hâta de s'expliquer.

— Vous ne saisissez pas tout à fait le sens de mes paroles. On sait que vous travaillez avec moi. Je cherche quelqu'un qui ne soit associé avec nous d'aucune façon.

— Oh! je vois. Eh bien! que diriez-vous de John?

— Non, je ne crois pas.

— Le cher garçon n'est peut-être pas très brillant, dis-je.

— Tiens, voici Miss Howard qui arrive, dit Poirot tout à coup. C'est précisément la personne qu'il nous faut. Elle ne m'a pas en odeur de sainteté depuis que j'ai innocenté Mr. Inglethorp. Enfin, nous pouvons toujours essayer.

Ce fut d'un signe de tête à peine poli que Miss Howard accéda à la demande de quelques instants d'entretien que lui adressa Poirot.

— Eh bien, monsieur Poirot, répondit-elle d'un ton impatient. Qu'y a-t-il? Dites-le vite, car je suis pressée.

— Vous rappelez-vous, mademoiselle, que je vous ai priée de m'aider?

— Oui, en effet. Et je vous ai dit que je vous aiderais bien volontiers à faire pendre Alfred Inglethorp.

— Ah!

Poirot la considéra attentivement.

— Mademoiselle Howard, je vais vous poser une question. Je vous supplie d'y répondre franchement.

— Je ne mens jamais! riposta Miss Howard.

— Voici. Croyez-vous toujours que Mrs. Inglethorp ait été empoisonnée par son mari?

— Que voulez-vous dire? demanda-t-elle vivement. Ne pensez pas que vos jolies petites explications m'influencent le moins du monde. Je veux bien admettre que ce n'est pas lui qui acheta la strychnine chez le pharmacien. Mais qu'est-ce que cela signifie? Sans doute a-t-il fait tremper des attrape-mouches, comme je vous l'ai dit dès le début.

— Ils contiennent de l'arsenic et non pas de la strychnine, dit Poirot doucement.

— Qu'est-ce que ça prouve? L'arsenic l'eût débarrassé de la pauvre Emily aussi bien que la strychnine! Vous me demandez si je suis convaincue qu'il a commis le crime?

— Précisément. Je vous demande si vous êtes convaincue qu'il l'a commis, dit Poirot tranquillement. Je vais poser ma question sous une autre forme. Avez-vous jamais cru dans votre for intérieur que Mrs. Inglethorp eût été empoisonnée par son mari?

— Grands dieux! s'écria Miss Howard. Ne vous ai-je pas toujours dit que cet homme est un misérable? Ne vous ai-je pas toujours dit qu'il la tuerait dans son lit? Ne l'ai-je pas toujours haï?

— Précisément, répéta Poirot. C'est ce qui confirme exactement ma petite idée.

— Quelle petite idée?

— Mademoiselle Howard, vous rappelez-vous une conversation qui eut lieu le jour où mon ami arriva à *Styles*? Il me l'a répétée, et il y a une de vos phrases qui m'a causé une vive impression. Vous souvenez-vous avoir affirmé que, si un crime était commis, vous étiez certaine que votre instinct vous dirait qui était le criminel, même si vous étiez tout à fait incapable de le prouver?

— Oui, je me souviens d'avoir dit cela. Et je le crois. Mais je présume que cela vous paraît une bêtise?

— Pas du tout.

— Et pourtant vous refusez de prêter aucune attention à mes soupçons instinctifs contre Alfred Inglethorp?

— Oui, répliqua Poirot sèchement. Car votre instinct ne vous dirige pas contre Mr. Inglethorp.

— Comment?

— Non! Vous voulez croire qu'il a commis le crime. Vous le croyez capable de commettre un crime. Mais votre instinct vous dit qu'il ne l'a pas commis. Désirez-vous que j'en dise davantage?

Elle le fixait, fascinée, et fit un petit geste affirmatif de la main.

— Voulez-vous que je vous dise pourquoi vous avez montré tant de violence contre Mr. Inglethorp? C'est parce que vous vous efforcez de croire *ce que vous voulez croire*. C'est parce que vous essayez de noyer et d'étouffer votre instinct qui vous murmure un autre nom.

— Non! non! non! s'écria Miss Howard, en lançant les deux mains en avant, en proie à la plus vive agitation. Ne le dites pas! Oh! ne dites pas cela! Ce n'est pas vrai! Cela ne peut pas être vrai! Oh! je ne sais vraiment pas ce qui a pu me mettre en tête une idée aussi insensée, aussi monstrueuse!

— J'ai raison, n'est-ce pas? demanda Poirot.

— Oui! oui! Vous devez être un sorcier pour l'avoir deviné. Mais cela ne peut être vrai : ce serait trop monstrueux, trop impossible. Le coupable *doit* être Alfred Inglethorp.

Poirot secoua gravement la tête.

— Ne m'interrogez pas, continua Miss Howard. Car je ne vous dirai rien. Je ne peux pas l'avouer, ne fût-ce qu'à moi-même. Je dois être folle de songer à pareille chose!

Poirot hocha la tête, comme satisfait.

— Je ne vous demanderai rien. Il me suffit que ce soit comme je pensais. Et moi, moi aussi, j'ai un sentiment instinctif. Nous travaillerons ensemble, dans un but commun.

— Ne me demandez pas de vous aider, car je ne le ferai pas! Je ne lèverai pas le doigt pour... pour...

Elle s'interrompit, la gorge serrée.

— Vous m'aiderez malgré vous. Je ne vous demanderai rien, mais vous serez mon alliée. Vous ne pouvez pas refuser. Vous ferez l'unique chose que j'attends de vous.

— Et c'est?

— D'être vigilante!

Evelyn Howard courba la tête.

— Oui, je ne puis me dérober. Je veille toujours, espérant toujours m'être trompée.

— Si nous nous trompons, tant mieux, dit Poirot. Personne n'en sera plus heureux que moi. Mais si nous avons raison? Si nous avons raison, mademoiselle Howard, de quel côté vous rangerez-vous, alors?

— Je ne sais, je ne sais.

— Allons... Voyons...

— On pourrait se taire.

— Il ne faut pas se taire!

— Mais Emily elle-même...

Elle s'interrompit.

— Mademoiselle Howard, dit Poirot gravement, voilà qui est indigne de vous.

Tout à coup, elle enfouit son visage dans ses mains.

— Oui, dit-elle tranquillement, en effet, ce n'était pas Evelyn Howard qui parlait.

Elle releva orgueilleusement la tête et continua :

— Voici Evelyn Howard! Et elle est du côté de la justice, quel qu'en soit le prix!

Et, en prononçant ces mots, elle sortit fièrement de la pièce.

— Voilà une alliée précieuse qui s'en va, dit Poirot en la suivant des yeux. Cette femme, Hastings, a autant de cerveau que de cœur.

Je ne répondis rien.

— L'instinct est une chose merveilleuse, continua Poirot. On ne peut ni l'expliquer ni l'ignorer.

— Vous et Miss Howard paraissez savoir de quoi vous parlez, remarquai-je, froidement. Peut-être ne vous rendez-vous pas compte que je suis encore dans les ténèbres?

— Vraiment, mon ami?

— Mais oui. Voulez-vous bien m'éclairer?

Poirot me dévisagea attentivement pendant quelques instants, puis, à ma grande surprise, il secoua négativement la tête.

— Non, mon ami.

— Oh! voyons! Et pourquoi pas?

— Deux suffisent dans un secret.

— Eh bien, je trouve qu'il est très injuste de me cacher les faits.

— Je ne vous cache pas les faits. Vous êtes au courant de tous les faits que je connais. Vous pouvez en tirer vous-même les déductions.

— Cependant, ce serait très intéressant de savoir.

Poirot me regarda de nouveau, fixement, et de nouveau il secoua la tête.

— Vous comprenez, dit-il à regret, *vous* n'avez pas d'instinct!

— Mais, à l'instant même, vous parliez de déductions!

— L'intelligence et l'instinct vont souvent de pair! dit Poirot énigmatiquement.

La remarque me parut si absolument déplacée que je ne pris même pas la peine de la relever. Mais je résolus qu'au cas où, comme il était probable, je ferais des découvertes importantes et intéressantes, je les garderais pour moi et surprendrais Poirot par le résultat final.

CHAPITRE IX

Le docteur Bauerstein

Je n'avais pas encore eu l'occasion de transmettre à Laurence le message de Poirot. Mais, tandis que je faisais les cent pas dans ce jardin, pestant encore contre la tyrannie de mon ami, j'aperçus Laurence sur la pelouse du croquet en train de frapper quelques boules fort anciennes avec un maillet encore plus antique.

L'instant me parut propice pour remplir ma mission. Il est vrai que le sens exact m'échappait, mais je me flattais que la réponse de Laurence, que je soumettrais ensuite à un interrogatoire adroit, me permettrait bien vite de voir clair.

— Je vous cherchais, dis-je négligemment.

— Vraiment?

— Oui. J'ai un message à vous transmettre de la part de Poirot.

— Ah!

— Il m'a dit d'attendre d'être seul avec vous, dis-je en baissant la voix et en le surveillant étroitement du coin de l'œil.

— Eh bien?

Le sombre visage mélancolique de Laurence ne changea point d'expression. Se doutait-il peut-être de ce que j'allais lui dire?

— Voici.

Je baissai la voix encore davantage.

— Trouvez la tasse à café qui manque, et vous pourrez reposer en paix.

— Que diable veut-il dire?

Laurence me fixa avec une stupéfaction non feinte.

— Ne le savez-vous pas?

— Pas le moins du monde. Et vous?

Je fus obligé de reconnaître mon ignorance.

— Quelle tasse à café qui manque?

— Je ne sais pas.

— Il ferait mieux d'interroger Dorcas ou une des servantes, s'il veut être fixé au sujet des tasses à café. Je ne sais rien à ce sujet, si ce n'est que nous en avons qui ne servent jamais et qui sont de petites merveilles. Du vieux Worcester! Vous n'êtes pas un connaisseur, Hastings?

— Non.

— Vous perdez une occasion de joie! Un objet vraiment parfait en vieille porcelaine est adorable à manier, ou même simplement à regarder.

— Eh bien, que dois-je répondre à Poirot?

— Mais que je voudrais bien savoir ce qu'il veut dire. C'est de l'hébreu pour moi!

— Très bien.

Je me disposais à gagner la maison lorsqu'il me rappela tout à coup :

— Dites donc. Comment se terminait le message? Voulez-vous me le répéter?

— « Trouvez la tasse à café et vous pourrez reposer en paix. » Êtes-vous certain de ne pas savoir ce que cela veut dire? demandai-je gravement.

— Non, dit-il, je ne le sais pas, à mon grand regret.

Le gong sonna, annonçant le repas, et nous rentrâmes ensemble. John avait demandé à Poirot de rester pour déjeuner, et nous le trouvâmes déjà à table.

Par consentement tacite, nous évitâmes de parler de la tragédie. Nous discutâmes de la guerre et de sujets analogues. Mais lorsque les biscuits et le fromage eurent été servis et que Dorcas eut quitté la pièce, Poirot se pencha tout à coup vers Mrs. Cavendish.

— Pardonnez-moi, madame, de vous rappeler des souvenirs pénibles, mais j'ai une petite idée (les petites idées de Poirot étaient demeurées proverbiales), et j'aimerais vous poser une ou deux questions.

— A moi? Mais, certainement.

— Vous êtes trop aimable, madame. Voici ce que je désire vous demander : vous dites que la porte menant de la chambre de Mrs. Inglethorp à celle de Miss Cynthia était verrouillée?

— Oui.

Elle paraissait perplexe.

— Je veux dire, reprit Poirot, vous êtes certaine qu'elle était verrouillée et non pas simplement fermée à clef?

— Oh! je vois ce que vous voulez dire. Cela, je ne saurais l'affirmer. J'ai dit verrouillée, voulant dire par là qu'elle était fermée, et que je ne pouvais pas l'ouvrir, mais je crois que l'on a constaté que toutes les portes étaient fermées de l'intérieur.

— Cependant, pour ce qui vous concerne, la porte aurait pu être aussi bien fermée à clef?

— Oh oui!...

— Vous n'avez pas remarqué, madame, lorsque vous êtes entrée dans la chambre de Mrs. Inglethorp, si cette porte était fermée ou non?

— Je crois qu'elle était fermée.

— Mais vous ne l'avez pas constaté?

— Non. Je... je n'ai pas regardé.

— Mais moi, interrompit Laurence tout à coup, j'ai remarqué, par hasard, qu'elle était verrouillée.

— Ah! voilà qui est net, dit Poirot, l'air penaud.

Je ne pus m'empêcher de me réjouir qu'une de ses « petites idées » n'eût rien donné, pour une fois.

Après le déjeuner, Poirot me pria de l'accompagner chez lui. J'y consentis assez froidement.

— Vous êtes ennuyé, n'est-ce pas? me demanda-t-il anxieusement, tandis que nous traversions le parc.

— Pas du tout! dis-je avec raideur.

— Tant mieux! Cela me soulage d'un grand poids.

Ce n'était pas là tout à fait ce que j'avais prévu. J'espérais qu'il remarquerait la raideur de mon attitude. Pourtant, la chaleur de ses paroles apaisa quelque peu mon juste courroux. Je me dégelai.

— J'ai transmis votre message à Laurence! dis-je.

— Et qu'a-t-il dit? A-t-il été intrigué?

— Oui. Je suis certain qu'il n'avait pas la moindre idée de ce que vous vouliez dire.

Je m'attendais que Poirot fût déçu. Mais, à ma surprise, il répondit que c'était bien ce qu'il pensait et qu'il était très content. Mon orgueil m'empêcha de lui poser d'autres questions.

Les idées de Poirot se fixèrent dans une autre direction.

— Comment se fait-il que Miss Cynthia n'ait pas déjeuné avec nous aujourd'hui?

— Elle est retournée à l'hôpital. Elle a repris son travail aujourd'hui.

— Ah! c'est une petite demoiselle bien active. Et jolie aussi. Elle ressemble aux tableaux que j'ai vus en Italie. J'aimerais assez visiter son dispensaire. Croyez-vous qu'elle me le montrerait?

— Je suis sûre qu'elle serait ravie. C'est intéressant.

— Y va-t-elle tous les jours?

— Elle est libre tous les mercredis et revient déjeuner le samedi. Ce sont ses seuls jours de congé.

— Je me rappellerai. Les femmes accomplissent de grandes choses, aujourd'hui, et Miss Cynthia est intelligente, oh oui! elle a du bon sens, cette petite.

— Oui. Je crois qu'elle a passé un examen fort difficile.

— Sans doute. Après tout, elle a une grande responsabilité. Car je suppose qu'on détient là-bas des poisons violents.

— Oui. Elle nous les a même montrés. Ils sont enfermés dans

une petite armoire. Je crois qu'on exige des infirmières beaucoup de prudence. Elles emportent toujours la clef avant de quitter la pièce.

— Vraiment? Et cette armoire, est-elle près de la fenêtre?

— Non. Du côté opposé. Pourquoi?

Poirot haussa les épaules.

— Pour rien! Je me le demandais, simplement. Voulez-vous monter?

Nous étions parvenus au cottage.

— Non. Je crois que je vais rentrer en faisant un long détour par les bois.

Les bois entourant *Styles* étaient très beaux. Après la promenade à travers le parc découvert, il était agréable de flâner dans les clairières fraîches. Il y avait à peine un souffle de vent, et le pépiement des oiseaux paraissait faible et atténué. J'avançai lentement et enfin je me jetai au pied d'un vieil hêtre splendide. Je songeai à l'humanité avec bienveillance et charité. Je pardonnai même à Poirot sa réticence ridicule. En fait, je me sentais en paix avec le monde entier. Et puis je bâillai.

Je songeai au crime qui me parut très lointain.

Je bâillai de nouveau...

Sans doute, le crime n'avait jamais eu lieu. Il ne s'agissait que d'un mauvais rêve, et la vérité était que Laurence avait assommé Alfred Inglethorp avec un maillet de croquet. Mais il était absurde de la part de John de faire autant d'embarras et de courir partout en criant : « Je vous dis que je ne le supporterai pas! »

Je me réveillai en sursaut.

Et je me rendis aussitôt compte que je me trouvais dans une situation assez gênante. Car, à une dizaine de pas de moi, John et Mary Cavendish se faisaient face, et il était évident qu'ils se querellaient.

Et il était tout aussi évident qu'ils ne soupçonnaient pas ma présence, car, avant que je pusse bouger, John répéta les mots qui m'avaient poursuivi dans mon rêve.

— Je vous dis, Mary, que je ne le supporterai pas!

La voix de Mary s'éleva, calme et limpide.

— Avez-vous une raison de critiquer ma conduite?

— Vous serez la risée du village. Ma mère a été enterrée seulement samedi, et déjà vous vous montrez avec cet individu.

— Ah! (elle haussa les épaules), si ce n'est que les potins villageois qui vous inquiètent!

— Mais ce n'est pas seulement cela. J'en ai assez de voir cet individu rôder autour de vous. C'est, du reste, un juif polonais.

— Une goutte de sang juif n'est pas une mauvaise chose. Cela allège la stupidité de l'Anglais ordinaire, répliqua-t-elle, en le regardant droit dans les yeux.

Ses yeux flambaient, mais sa voix était de glace. Je ne fus pas surpris de voir le sang monter brusquement au visage de John.

— Mary!

— Eh bien?

Le ton de sa voix ne changea point.

La supplication s'éteignit dans la voix de John.

— Dois-je comprendre que vous continuerez à voir Bauerstein contre ma volonté expresse?

— Si cela me plaît!

— Vous me défiez?

— Non, mais je vous dénie le droit de critiquer mes actes. N'avez-*vous* point *d'amies* dont je puisse prendre ombrage?

John recula d'un pas et la rougeur abandonna lentement son visage.

— Que voulez-vous dire? demanda-t-il d'une voix mal assurée.

— Vous voyez bien, dit Mary tranquillement; vous voyez bien, n'est-ce pas, que vous n'avez pas le droit de me dicter le choix de mes amis.

John lui jeta un regard suppliant, et son visage prit une expression contrite.

— Pas le droit? N'ai-je vraiment pas le droit, Mary? demanda-t-il.

Il étendait les mains.

— Mary?...

Un instant, je crus qu'elle allait céder. Son visage s'adoucit, puis tout à coup elle se détourna farouchement.

— Aucun!

Elle s'éloignait déjà, lorsque John fit un bond, et lui saisit le bras.

— Mary (sa voix était maintenant très tranquille), êtes-vous amoureuse de Bauerstein?

Elle hésita, et, tout à coup, il passa sur son visage une expression étrange, ancienne comme les collines, et pourtant teintée d'une éternelle jeunesse. C'est ainsi qu'aurait pu sourire quelque sphinx égyptien.

Elle se dégagea doucement de l'étreinte de son mari, et lui parla par-dessus son épaule.

— Peut-être, dit-elle.

Puis elle quitta tranquillement la petite clairière, laissant John debout, comme pétrifié.

J'avançai, en prenant grand soin de faire craquer les branches mortes sous mes pas. John se retourna et, fort heureusement, il conclut que je venais seulement de paraître sur la scène.

— Hello! Hastings! Avez-vous reconduit le petit homme jusqu'à son cottage? Quel drôle de type! Mais croyez-vous qu'il soit très fort?

— Il était considéré comme un des détectives les plus remarquables de son époque.

— Oh! alors, je présume qu'il doit avoir un bout de vérité. Mais quel vilain monde il y a ici!

— Vous trouvez?

— Certes oui! D'abord, il y a cette horrible histoire. Des hommes de Scotland Yard qui entrent et sortent de la maison comme autant de marionnettes! On ne sait où l'on va les rencontrer! Puis des manchettes sensationnelles dans tous les journaux! Que le diable emporte les journalistes! Savez-vous qu'une foule compacte regardait par les grilles du parc ce matin? *Styles* est devenu une espèce de succursale du musée des Horreurs. C'est un peu fort tout de même!

— Calmez-vous, John, dis-je doucement. Cela ne peut pas durer longtemps.

— Non? Cela peut durer assez longtemps pour qu'aucun de nous ne puisse plus relever la tête.

— Non! Non! Cette histoire vous tourne la tête.

— Il y a certes de quoi perdre la tête, quand on se sent toute la journée, traqué par de sacrés journalistes et dévisagé à chaque pas par des idiots, bouche bée. Mais il y a pis encore!

— Pis encore?

John baissa la voix.

— Qui donc a pu commettre le crime, Hastings? C'est un véritable cauchemar pour moi. Parfois, je ne puis m'empêcher de penser que la mort de ma mère a dû être accidentelle. Parce que, parce que... *qui* a pu la tuer? Maintenant qu'Inglethorp est hors de cause, il n'y a personne d'autre... personne sauf *un de nous*...

Oui, certes, c'était là un cauchemar suffisant pour épouvanter n'importe qui! L'un de nous... Oui, cela devait être vrai, à moins que?...

Une idée nouvelle traversa mon esprit. Je l'examinai rapidement. Elle me parut s'éclairer : les agissements mystérieux de Poirot, ses insinuations, tout cela s'adaptait parfaitement! Imbécile que j'étais de ne pas avoir songé plus tôt à cette possibilité qui nous apporterait à tous un tel soulagement.

— John, dis-je. Il ne s'agit point de l'un de nous. Comment serait-ce possible?

— Je sais... mais qui d'autre y a-t-il?

— Ne le devinez-vous pas?

— Non.

Je jetai un regard prudent autour de moi et baissai la voix.

— Le docteur Bauerstein! murmurai-je.

— Impossible!

— Pas du tout.

— Mais quel intérêt pourrait-il avoir dans la mort de ma mère?

— Cela, je ne le vois pas, avouai-je. Mais je puis vous dire ceci : Poirot partage mon avis.

— Poirot? Vraiment? Comment le savez-vous?

Je lui appris l'agitation de Poirot en apprenant que Bauerstein avait été à *Styles* le soir fatal et j'ajoutai :

— Il a répété deux fois : « Cela change tout. » Et j'ai réfléchi. Vous savez qu'Inglethorp a dit avoir déposé le café dans le hall? Eh bien, c'est précisément à cet instant que Bauerstein est arrivé. Tandis qu'Inglethorp lui faisait traverser le hall, le docteur n'a-t-il pas pu laisser tomber quelque chose dans le café en passant?

— Ç'eût été bien risqué, objecta John.

— Oui, mais c'était possible.

— Et puis, comment aurait-il su que c'était le café de ma mère? Non, mon cher, votre hypothèse ne me semble pas tenir debout.

Mais je me souvins d'un autre fait.

— Vous avez tout à fait raison. Ce n'est pas ainsi que le coup fut accompli. Écoutez.

Je lui dis alors que Poirot avait fait analyser le cacao à Tadminster.

— Mais, voyons, Bauerstein l'avait déjà fait analyser.

— Oui, oui, c'est précisément le point. Je viens seulement de le remarquer. Ne voyez-vous pas? Bauerstein l'a fait analyser, précisément! Si Bauerstein est l'assassin, rien n'était plus simple pour lui que de substituer du cacao ordinaire à l'échantillon qu'il avait prélevé et de l'envoyer à l'analyse. Bien entendu, les chimistes n'y ont pas trouvé de strychnine. Et personne n'eût songé ni à soupçonner Bauerstein ni à prélever un autre échantillon, sauf Poirot! ajoutai-je, lui rendant un peu tardivement justice.

— Mais, et ce goût amer que le cacao ne peut déguiser?...

— Quant à cela, nous n'avons que la parole de Bauerstein. Et il y a d'autres possibilités. Il est généralement admis qu'il est un des plus grands toxicologues du monde.

— Un des plus grands quoi du monde? Répétez cela, je vous prie.

— Il est plus fort au sujet des poisons que personne d'autre au monde, expliquai-je. Eh bien, mon idée est qu'il a peut-être trouvé le moyen de priver la strychnine de goût. Ou bien, peut-être, ne s'agit-il pas de strychnine, mais de quelque drogue obscure dont personne n'a jamais entendu parler, et qui produit des symptômes presque identiques.

— Oui, cela pourrait être, reconnut John. Mais dites-moi, comment aurait-il pu parvenir jusqu'au cacao? Il ne se trouvait pas en bas?

— Non, en effet, dis-je, à regret.

Et puis, tout à coup, une possibilité affreuse traversa mon esprit. J'espérais que John n'y songerait pas. Je lui lançai un regard oblique. Il fronçait les sourcils, comme en proie à une vive perplexité, et je poussai un profond soupir de soulagement. Car la pensée terrible m'avait brusquement assailli que le docteur Bauerstein avait peut-être un complice.

Pourtant, c'était impossible. Une femme aussi belle que Mary Cavendish ne pouvait certainement pas être une criminelle! Et pourtant, de très belles femmes étaient devenues des empoisonneuses!

Et, tout à coup, je me souvins de cette première conversation, à goûter, le jour de mon arrivée, et de l'éclair qui brilla dans les yeux de Mary Cavendish lorsqu'elle déclara que le poison était bien l'arme d'une femme. Comme elle avait été agitée le soir de ce mardi fatal! Mrs. Inglethorp avait-elle par hasard découvert l'intimité existant entre elle et Bauerstein, et l'avait-elle menacée de prévenir son mari? Était-ce pour empêcher cette dénonciation que le crime avait été commis?

Je me rappelai ensuite la conversation énigmatique entre Poirot et Evelyn Howard. Était-ce cela qu'ils avaient voulu dire? Était-ce là la possibilité « monstrueuse » à laquelle Evelyn s'efforçait de ne pas croire?

Tout s'enchaînait fort bien.

Il n'était guère surprenant que Miss Howard eût suggéré de faire le silence là-dessus. Je comprenais maintenant sa phrase interrompue : « Emily elle-même... » Et dans mon for intérieur je partageais son avis. Mrs. Inglethorp eût certainement frémi à l'idée que pareil déshonneur vînt ternir le nom de Cavendish.

— Il y a encore une chose, dit John tout à coup (et le son de sa voix me fit tressaillir). Une chose qui me fait douter de l'exactitude de vos suppositions.

— Et qu'est-ce donc? demandai-je, trop heureux qu'il ne revînt pas sur le problème de savoir comment le poison avait pu être introduit dans le cacao.

— Mais le fait que Bauerstein a demandé une autopsie. Rien ne l'obligeait à le faire. Le petit Wilkins se serait volontiers contenté de certifier que la mort était due à une crise cardiaque.

— Oui, dis-je avec hésitation. Mais nous ne savons pas. Peut-être jugea-t-il plus prudent d'agir ainsi, en fin de compte. Quelqu'un aurait pu jaser, plus tard. Et le *Home Office* aurait pu ordonner une exhumation. Dans ce cas, tout aurait été tiré au clair, et il se serait trouvé dans une situation bien embarrassante, car personne n'aurait admis qu'un homme de sa réputation ait pu se tromper au point d'attribuer la mort à une maladie cardiaque.

— Oui, ça, c'est possible, admit John. Pourtant, je veux être pendu si je vois à quel mobile il a pu obéir!

Je tremblai de nouveau.

— Dites donc, dis-je, je me trompe peut-être tout à fait. Et n'oubliez pas que je vous ai parlé confidentiellement.

— Oh! Cela va sans dire!

Tout en parlant, nous avions continué de marcher, et nous franchîmes maintenant la grille menant au jardin. Des voix s'élevèrent très près de nous, car le thé était servi sous le sycomore, comme le jour de mon arrivée.

Cynthia était revenue de l'hôpital. Je plaçai ma chaise près de la sienne, et lui fis part du désir de Poirot de visiter le dispensaire.

— Entendu. Je serai ravie de le lui montrer. Qu'il vienne donc goûter, un jour. J'arrangerai cela avec lui. C'est un si charmant petit homme. Mais qu'il est drôle! Figurez-vous que l'autre jour il m'a obligée à enlever cette broche qui retient ma cravate et à la remettre, sous prétexte qu'elle n'était pas droite.

Je me mis à rire.

— C'est une vraie manie chez lui.

— Oui, n'est-ce pas?

Nous demeurions silencieux quelques instants, puis, après avoir jeté un regard dans la direction de Mary Cavendish, Cynthia me dit en baissant la voix :

— Monsieur Hastings?

— Oui.

— Je voudrais bien vous parler, après le thé.

Son regard jeté à Mary m'avait donné à réfléchir. Je comprenais qu'il existait peu de sympathie entre ces deux femmes, et, pour la première fois, je songeais à ce que serait l'avenir de la jeune fille. Mrs. Inglethorp n'avait pris aucune disposition à son égard, mais je m'imaginais que John et Mary insisteraient pour la garder auprès d'eux, en tout cas, jusqu'à la fin de la guerre. Car je savais que John avait beaucoup d'amitié pour elle et qu'il la verrait partir avec regret.

Sur ces entrefaites, John, qui était rentré à la maison, reparut tout à coup. Son bon visage était contracté par la colère.

— Au diable tous ces détectives! Je ne sais ce qu'ils cherchent. Ils ont fouillé toutes les chambres de la maison, et ont tout retourné sens dessus dessous. C'est très fort! Ils ont dû profiter de ce que nous étions tous sortis. Je dirai ce que je pense à ce Japp, la prochaine fois que je le verrai.

— Tas de fouineurs! grogna Miss Howard.

Laurence objecta qu'ils étaient obligés de faire semblant d'agir.

Mary Cavendish ne dit rien.

Après le thé, j'invitai Cynthia à faire une promenade, et nous nous dirigeâmes en flânant vers les bois.

— Eh bien? interrogeai-je dès que l'écran feuillu nous eut mis à l'abri des regards indiscrets.

Cynthia s'assit à terre en poussant un soupir. Elle enleva son chapeau, et le soleil, filtrant à travers les branchages, transforma ses cheveux roux en une masse d'or scintillant.

— Monsieur Hastings, vous êtes toujours si bon et vous savez tant de choses.

A cet instant, Cynthia me parut vraiment une jeune fille charmante. Beaucoup plus charmante que Mary qui ne disait jamais des phrases de ce genre.

— Eh bien! dis-je avec bienveillance, en voyant qu'elle hésitait.

— Je veux vous demander votre avis. Que vais-je devenir?

— Devenir?

— Oui. Vous comprenez, tante Emily m'avait toujours dit que mon avenir serait assuré. Je suppose qu'elle a oublié, ou bien peut-être n'a-t-elle jamais songé qu'elle pourrait mourir?... Toujours est-il qu'elle n'a pris aucune disposition à mon sujet. Et je ne sais que faire. Croyez-vous que je devrais quitter *Styles* tout de suite?

— Juste ciel! Non! Je suis certain qu'ils ne désirent pas se séparer de vous.

Cynthia hésita un instant, arrachant des brins d'herbe avec ses petites mains. Puis elle dit :

— Mrs. Cavendish le désire. Elle me déteste.

— Elle vous déteste? m'écriai-je, étonné.

— Oui. Je ne sais pourquoi, mais elle ne peut pas me supporter. Ni *lui* non plus, du reste.

— Là, vous vous trompez, dis-je chaleureusement. Au contraire, John a beaucoup d'amitié pour vous.

— Oh! oui, *John*! Je voulais parler de Laurence. Non pas que je me soucie le moins du monde que Laurence me déteste ou non. Mais enfin, c'est assez pénible de sentir que personne ne vous aime.

— Mais si, on vous aime, Cynthia chérie, dis-je sincèrement. Je suis certain que vous vous trompez. Voyez, il y a John et Miss Howard.

Cynthia hocha la tête assez mélancoliquement.

— Oui, je crois que John m'aime bien, et Evie, malgré sa rudesse, ne ferait pas de mal à une mouche. Mais Laurence ne me parle jamais, s'il peut éviter de le faire et Mary est à peine polie avec moi. Elle désire qu'Evie reste ici — elle l'a même suppliée de rester —, mais elle ne veut pas de moi, et je ne sais où aller.

La pauvre enfant éclata tout à coup en sanglots.

Je ne sais ce qui me prit! Peut-être ai-je obéi au charme de sa beauté, auréolée par le soleil, ou au soulagement de rencontrer une personne qui ne pouvait, de toute évidence, être aucunement mêlée au drame, ou bien encore à une vague de pitié inspirée par sa jeunesse et sa solitude! Qui sait? Toujours est-il que je me penchai en avant, et, lui prenant ses deux mains dans les miennes, je lui déclarai :

— Épousez-moi, Cynthia.

Inconsciemment, j'étais tombé sur le meilleur moyen d'arrêter ses larmes. Elle se redressa vivement, retira ses mains des miennes, et me dit avec une certaine rudesse :

— Ne soyez pas si bête, voyons!

Très agacé, je répondis :

— Je ne suis pas bête! Je vous demande de me faire l'honneur de devenir ma femme.

A ma profonde surprise, Cynthia éclata de rire et m'appela un « drôle de type ».

— C'est tout ce qu'il y a de plus gentil de votre part, dit-elle. Mais vous savez fort bien que vous n'avez pas du tout envie de m'épouser.

— Mais si... J'ai...

— Mais non, voyons! Vous n'en avez pas vraiment envie, ni moi non plus.

— Oh! alors, voilà qui règle la question, dis-je avec raideur. Mais je ne vois pas pourquoi vous riez! Il n'y a rien de drôle dans une demande en mariage!

— Certes, non, dit Cynthia. La prochaine fois, on pourrait vous prendre au sérieux! Au revoir! Vous m'avez beaucoup réconfortée!

Tout à coup, j'eus l'idée de descendre au village et d'y rendre visite à Bauerstein. Car il fallait vraiment le garder à vue. En même temps, il serait sage de calmer les craintes qu'il pouvait avoir d'être soupçonné. Je me souvins que Poirot comptait sur ma diplomatie. Je me rendis donc à la petite maison où je savais qu'il demeurait, et frappai à la porte.

Une vieille femme vint m'ouvrir.

— Bonjour, dis-je aimablement. Est-ce que le docteur Bauerstein est chez lui?

Elle me dévisagea fixement.

— Vous ne savez donc pas?

— Quoi donc?

— A propos de lui?

— Eh bien, quoi?

— Il est parti.

— Parti? Mort?

— Non. Parti avec la police.

— Avec la police! m'écriai-je, stupéfait. Vous voulez dire qu'on l'a arrêté?

— Oui, c'est ça, et...

Je n'attendis pas la fin de sa phrase, mais remontai le village à toute allure à la recherche de Poirot.

CHAPITRE X

L'arrestation

A mon grand ennui, Poirot n'était pas chez lui. Le vieux Belge qui me répondit m'informa qu'il croyait savoir que Poirot s'était rendu à Londres.

J'étais fort perplexe. Qu'est-ce que Poirot pouvait bien faire à Londres? Était-ce une décision soudaine de sa part, ou l'avait-il déjà prise lorsqu'il m'avait quitté quelques heures plus tôt? Je ne pus résoudre ces questions. Mais en attendant, qu'allais-je faire? Allais-je annoncer l'arrestation de Bauerstein à *Styles*, ou non?

A mon cœur défendant, la pensée de Mary Cavendish pesait lourdement sur moi. Ne serait-ce pas une chose terrible pour elle? Pour le moment, j'écartais d'elle tout soupçon. Elle ne pouvait être impliquée, sans quoi, nous en aurions été déjà avertis.

Bien entendu, il n'y avait pas moyen de lui cacher longtemps l'arrestation du docteur Bauerstein que publieraient sans doute tous les journaux du lendemain. Pourtant, je reculai devant l'idée de l'annoncer à mes amis. Si seulement Poirot avait été accessible, je lui aurais demandé son avis. Qu'est-ce qui avait bien pu le décider à partir ainsi pour Londres au pied levé?

Malgré moi, mon opinion de sa sagacité se trouva considérablement accrue. Je n'eusse jamais soupçonné le docteur, si Poirot ne me l'avait suggéré! Oui, décidément, le petit homme était très fort!

Après quelques instants de réflexion, je décidai de mettre John dans la confidence et de le laisser libre de décider s'il fallait ébruiter la nouvelle ou non.

Il fit entendre un long sifflement lorsque je lui communiquai la nouvelle.

— Alors, vous aviez raison! Je ne pouvais y croire sur le moment.

— En effet, cela paraît d'abord surprenant, puis on s'habitue à l'idée, et alors on constate que tout s'enchaîne bien. Mais qu'allons-nous faire? Demain, tout le monde le saura.

John réfléchit.

— Tant pis, dit-il enfin. Nous nous tairons pour l'instant. Ce n'est pas nécessaire. Comme vous le dites, on le saura bien assez tôt.

Mais le lendemain matin, à mon profond étonnement, lorsque j'ouvris les journaux, je n'y trouvai pas un mot sur l'arrestation de Bauerstein. Il y avait une colonne sur l'empoisonnement de *Styles*, mais rien d'autre. C'était assez inexplicable, mais je présumai que Japp voulait éviter d'ébruiter l'affaire pour une raison quelconque. J'en fus assez troublé, car cela suggérait la possibilité d'une arrestation future.

Après déjeuner, je décidai de descendre au village m'assurer que Poirot n'était pas revenu. Mais au moment de partir, je vis son visage s'encadrer dans une des fenêtres, et j'entendis sa voix me dire :

— Bonjour, mon ami.

— Poirot! m'écriai-je avec un soulagement extrême.

Et le saisissant par les deux mains, je l'attirai dans la pièce.

— Je n'ai jamais été aussi heureux de vous voir. Écoutez!

Je n'en ai soufflé mot à personne, sauf à John! Ai-je bien fait?

— Mon ami, répondit Poirot, je ne sais absolument pas de quoi vous voulez parler!

— Mais de l'arrestation du docteur Bauerstein, dis-je impatiemment.

— Bauerstein est arrêté?

— Ne le saviez-vous pas?

— Pas le moins du monde.

Après un instant de silence, il reprit :

— Mais cela ne me surprend pas. Car, après tout, nous ne sommes qu'à six kilomètres de la côte.

— La côte? répétai-je, intrigué. La côte n'a rien à voir dans l'affaire.

Poirot haussa les épaules.

— C'est pourtant assez clair, voyons!

— Pas pour moi. Sans doute suis-je tout à fait obtus, mais je ne puis saisir le rapport entre la proximité de la côte et l'assassinat de Mrs. Inglethorp.

— Il n'y en a aucun, naturellement, répondit Poirot avec un sourire. Mais nous parlons, me semble-t-il, de l'arrestation du docteur Bauerstein.

— Eh bien, il a été arrêté pour l'assassinat de Mrs. Inglethorp!

— Comment? s'écria Poirot, stupéfait. Le docteur Bauerstein est arrêté pour l'assassinat de Mrs. Inglethorp?

— Oui.

— Impossible! Ce serait une trop bonne farce. Qui vous a dit cela, mon ami?

— Eh bien, on ne me l'a pas dit, avouai-je. Mais il est arrêté.

— Oh! oui, ça c'est très possible. Mais pour espionnage, mon ami.

— Pour espionnage?

— Précisément.

— Et pas pour avoir empoisonné Mrs. Inglethorp?

— Pas, à moins que notre ami Japp ait perdu la tête, répliqua Poirot placidement.

— Mais... mais... je m'imaginais que vous partagiez cet avis.

Poirot me jeta un regard où je devinai quelque pitié devant l'absurdité d'une pareille idée.

— Voulez-vous dire que le docteur Bauerstein est un espion? demandai-je, m'adaptant lentement à cette idée nouvelle.

Poirot acquiesça.

— Ne l'aviez-vous jamais soupçonné?

— Cela ne m'était jamais venu à l'esprit.

— Vous ne trouvez pas bizarre qu'un célèbre médecin londonien vienne s'enterrer dans un petit village comme celui-ci, et ait l'habitude de se promener tout habillé à toutes les heures de la nuit?

— Non, avouai-je, je n'y avais jamais songé.

— Bien entendu, il est Allemand de naissance, continua Poirot. Et il a exercé depuis si longtemps dans ce pays qu'on a fini par le considérer comme Anglais. Il s'est fait naturaliser voici une quinzaine d'années. C'est un homme très intelligent.

— La canaille! m'écriai-je violemment.

— Non point. C'est au contraire un patriote. Songez à tout ce qu'il va perdre. Personnellement, je l'admire.

Mais je ne pouvais considérer l'affaire avec la même philosophie que Poirot.

— Et c'est là l'homme avec qui Mrs. Cavendish s'est promenée dans tout le pays! m'écriai-je avec indignation.

— Oui! Je m'imagine qu'il a trouvé là un intérêt, remarqua Poirot. Tant que les commérages s'occupaient de ces promenades, les autres petites excentricités du docteur passaient inaperçues!

— Alors, vous croyez qu'il ne l'a jamais vraiment aimée? demandai-je vivement, un peu trop vivement, peut-être, étant donné les circonstances.

— Ça, je ne saurais l'affirmer. Mais voulez-vous que je vous dise mon opinion personnelle, Hastings? Eh bien, la voici, Mrs. Cavendish n'a jamais éprouvé le moindre sentiment pour le docteur Bauerstein.

— Vous le croyez vraiment?

Il me fut difficile de déguiser ma satisfaction.

— J'en suis tout à fait certain. Et voulez-vous que je vous dise pourquoi?

— Oui.

— Parce qu'elle en aime un autre, mon ami.

— Oh!

Que voulait-il dire? Malgré moi, j'éprouvais une douce béatitude. Je ne suis pas très vaniteux en ce qui concerne les femmes, mais je me souvins de certains indices, considérés trop légèrement sur le moment même, mais qui semblaient certainement indiquer...

Mes agréables pensées furent brusquement interrompues par l'entrée de Miss Howard. Elle jeta vivement un coup d'œil autour de la pièce pour s'assurer qu'il ne s'y trouvait personne d'autre, et tendit à Poirot une vieille feuille de papier, en murmurant ces paroles mystérieuses :

— Sur le haut de l'armoire à glace!

Puis elle quitta précipitamment la chambre.

Poirot déplia vivement ce papier et poussa une exclamation satisfaite. Il étendit la feuille sur la table.

— Venez ici, Hastings. Dites-moi, cette initiale, est-ce un J ou un L?

La feuille de papier était brune et de format moyen. L'attention de Poirot était fixée sur l'adresse. Le haut de l'étiquette portait la raison sociale *Parkson and C°*, les costumiers bien connus, et était ainsi libellée : *J.* (?) *Cavendish Esq.* Styles Court, *Styles St. Mary, Essex.*

— Ce pourrait être un T ou bien un L, dis-je, après avoir examiné attentivement l'adresse, mais ce n'est certainement pas un J.

— Bon! dit Poirot en repliant le papier. Je partage votre manière de voir. C'est un L. Soyez-en certain.

— Est-ce important?

— Assez. Cela confirme une de mes conjectures. Ayant déduit l'existence de cette feuille de papier, j'avais chargé Miss Howard de la chercher, et elle a réussi à la trouver comme vous le voyez.

— Que voulait-elle dire par « sur l'armoire »?

— Simplement qu'elle l'a trouvée sur une armoire à glace.

— Drôle d'endroit pour un morceau de papier brun, dis-je.

— Nullement. Le haut d'une armoire est un endroit fort, commode pour ranger du papier et des boîtes de carton. Rangé avec ordre, cela n'offusque en rien la vue.

— Poirot, lui demandai-je sérieusement, êtes-vous parvenu à une conclusion quelconque au sujet de ce crime?

— Oui, c'est-à-dire que je crois savoir maintenant comment il fut commis.

— Ah!

— Malheureusement, je n'ai pas de preuves, je n'ai que des suppositions, à moins que...

Avec une énergie soudaine, il me saisit par le bras, m'entraîna dans le hall en appelant en français, tant son excitation était grande :

— Mademoiselle Dorcas! Mademoiselle Dorcas! Un moment, s'il vous plaît.

Dorcas, fort agitée par tout ce bruit, sortit en hâte de l'office.

— Ma bonne Dorcas, j'ai une idée — une petite idée —, si elle était juste, ah! quelle chance magnifique. Dites-moi, lundi, notez bien que je dis *lundi*, Dorcas, et non *mardi*, mais *lundi*, la veille de la tragédie, la sonnette de Mrs. Inglethorp n'a-t-elle pas été détraquée?

Dorcas parut surprise.

— Oui, monsieur, maintenant que vous le dites, c'est exact. C'est peut-être une souris qui a grignoté le fil. Un ouvrier est venu le raccommoder le mardi matin.

Poussant une longue exclamation d'extase, Poirot revint sur ses pas vers le petit salon.

— Voyez-vous, on ne devrait pas exiger des preuves extérieures, la raison devrait suffire. Mais la chair est faible, et c'est une consolation de savoir qu'on est sur la bonne piste. Ah! mon ami! j'ai repris des forces, tel un géant! Je cours! Je bondis!

Et de fait, il bondissait et il courait follement sur la pelouse devant la fenêtre ouverte.

— Que fait votre remarquable petit ami? demanda tout à coup une voix derrière moi.

Me retournant, je vis Mary Cavendish près de mon épaule. Elle sourit et moi aussi.

— Je ne saurais vraiment vous le dire. Il a interrogé Dorcas au sujet d'une sonnette et a paru si ravi de sa réponse qu'il s'est mis à bondir comme un cabri, ainsi que vous voyez.

Mary éclata de rire.

— C'est ridicule! Voyez, il franchit les grilles! Ne reviendra-t-il pas aujourd'hui?

— Je ne sais. Je renonce à essayer de deviner ce qu'il fera ensuite.

— Est-il tout à fait fou, monsieur Hastings?

— Franchement, je n'en sais rien. Parfois, il me semble qu'il est fou à lier, et puis, au moment où sa folie paraît la plus extrême, je trouve qu'elle cache de la méthode.

— Je vois.

Malgré son rire, Mary paraissait soucieuse, ce matin. Elle avait l'air grave, presque triste.

Je me dis que le moment était propice pour l'interroger sur l'avenir de Cynthia. J'abordai le sujet avec beaucoup de tact, mais à peine eus-je dit quelques mots qu'elle m'arrêta d'un ton autoritaire.

— Je ne doute pas que vous soyez un excellent avocat, monsieur Hastings, mais, dans ce cas, vos talents sont perdus. Cynthia ne court aucun risque d'être maltraitée par moi.

Je me mis à bredouiller, mais de nouveau elle m'arrêta, et cette fois ses paroles furent si imprévues qu'elles chassèrent complètement de mon esprit Cynthia et ses ennuis.

— Monsieur Hastings, croyez-vous que mon mari et moi soyons heureux ensemble?

Je fus interloqué, et murmurai que je n'étais nullement qualifié pour avoir, sur ce point, une opinion.

— Eh bien, dit-elle tranquillement, je peux bien vous avouer que nous ne sommes pas du tout heureux.

Je ne répondis rien, car je devinais qu'elle n'avait pas fini.

Elle parla lentement en arpentant la pièce de long en large, son long corps souple et mince ondulant doucement au rythme de ses pas. Elle s'arrêta et, tout à coup, releva la tête vers moi.

— Vous ne savez rien de moi, n'est-ce pas? dit-elle. Ni d'où je viens, ni qui j'étais avant d'avoir épousé John?... Rien, enfin! Eh bien, écoutez-moi. Vous allez être mon confesseur. Car vous êtes bon, oui, je suis sûre que vous êtes bon.

Fait bizarre, je ne fus pas tout à fait aussi ravi que j'aurais pu l'être. Je me souvins que Cynthia avait commencé ses confidences à peu près de la même manière. De plus, le rôle de confesseur convient mieux à un homme déjà mûr qu'à un jeune homme de mon âge!

— Mon père était Anglais, dit Mrs. Cavendish, mais ma mère était Russe.

— Ah! m'écriai-je, maintenant, je comprends.

— Vous comprenez quoi?

— Le sentiment d'un charme étrange que j'ai toujours éprouvé en face de vous.

— Ma mère était très belle, m'a-t-on dit. Je ne l'ai pas connue. Elle est morte quand j'étais une toute petite fille. Je crois bien que sa mort fut entourée d'une tragédie, elle prit par erreur une trop forte dose de somnifère. Mon père se montra inconsolable. Peu après, il entra dans le service consulaire, et je l'accompagnais dans tous ses déplacements. A vingt-trois ans, j'avais fait à peu près le tour du monde. C'était une vie délicieuse.

Un sourire errait sur son visage rejeté en arrière. Elle semblait vivre dans l'évocation de ce passé heureux.

— Puis mon père mourut. Il me laissa pour ainsi dire sans ressources. Je fus obligée d'aller vivre chez des vieilles tantes, dans le Yorkshire.

Elle frissonna.

— Vous me comprendrez, si je vous dis que ce fut une existence d'un ennui mortel pour une jeune fille élevée comme je l'avais été. L'étroitesse et la monotonie de cette vie me rendirent presque folle. Et puis j'ai rencontré John Cavendish. Vous pouvez bien penser qu'aux yeux de mes tantes c'était un excellent parti. Mais je puis affirmer loyalement que ce ne fut pas sa fortune qui me décida. Non. Ce mariage m'apportait un moyen d'évasion, dans cette existence d'ennui.

Je me taisais. Au bout d'un instant, elle reprit :

— Ne vous méprenez pas sur le sens de mes paroles. Je fus tout à fait franche avec lui. Je lui dis, ce qui était exact, qu'il me plaisait beaucoup, que j'espérais même l'aimer un jour, mais que, pour le moment, je n'étais nullement amoureuse de lui. Il se déclara satisfait, et c'est ainsi que nous nous mariâmes...

Elle s'interrompit de nouveau quelques instants, fronçant un peu les sourcils, les regards perdus dans le passé.

— Je crois, je suis même certaine, qu'il m'a aimée au début de notre mariage. Mais, sans doute, nous n'étions pas des époux assortis. Nous nous éloignâmes l'un de l'autre presque immédiatement. Car, et mon orgueil souffre de l'avouer, il se lassa vite de moi.

Sans doute murmurai-je quelque vague protestation, car elle reprit vivement :

— Oh, mais si ! très vite ! Cela n'a du reste aucune importance aujourd'hui, puisque nous sommes parvenus à un tournant où nos chemins se séparent.

— Que voulez-vous dire ?

Elle me répondit tranquillement :

— Je veux dire que je ne vais pas demeurer à *Styles*.

— Vous et John n'allez plus vivre ici ?

— John, peut-être, mais pas moi.

— Vous allez le quitter ?

— Oui.

— Mais pourquoi ?

Elle hésita un long instant avant de répondre, et dit enfin :

— Peut-être... parce que je désire être libre.

Et tandis qu'elle parlait, j'eus une vision soudaine de vastes espaces, de forêts vierges immenses, de pays inconnus, de tout ce que la liberté signifiait pour un être comme Mary Cavendish. Je la vis un instant, telle qu'elle était, créature orgueilleuse et farouche, aussi indomptée qu'un oiseau sauvage des collines.

Un petit cri lui échappa tout à coup.

— Vous ne savez pas, vous ne pouvez pas savoir quelle prison cet endroit haïssable a été pour moi !

— Je comprends, dis-je. Pourtant, n'agissez pas trop précipitamment.

— Oh !

Sa voix raillait ma prudence.

Et tout à coup, je dis une phrase que je regrettai amèrement l'instant d'après :

— Vous savez que le docteur Bauerstein a été arrêté?

Aussitôt un masque de froideur s'étendit sur tout le visage de Mary.

— John a eu l'amabilité de me faire part de cette nouvelle, ce matin.

— Eh bien, que pensez-vous de cette arrestation?

— Que puis-je en penser? C'était apparemment un espion allemand. Du moins, c'est ce que le jardinier a dit à John.

Sa voix et son visage étaient absolument glacés et sans expression. Était-elle émue ou non?

Elle s'éloigna d'un ou deux pas, effleura un des vases :

— Ces fleurs sont tout à fait fanées. Je vais les changer! Voulez-vous avoir l'obligeance de me laisser passer, monsieur Hastings? Merci.

Elle sortit tranquillement par la porte-fenêtre, en me congédiant d'un petit salut très sec.

Non, elle ne pouvait pas aimer Bauerstein. Aucune femme n'aurait pu jouer son rôle avec une indifférence aussi glaciale.

Le lendemain matin, Poirot ne parut pas, et il n'y eut pas la moindre apparition des détectives de Scotland Yard.

Mais l'heure du déjeuner apporta une nouvelle preuve ou plutôt une preuve négative. Nous avions en vain essayé de retrouver la trace de la quatrième lettre, celle que Mrs. Inglethorp avait écrite le soir qui précéda sa mort. Nos efforts étant demeurés impuissants, nous avions abandonné cette piste, espérant que la réponse nous parviendrait d'elle-même, un jour ou l'autre. Et c'est précisément ce qui arriva. Le deuxième courrier apporta une communication provenant d'une firme française d'édition de musique, qui accusait réception du chèque de Mrs. Inglethorp et regrettait de n'avoir pu lui procurer certain album de chansons populaires russes. Ainsi nous dûmes abandonner le dernier espoir de résoudre le mystère grâce à la lettre écrite par Mrs. Inglethorp pendant la soirée fatale.

Un peu avant l'heure du thé, je descendis jusqu'au village, pour communiquer notre nouvelle déception à Poirot, mais je fus très déçu de ne pas le trouver chez lui.

— Est-il retourné à Londres?

— Oh! non, monsieur, il a simplement pris le train pour Tadminster, où il voulait visiter un dispensaire dirigé par une jeune fille.

— L'imbécile! m'écriai-je. Je lui avais pourtant dit que le mercredi était le seul jour où elle n'était pas là. Eh bien, voulez-vous lui dire de monter nous voir, demain matin?

— Certainement, monsieur.

Mais le lendemain, Poirot ne donna pas signe de vie. Je commençais à me fâcher. Il nous traitait vraiment d'une façon trop cavalière.

Le déjeuner terminé, Laurence m'attira à l'écart, et me demanda si j'allais voir Poirot.

— Non, je ne crois pas. Il peut bien monter jusqu'ici s'il veut nous parler.

— Oh!

Laurence parut irrésolu. Quelque chose de particulièrement agité dans sa manière d'être me frappa.

— Qu'y a-t-il? demandai-je. J'irai s'il s'agit de quelque chose de spécial.

— Oh! ce n'est rien de très important, mais enfin, si vous le voulez, dites-lui (et sa voix ne fut plus qu'un murmure) que je crois avoir trouvé la tasse à café qui manque.

J'avais presque oublié le message énigmatique de Poirot, mais maintenant ma curiosité fut de nouveau éveillée. Voyant que Laurence n'ajoutait plus rien, je décidai d'imposer silence à mon amour-propre et de redescendre jusqu'au village.

Cette fois, je fus reçu avec un sourire. M. Poirot était chez lui. Si je voulais me donner la peine de monter? Je le fis, sans me faire prier.

Poirot était assis devant la table, la tête enfouie dans ses mains. En me voyant entrer, il se leva d'un bond.

— Qu'y a-t-il? demandai-je avec sollicitude. J'espère que vous n'êtes pas malade?

— Non, pas malade. Mais j'ai à résoudre un point d'une importance capitale.

— A savoir, s'il faut attraper le criminel ou non? demandai-je gauchement.

A ma profonde surprise, Poirot hocha gravement la tête.

— Parler ou ne point parler. Voilà la question, comme l'a dit votre grand Shakespeare.

Je ne me donnai pas la peine de corriger la citation.

— Vous êtes sérieux, Poirot?

— Je suis des plus sérieux. Car la chose la plus sérieuse du monde est dans la balance.

— Quoi donc?

— Le bonheur d'une femme, mon ami, dit-il gravement.

Je ne sus plus que dire.

— Le moment est venu, continua Poirot, et j'hésite. Car, voyez-vous, je joue un enjeu formidable. Personne, sauf moi, Hercule Poirot, n'oserait tenter une telle entreprise. Et il se frappa orgueilleusement la poitrine.

Après avoir attendu respectueusement quelques minutes, afin de ne pas gâcher mon effet, je lui transmis le message de Laurence.

— Ah! ah! s'écria-t-il. Alors, il a trouvé la tasse à café qui manque. Voilà qui est bien. Il est plus intelligent qu'il n'en a l'air, votre Mr. Laurence au long visage.

Je n'avais pas une très haute opinion de l'intelligence de Laurence, mais je me retins de contredire Poirot, et le grondai gentiment d'avoir oublié ce que je lui avais dit au sujet des jours de sortie de Cynthia.

— C'est vrai! J'ai un crible en guise de mémoire. Mais l'autre jeune fille s'est montrée fort aimable. Elle a eu pitié de ma déception et m'a tout montré de la façon la plus gracieuse du monde.

— Oh! alors, tout est bien. Il vous faudra y aller un autre jour, prendre le thé avec Cynthia.

Je lui parlai ensuite de la lettre.

— Je regrette cela, dit-il, car j'entretenais certains espoirs au sujet de cette lettre. Mais ce ne devait pas être. Il faut résoudre de l'intérieur. (Il se frappa le front.) C'est à ces petites cellules grises qu'incombe le soin d'élucider le mystère.

Puis, tout à coup, il demanda :

— Vous êtes expert en empreintes digitales, mon ami?

— Non, répondis-je, assez surpris. Je sais qu'il n'existe pas deux empreintes semblables, mais là se borne ma science!

— Précisément.

Il ouvrit un petit tiroir et en tira quelques photographies qu'il posa sur la table.

— Je les ai numérotées 1, 2, 3. Voulez-vous me les décrire?

J'examinai attentivement les épreuves.

— Elles sont toutes considérablement agrandies, je vois. Je dirai que le n° 1 reproduit les empreintes du pouce et de l'index d'un homme; le n° 2 reproduit les empreintes d'une femme : elles sont beaucoup plus petites et très différentes sous tous les rapports; et le n° 3 (j'hésitai un long moment) est fort confus, plusieurs empreintes paraissent superposées, mais je reconnais ici très distinctement celle du n° 1.

— Dépassant les autres?

— Oui.

— Vous les reconnaissez sûrement?

— Oh! oui, elles sont identiques.

Poirot hocha la tête et, reprenant avec soin les photos, il les enferma de nouveau à clef dans le tiroir.

— Je présume, dis-je, que, selon vos habitudes, vous n'allez me donner aucune explication.

— Au contraire. La première photographie est celle des empreintes de Mr. Laurence. La deuxième, celle de Miss Cynthia. Elles ne sont pas importantes. La troisième épreuve est un peu plus compliquée.

— Oui?

— Elle est, comme vous l'avez remarqué, considérablement agrandie. Peut-être avez-vous remarqué une espèce de tache qui s'étend à travers la photo? Je ne vous décrirai pas l'appareil ni la poudre dont je me suis servi. C'est un procédé bien connu de la police, et grâce auquel on peut obtenir en très peu de temps une photographie des empreintes sur n'importe quel objet. Eh bien, mon ami, vous avez vu les empreintes. Il me reste à vous dire l'objet sur lequel je les ai relevées.

— Continuez, je suis vraiment fort curieux.

— Eh bien, la photo n° 3 représente la surface considérablement agrandie d'un minuscule flacon enfermé dans l'armoire aux poisons, au dispensaire de l'hôpital de la Croix-Rouge à Tadminster.

— Grands dieux! m'écriai-je. Mais comment les empreintes de Laurence Cavendish sont-elles sur ce flacon? Il ne s'est pas approché de l'armoire aux poisons le jour où nous sommes allés ensemble voir Cynthia?

— Oh! mais si!

— Impossible. Nous ne nous sommes pas quittés.

Poirot secoua la tête.

— Mais si, mon ami. Il y a eu *un instant* où vous fûtes séparés. Il y a eu un instant où vous avez dû être séparés, ou bien vous n'auriez pas eu besoin d'appeler Mr. Laurence pour qu'il vînt vous rejoindre sur le balcon.

— J'avais oublié ce détail, dis-je. Mais ce ne fut que pour un instant.

— Qui fut suffisant.

— Qui fut suffisant pour quoi faire?

Le sourire de Poirot devint énigmatique.

— Pour qu'un monsieur ayant étudié la médecine pût satisfaire une curiosité et un intérêt très naturels.

Nos regards se croisèrent. Celui de Poirot était agréablement vague. Il se leva et se mit à fredonner un petit air. Je le considérai d'un œil soupçonneux.

— Poirot, que contenait cette minuscule bouteille? lui dis-je.

— De l'hydro-chlorate de strychnine, me lança-t-il par-dessus l'épaule, tout en continuant de fredonner.

— Grands dieux! dis-je tranquillement.

Je ne fus point surpris. Je m'attendais à cette réponse.

— On emploie rarement l'hydro-chlorate de strychnine pur, seulement occasionnellement pour des pilules. C'est la solution officielle : *Lir. Strychnine Hydro-qlor.* dont on se sert assez rarement dans les remèdes. C'est pourquoi les empreintes n'ont pas été effacées depuis ce jour.

— Comment avez-vous réussi à prendre une photographie?

— J'ai laissé tomber mon chapeau du haut du balcon, dit Poirot très simplement. A cette heure, les visiteurs ne sont pas admis dans la cour. Donc, malgré mes excuses, la collègue de Miss Cynthia fut bien obligée de descendre me le chercher.

— Vous saviez donc ce que vous alliez trouver?

— Non. Pas du tout. Je m'étais simplement rendu compte, d'après votre récit, que Mr. Laurence avait eu la possibilité d'aller à l'armoire aux poisons. Il fallait donc confirmer ou éliminer cette possibilité.

— Poirot, lui dis-je, votre gaieté ne me trompe pas. C'était une découverte très importante.

— Je ne sais, répondit-il. Mais je suis frappé par un fait que vous avez sans doute remarqué aussi?

— Qu'est-ce donc?

— Eh bien, c'est qu'il y a vraiment trop de strychnine dans cette affaire! C'est la troisième fois que nous en découvrons. Il y a la strychnine dans le tonique de Mrs. Inglethorp. Il y a la strychnine vendue par Mace à la pharmacie de Styles St. Mary. Et maintenant, nous voici devant encore de la strychnine manipulée par un des membres de la famille. Tout cela est très obscur, et, comme vous le savez, je n'aime point la confusion.

Avant que je pusse lui répondre, un des autres Belges habitant le cottage ouvrit la porte et passa la tête par l'entrebâillement.

— Il y a, en bas, une dame qui demande Mr. Hastings.

— Une dame?

Je me levai d'un bond. Poirot me suivit jusqu'au bas de l'étroit escalier, et nous aperçûmes Mary Cavendish sur le seuil de la porte.

— Je suis allée voir une vieille femme dans le village, nous dit-elle, et comme Laurence m'a dit que vous étiez allé chez M. Poirot, je suis passée vous prendre.

— Hélas! madame, dit Poirot, j'ai cru que vous me faisiez l'honneur de me rendre visite.

— Je le ferai volontiers un jour, si vous m'invitez, lui promit-elle avec un sourire.

— Voilà qui est bien. Et si jamais vous avez besoin d'un confesseur, madame (à ces mots, elle tressaillit légèrement), rappelez-vous que papa Poirot est toujours à votre service.

Elle le dévisagea fixement pendant quelques instants, comme si elle cherchait à lire une signification plus profonde dans ses paroles. Puis elle se détourna brusquement.

— Allons! Ne voulez-vous pas nous accompagner, monsieur Poirot?

— Enchanté, madame.

Pendant le trajet jusqu'à *Styles*, Mary parla fébrilement, et il me sembla qu'elle redoutait de rencontrer le regard de Poirot.

Le temps s'était rafraîchi et le vent coupant était presque automnal. Mary frissonna un peu et boutonna son chandail noir. Dans les arbres, le vent faisait un bruit mélancolique.

Nous nous dirigeâmes vers la grande porte de *Styles*, et nous comprîmes tout de suite qu'il s'était passé quelque chose d'anormal.

Dorcas courut à notre rencontre. Elle pleurait et se tordait les mains, et je remarquai à l'arrière-plan tous les autres domestiques qui se pressaient les uns contre les autres, l'air ahuri.

— Oh! madame! Oh! madame! Je ne sais comment vous dire...

— Qu'y a-t-il, Dorcas? m'écriai-je, impatienté. Parlez... tout de suite...

— C'est un coup de ces maudits détectives. Ils l'ont arrêté! Ils ont arrêté Mr. Cavendish!

— Arrêté Laurence? m'écriai-je.

Je vis une lueur étrange filtrer dans le regard de Dorcas.

— Non, monsieur. Pas Mr. Laurence, Mr. John!

Mary Cavendish s'appuya lourdement sur moi en poussant un grand cri, et, comme je me retournais pour la soutenir, je rencontrai le regard triomphant de Poirot.

CHAPITRE XI

Le procès

Le procès de John Cavendish, accusé de l'assassinat de sa belle-mère, eut lieu deux mois plus tard.

Je parlerai peu des semaines intermédiaires, durant lesquelles ma sympathie et mon admiration allèrent sans réserve à Mary Cavendish. Elle se rangea passionnément du côté de son mari, repoussant avec mépris l'idée même de sa culpabilité, et lutta pour lui de toutes ses forces.

J'exprimai mon admiration à Poirot qui hocha la tête d'un air peiné.

— Oui, elle appartient à cette catégorie de femmes qui se montrent sous leur meilleur jour dans l'adversité. Cela fait ressortir tout ce qu'elles ont de meilleur et de plus loyal. Son orgueil et sa jalousie ont...

— Sa jalousie? répétai-je, surpris.

— Oui. Ne vous êtes-vous pas rendu compte que c'est une femme très jalouse? Comme je le disais, son orgueil et sa jalousie ont été mis de côté. Elle ne songe plus qu'à son mari et à la terrible fatalité suspendue sur sa tête.

Il parlait avec émotion, et je le regardai, me souvenant de ce dernier après-midi où il hésitait, ne sachant s'il lui fallait parler ou non. Et, songeant à sa tendresse pour tout ce qui touchait le « bonheur d'une femme », j'étais heureux qu'il n'eût pas à prendre de décision.

— Même maintenant, dis-je, j'arrive à peine à le croire. J'étais convaincu jusqu'à la dernière minute qu'il s'agissait de Laurence.

Poirot ricana.

— Je le sais!

— Mais John, mon vieil ami John!

— Tout assassin est sans doute le vieil ami de quelqu'un, dit Poirot philosophiquement. On ne peut pas mêler le sentiment et la raison.

— J'avoue que vous auriez bien pu me prévenir.

— Peut-être ne l'ai-je pas fait, précisément parce qu'il était votre ami.

Je fus un peu déconcerté par ces paroles, me souvenant avec quelle hâte j'avais communiqué à John les soupçons dont Poirot, selon moi, entourait Bauerstein. Ce dernier, soit dit en passant, avait été acquitté. Néanmoins, bien que son adresse eût détourné l'accusation d'espionnage, ses ailes étaient rognées pour l'avenir.

Je demandai à Poirot s'il croyait à la condamnation de John. A ma surprise intense, il me répondit qu'il y avait au contraire beaucoup de chances pour qu'il fût acquitté.

— Voyons, Poirot! protestai-je.

— Oh! mon ami, ne vous ai-je pas dit tout du long que je n'ai point de preuves? C'est très différent de *savoir* qu'un homme est coupable, et de prouver qu'il l'est. Et dans ce cas, il y a si peu de preuves. C'est là toute la difficulté. Moi, Hercule Poirot, *je sais*, mais il me manque le dernier chaînon de la chaîne. A moins de trouver le chaînon qui manque...

Il hocha gravement la tête.

— Quand avez-vous commencé à soupçonner John Caven-dish? dis-je après un instant de silence.

— Et vous ne l'avez donc jamais soupçonné?

— Jamais!

— Pas même après ce fragment de conversation que vous aviez surpris entre Mary Cavendish et sa belle-mère, et le manque de franchise que la jeune femme révéla à l'enquête?

— Non.

— Vous ne vous êtes pas dit que si ce n'était point Alfred Ingle-thorp, qui s'était querellé avec sa femme (et vous vous rappelez qu'il a vigoureusement nié à l'enquête) ce devait être soit Lau-rence, soit John. Or, si c'était Laurence, la conduite de Mary Cavendish était inexplicable. Mais si, d'autre part, c'était John, tout s'expliquait fort naturellement.

— Donc, m'écriai-je, tandis que la lumière se faisait en moi, c'est John qui s'est querellé avec sa mère l'après-midi du crime?

— Précisément.

— Et vous le saviez depuis le commencement de l'affaire?

— Bien entendu. C'était la seule façon dont pouvait s'expli-quer la conduite de Mary Cavendish.

— Et pourtant, vous dites qu'il sera peut-être acquitté?

Poirot haussa les épaules.

— Mais certainement. A l'audience de la police judiciaire, nous entendrons l'accusation, mais, selon toutes les probabilités, ses avocats lui conseilleront de réserver sa défense jusqu'au procès. Et, à propos, j'ai à vous mettre sur vos gardes, mon ami. Il ne faut pas que je paraisse au procès.

— Comment?

— Non. Officiellement, je n'ai rien à voir avec cette affaire. Il me faut rester dans les coulisses jusqu'à ce que j'aie trouvé ce chaînon manquant. Mrs. Cavendish doit croire que je travaille pour son mari, et non contre lui.

— Oh! dites donc, voilà qui dépasse un peu la mesure! protestai-je, révolté.

— Pas du tout. Nous avons affaire à un homme très intelligent et dénué de tout scrupule, et nous devons faire usage de tous les moyens en notre pouvoir, autrement, il nous glissera entre les doigts. C'est pourquoi j'ai soin de demeurer à l'arrière-plan. Toutes les découvertes ont été faites par Japp, et Japp en prendra tout le crédit. Si je suis appelé à témoigner (et il eut un large sourire), ce sera sans doute comme témoin à décharge.

J'en croyais à peine mes oreilles.

— Tout est en règle, continua Poirot. Assez étrangement, je suis à même de fournir un témoignage qui démolira l'accusation.

— A propos de quoi?

— A propos de la destruction du testament. John Cavendish n'a pas détruit ce testament.

Poirot était un véritable prophète. Je n'entrerai pas dans les détails de la procédure du tribunal de simple police, car cela m'entraînerait à de fastidieuses répétitions. Je me bornerai à dire que John Cavendish réserva sa défense et fut incarcéré en attendant le procès.

Le mois de septembre nous trouva tous à Londres. Mary loua une maison à Kensington, et Poirot fut compris dans les réunions de famille. J'avais moi-même obtenu un poste au War Office, et je pus ainsi voir mes amis fort souvent.

A mesure que les semaines s'écoulaient, la nervosité de Poirot s'accentuait. Le « dernier chaînon » dont il parlait lui manquait toujours. A part moi, j'espérais bien qu'il ne le retrouverait pas, car quel bonheur l'avenir pourrait-il réserver à Mary, si John n'était pas acquitté?

Le 15 septembre, John Cavendish parut au banc des accusés de Old Bailey, sous l'inculpation d'avoir assassiné avec préméditation Emily-Agnès Inglethorp. Il plaida non-coupable.

Sir Ernest Heavywether, le célèbre conseil du roi, avait été chargé de la défense.

Mr. Philips, K. C., ouvrit les débats pour la couronne.

Il déclara que l'assassinat avait été prémédité et accompli de sang-froid. Il ne s'agissait ni plus ni moins que de l'empoisonnement d'une femme confiante et affectueuse par son beau-fils, pour qui elle avait été plus qu'une mère. Elle l'avait entretenu dès son adolescence. Lui et sa femme avaient vécu à *Styles Court* dans le plus grand luxe, entourés par sa sollicitude et son attention. Elle avait été sa bienfaitrice.

Il se proposait d'appeler des témoins pour prouver que l'accusé était à bout de ressources et poursuivait une intrigue avec une certaine Mrs. Raikes, femme d'un fermier voisin. Sa belle-mère, ayant appris ce fait, l'en accusa l'après-midi qui précéda sa mort, et il s'ensuivit une querelle dont on entendit une partie. La veille, l'accusé avait acheté de la strychnine à la pharmacie du village, portant un déguisement grâce auquel il espérait rejeter la culpabilité sur un autre homme, c'est-à-dire sur le mari de Mrs. Inglethorp, dont il avait été follement jaloux. Fort heureusement, Mr. Inglethorp avait pu produire un alibi inattaquable.

L'après-midi du 17 juillet, continua l'avocat de la couronne, Mrs. Inglethorp rédigea un nouveau testament immédiatement après sa querelle avec son beau-fils. On trouva ce testament détruit dans la grille de sa chambre à coucher le lendemain matin, mais on avait découvert ensuite la preuve que ce testament avait été rédigé en faveur de son mari. La morte avait déjà fait un testament en sa faveur avant son mariage, mais (et ici Mr. Philips agita un index expressif) l'accusé ignorait ce détail. Il ne pouvait dire le motif qui avait poussé la victime à faire un nouveau testament, alors que l'ancien existait toujours. C'était une femme âgée et peut-être avait-elle oublié l'existence du testament précédent. Ou bien, et ceci paraissait plus probable à Mr. Philips, peut-être croyait-elle que le testament était révoqué du fait de son mariage, ayant eu certaine conversation sur ce sujet. Les dames ne sont pas toujours très versées en connaissances juridiques. Environ un an plus tôt, elle avait fait un testament en faveur du prisonnier. Mr. Philips comptait appeler des témoins pour prouver que ce fut l'accusé qui, en dernier lieu, porta la tasse de café à sa belle-mère le soir fatal. Plus tard dans la soirée, il réussit à pénétrer dans sa chambre et saisit l'occasion de détruire le testament dont la disparition, il le savait, rendrait valide celui qui avait été rédigé en sa faveur.

L'accusé avait été arrêté à la suite de la découverte par le détective Japp, un policier très brillant, de la fiole de strychnine qui avait été vendue par le pharmacien du village au présumé Mr. Inglethorp, la veille du meurtre. C'était au jury de décider si, oui ou non, ces faits probants constituaient une preuve indiscutable de la culpabilité de l'accusé.

Et, en insinuant avec subtilité qu'il était inconcevable que le jury n'en décidât pas ainsi, Mr. Philips se rassit et s'épongea le front.

Les premiers témoins à charge furent, pour la plupart, les mêmes qui avaient été appelés à l'enquête, les médecins étant entendus les premiers.

Sir Ernest Heavywether, qui était célèbre dans toute l'Angleterre pour sa façon d'embarrasser le témoin, ne posa que deux questions.

— Je comprends, docteur Bauerstein, que la strychnine, en tant que drogue, agit très rapidement.

— Oui.

— Et que dans ce cas particulier vous ne pouvez expliquer le délai?

— C'est exact.

— Merci.

Mr. Mace identifia la fiole qui lui fut tendue par l'avocat de la couronne comme étant bien celle qu'il avait vendue à Mr. Inglethorp. Pressé, il admit qu'il ne connaissait Mr. Inglethorp que de vue. Il ne lui avait jamais parlé. Le témoin ne fut pas soumis à un interrogatoire plus prolongé.

Alfred Inglethorp fut appelé et nia avoir acheté le poison. Il nia également s'être querellé avec sa femme. Plusieurs témoins confirmèrent l'exactitude de ses déclarations.

On entendit ensuite le témoignage des jardiniers, concernant le testament; puis Dorcas fut appelée.

Fidèle à « ses jeunes messieurs », Dorcas nia énergiquement que ce pût être la voix de John qu'elle avait entendue, et elle déclara résolument, en dépit de l'évidence, que c'était Mr. Inglethorp qui s'était trouvé dans le boudoir avec sa femme. Un sourire assez triste éclaira un instant le visage de l'accusé. Il ne savait que trop combien la vaillante intervention de Dorcas était inutile, puisque la défense ne se proposait pas de nier ce point. Bien entendu, Mrs. Cavendish ne pouvait pas être appelée pour témoigner contre son mari.

Après avoir posé diverses questions sur d'autres points, Mr. Philips demanda :

— Au mois de juin dernier, vous souvenez-vous d'un paquet qui arriva pour Mr. Laurence Cavendish de la firme Parkson?

Dorcas secoua la tête.

— Je ne m'en souviens pas. C'est possible, mais Mr. Laurence fut absent de la maison la plus grande partie de juin.

— Au cas où un paquet fût arrivé pour lui pendant son absence, qu'en aurait-on fait?

— On l'aurait mis dans sa chambre ou réexpédié là où il se trouvait.

— Est-ce vous qui auriez été chargée de ce soin?

— Non, monsieur. Je l'aurais laissé sur la table du hall. C'est Miss Howard qui se serait occupée de la chose.

Evelyn Howard fut appelée et après avoir été interrogée sur d'autres points, elle fut questionnée au sujet du paquet.

— Je ne m'en souviens pas. Il arrivait beaucoup de paquets. Je ne puis pas me rappeler ce paquet particulier.

— Vous ne savez pas s'il fut réexpédié à Mr. Laurence Cavendish, au Pays de Galles, ou mis dans sa chambre?

— Je ne crois pas qu'on l'ait réexpédié. Je m'en souviendrais.

— Si un paquet adressé à Mr. Laurence Cavendish disparaissait ensuite, remarqueriez-vous son absence?

— Non, je ne crois pas. Je penserais que quelqu'un d'autre s'en est chargé.

— Je crois, mademoiselle Howard, que c'est vous qui avez découvert cette feuille de papier brun?

Il leva la même feuille poussiéreuse que Poirot et moi avions examinée dans le petit salon de *Styles*.

— C'est moi.

— Comment se fait-il que vous l'ayez cherchée?

— Le détective belge qui s'occupait de l'affaire m'avait demandé de la rechercher.

— Où l'avez-vous découverte?

— Sur le haut d'une... d'une armoire.

— Sur le haut de l'armoire de l'accusé?

— Je... je le crois.

— L'avez-vous trouvée vous-même?

— Oui.

— Alors, vous devez savoir où vous l'avez trouvée?

— Oui. C'était sur l'armoire de l'accusé.

— Ça, c'est mieux.

Un vendeur de chez Parkson, costumier de théâtre, certifia que, le 29 juin, ils avaient fourni une barbe noire à Mr. L. Cavendish comme demandé. Elle avait été commandée par une lettre à laquelle était joint un mandat. Non. Ils n'avaient pas gardé la lettre. Toutes les commandes étaient inscrites sur leur registre. Ils avaient envoyé la barbe, selon les indications, à L. Cavendish Esq., *Styles Court*.

Sir Ernest Heavywether se leva lourdement.

— D'où la lettre était-elle écrite?

— De *Styles Court*.

— La même adresse que celle à laquelle vous avez envoyé le paquet?

— Oui.

Heavywether tomba sur lui comme une bête de proie.

— Comment le savez-vous?

— Je... je ne comprends pas.

— Comment savez-vous que la lettre venait de *Styles Court?* Avez-vous remarqué le timbre de la poste?

— Non... mais...

— Ah! vous n'avez pas remarqué le timbre? Et pourtant vous affirmez qu'elle venait de *Styles.* En fait, il pouvait s'agir d'un timbre quelconque?

— Oui.

— En fait, la lettre, même écrite sur du papier à l'en-tête de *Styles Court,* aurait pu être mise à la poste n'importe où! Au Pays de Galles, par exemple?

Le témoin reconnut que ce pourrait être le cas, et Sir Ernest se déclara satisfait.

Élisabeth Wells, la deuxième femme de chambre de *Styles Court,* affirma qu'après s'être couchée, elle se rappela avoir verrouillé la porte d'entrée, au lieu de la laisser simplement fermée à clef, comme l'avait demandé Mr. Inglethorp. Elle était donc redescendue afin de rectifier son erreur. Elle entendit un léger bruit dans l'aile gauche, et, jetant un coup d'œil le long du corridor, elle avait vu Mr. John Cavendish qui frappait à la porte de Mrs. Inglethorp.

Sir Ernest Heavywether disposa vite d'elle, et, sous ses questions harcelantes et impitoyables, il l'amena à se contredire, puis il s'assit de nouveau avec un sourire satisfait.

Après le témoignage d'Annie se rapportant à la tache de bougie sur le tapis et au fait d'avoir vu l'accusé porter le café au boudoir, l'audience fut suspendue jusqu'au lendemain.

Comme nous rentrions, Mary Cavendish se récria amèrement contre le procureur du Roi.

— Quel homme haïssable! Quel filet il réussit à étendre autour de mon pauvre John. Avec quelle ruse diabolique n'a-t-il pas dénaturé chaque petit fait, de manière à lui donner l'aspect qu'il voulait.

— Eh bien, dis-je pour la consoler, demain ce sera le contraire.

— Oui, répondit-elle, songeuse.

Puis, tout à coup, elle baissa la voix :

— Monsieur Hastings, vous ne croyez pas que Laurence puisse être le coupable? Oh non! Cela ne peut pas être!

J'étais moi-même fort intrigué, et, dès que je me trouvai seul avec Poirot, je lui demandai ce qu'était, à son avis, le but de Sir Ernest.

— Oh! dit Poirot, c'est un homme bien intelligent que Sir Ernest.

— Pensez-vous qu'il croit Laurence coupable?

— Je pense qu'il ne croit rien du tout! Non! Il cherche à créer beaucoup de confusion dans les esprits des jurés, afin qu'ils ne sachent plus lequel des deux frères est le coupable. Il essaie de démontrer qu'il existe autant de preuves contre Laurence que contre John, et je ne suis pas du tout certain qu'il n'y réussira pas.

A l'ouverture de l'audience, le lendemain, le premier témoin appelé fut le détective Japp. Il fit sa déposition très succinctement. Après avoir fait l'exposé des premiers événements, il continua :

— A la suite de certains renseignements, l'inspecteur Summerhaye et moi-même fouillâmes dans la chambre de l'accusé pendant une courte absence de ce dernier. Dans sa commode, caché sous une pile de caleçons et de gilets, nous trouvâmes d'abord un pince-nez à monture en or, semblable à celui porté par Mr. Inglethorp (celui-ci fut exhibé), et deuxièmement ce flacon.

Le flacon était celui reconnu par l'aide-pharmacien, une minuscule bouteille en verre bleu, contenant quelques grains d'une poudre cristalline blanche, et portant l'étiquette : *Strychnine-chlor*. POISON.

Depuis l'enquête, les détectives avaient découvert une nouvelle preuve : un long morceau de buvard presque neuf. Ils l'avaient trouvé dans le carnet de chèques de Mrs. Inglethorp, et présenté devant un miroir, il révélait nettement les mots : *Je lègue tout ce que je possède à mon mari bien-aimé, Alfred Ingl...* Ceci établissait définitivement que le testament détruit avait été rédigé en faveur du mari de la morte. Japp produisit ensuite le fragment de papier calciné trouvé dans la grille, ce qui, avec la découverte de la barbe dans le grenier, compléta son témoignage.

Mais le défenseur de l'accusé lui posa encore quelques questions.

— Quel jour avez-vous perquisitionné dans la chambre de mon client?

— Mardi, 24 juillet.

— Exactement une semaine après la tragédie?

— Oui.

— Vous dites avoir trouvé ces deux objets dans la commode. Le tiroir n'était donc pas fermé à clef?

— Non.

— Ne vous paraît-il pas improbable qu'un homme qui a commis un crime en garde la preuve dans un tiroir non fermé à clef, à la portée du premier venu?

— Il a pu y mettre ces objets à la hâte.

— Mais vous venez de dire qu'une semaine entière s'était écoulée depuis le crime. Il aurait donc eu amplement le temps de les enlever et de les détruire.

— C'est possible.

— Cela ne fait aucun doute. Aurait-il eu, oui ou non, le temps de les enlever et de les détruire?

— Oui.

— Les caleçons et les gilets sous lesquels ces objets étaient cachés étaient-ils épais ou légers?

— Assez épais.

— En d'autres termes, c'étaient des vêtements d'hiver. Il était donc fort peu probable que l'accusé ouvrirait ce tiroir?

— Peut-être pas.

— Veuillez répondre à ma question. Était-il probable que le prisonnier, au cours de la semaine la plus chaude de l'été, ouvrirait un tiroir contenant des vêtements d'hiver? Oui ou non?

— Non.

— Dans ce cas, n'est-il pas possible que les objets en question y aient été placés par une tierce personne, et que mon client ait totalement ignoré leur présence?

— Cela ne me paraît pas très probable.

— Mais c'est possible?

— Oui.

— C'est tout.

D'autres témoignages suivirent, portant sur les difficultés d'ordre financier que le prisonnier avait éprouvées à la fin de juillet, et sur son flirt avec Mrs. Raikes. Pauvre Mary! Son orgueil fut soumis à une bien rude épreuve! Evelyn Howard avait eu raison quant aux faits, bien que son animosité contre Alfred Inglethorp l'eût amenée à conclure trop précipitamment que c'était lui qui était en cause.

Laurence Cavendish fut ensuite appelé. Il répondit à voix basse aux questions de Mr. Philips, et nia avoir fait aucune commande à Parkson au mois de juin. En fait, le 29 juin, il séjournait au Pays de Galles.

Instantanément, Sir Ernest s'avança, le menton agressif.

— Vous niez avoir commandé une barbe noire chez Parkson?

— Je le nie.

— Oh! veuillez me dire qui hériterait de *Styles Court*, dans le cas où quelque chose arriverait à votre frère?

La brutalité de la question mit du rouge au visage pâle de Laurence. Le juge émit un faible murmure de désapprobation, et, au banc des accusés, John se pencha en avant d'un air furieux.

Mais Heavywether se moquait bien de la colère de l'accusé.

— Répondez à ma question, je vous prie.

— Je présume, dit Laurence tranquillement, que ce serait moi.

— Que voulez-vous dire par « je présume » ? Votre frère n'a pas d'enfant. Donc c'est bien vous qui hériteriez, n'est-ce pas ?

— Oui.

— Ah ! voilà qui est mieux, dit Heavywether avec un sourire féroce. Et vous hériteriez également d'une belle somme d'argent, n'est-ce pas ?

— Vraiment, Sir Ernest, protesta le juge, ces questions sont déplacées.

Sir Ernest inclina la tête, il reprit :

— Le mardi 17 juillet, vous êtes, je crois, allé avec un ami visiter le dispensaire de l'hôpital de la Croix-Rouge de Tadminster ?

— Oui.

— Et, demeuré seul par hasard dans la pièce pendant quelques instants, vous avez ouvert l'armoire aux poisons et vous avez examiné certains des flacons ?

— Je... je l'ai peut-être fait.

— J'atteste que vous l'avez fait.

— Oui.

La question suivante de Sir Ernest siffla comme une balle.

— Avez-vous examiné un flacon en particulier ?

— Non, je ne le crois pas.

— Prenez garde, monsieur Cavendish. Je fais allusion à la petite bouteille d'hydro-chlorate de strychnine.

Laurence devenait verdâtre.

— Non... Non, je suis sûr que je n'y ai pas touché.

— Alors, comment expliquez-vous que l'on ait retrouvé dessus vos empreintes digitales ?

Avec une nature comme celle de Laurence, la manière forte était efficace.

— Je suppose que j'ai dû toucher la bouteille.

— Je le suppose aussi. Avez-vous prélevé une partie du contenu de ce flacon ?

— Certainement pas.

— Alors, pourquoi avez-vous touché le flacon ?

— J'ai fait, autrefois, mes études médicales. Et ces choses m'intéressent tout naturellement.

— Ah! Alors, les poisons « vous intéressent tout naturellement », hein? Pourtant, vous avez attendu d'être seul avant de satisfaire cet « intérêt »?

— Ce fut un pur hasard. J'aurais agi ainsi; même si les autres avaient été présents.

— Cependant, il se trouva que les autres n'étaient pas présents?

— Non, mais...

— En fait, au cours de l'après-midi entier, vous n'êtes demeuré seul qu'une ou deux minutes, et il se trouve, je dis il se trouve, que c'est pendant ces deux minutes que vous témoignez « l'intérêt naturel » que vous portez à l'hydro-chlorate de strychnine?

Laurence bredouillait d'une façon vraiment pitoyable.

— Je... je...

Sir Ernest observa d'un air satisfait :

— Je n'ai plus rien à vous demander, monsieur Cavendish.

Cet interrogatoire serré avait été suivi avec un vif intérêt par toute la cour. Dans l'assistance, des femmes du monde se mirent même à bavarder si fort que le juge menaça avec colère de faire immédiatement évacuer la salle si le silence le plus complet n'était pas strictement observé.

Il y eut fort peu d'autres témoignages. Les experts en écriture furent appelés à examiner la signature d'Alfred Inglethorp relevée sur le registre aux poisons du pharmacien. Ils furent unanimes à déclarer qu'on était en présence d'un faux, et émirent l'opinion que c'était peut-être l'écriture déguisée de l'accusé. A la contre-épreuve, ils reconnurent qu'il pouvait s'agir d'une adroite contre-façon de l'écriture de l'accusé.

Au début de sa plaidoirie, Sir Ernest Heavywether fit un court discours, prononcé avec son énergie habituelle. Il n'avait jamais, déclara-t-il, au cours de sa longue expérience, vu une accusation d'assassinat fondée sur des preuves plus superficielles. Non seulement les preuves reposaient sur des objets matériels, mais elles étaient, pour la plupart, fragiles. Le jury ferait bien de noter les témoignages qu'il avait entendus et de les passer au crible avec impartialité. On avait trouvé de la strychnine dans un tiroir de la chambre de l'accusé. Ce tiroir n'était pas fermé à clef, comme il l'avait fait observer; et il soutenait que rien ne prouvait que c'était son client qui y avait dissimulé le poison. Il s'agissait en fait d'une habile manœuvre de la part d'une tierce personne pour incriminer l'accusé. On n'avait pu prouver que c'était bien l'accusé qui avait commandé la barbe noire chez Parkson. La querelle qui avait eu lieu entre l'accusé et sa belle-mère, les embarras financiers de l'accusé avaient été grossièrement exagérés. Son éminent ami (et Sir Ernest fit un signe de tête nonchalant dans la direction de Philips) avait déclaré que si l'accusé était innocent, il se serait empressé de déclarer à l'enquête que c'était lui, et non Mr. Inglethorp, qui avait joué un rôle dans la querelle. Sir Ernest croyait que les faits avaient été sciemment présentés sous un faux jour. Voici la vérité : en rentrant à *Styles Court* le mardi soir, l'accusé avait rencontré quelqu'un qui lui déclara pertinemment que Mr. et Mrs. Inglethorp avaient eu une violente querelle. L'accusé n'avait pas eu un instant l'idée qu'on avait pu prendre sa voix pour celle de Mr. Inglethorp. Il en conclut très naturellement que sa belle-mère avait eu deux querelles au cours de l'après-midi.

L'accusation affirmait que, le lundi 17 juillet, Mr. John Cavendish était entré chez le pharmacien du village sous l'aspect de Mr. Inglethorp. Or, l'accusé se trouvait à ce moment-là dans un endroit solitaire appelé Marston Spinney où une lettre anonyme l'avait sommé de se rendre. Cette lettre de chantage le menaçait, s'il n'obéissait pas à ses ordres, de révéler certains de ses agissements à sa femme. L'accusé s'était donc rendu au lieu indiqué, et il ne rentra chez lui qu'après avoir attendu en vain pendant une demi-heure. Malheureusement, ni à l'aller ni au retour, il n'avait rencontré âme qui vive pouvant confirmer la vérité de ses dires, mais il avait par bonheur conservé la lettre que l'on produirait comme preuve.

Quant à la déclaration relative à la destruction du testament, l'accusé s'était autrefois destiné au barreau, et il n'ignorait pas que le testament, rédigé en sa faveur une année auparavant, était automatiquement annulé par le mariage de sa belle-mère. Sir Ernest se proposait d'appeler des témoins pour établir qui avait détruit le testament, et ces témoignages pourraient jeter une lumière nouvelle sur l'affaire !

Enfin il signalait au jury qu'il existait des preuves contre bien d'autres personnes que John Cavendish. Il dirigeait son attention sur le fait que les preuves contre Mr. Laurence Cavendish étaient tout aussi fortes, sinon plus fortes, que les preuves accumulées contre son frère.

Cela dit, il en appela à l'accusé.

John s'acquitta fort bien de son rôle. Sous la direction habile de Sir Ernest, il raconta son histoire d'une façon très vraisemblable. La lettre anonyme qu'il avait reçue fut produite et présentée à l'examen du jury. La spontanéité avec laquelle John reconnut ses embarras financiers et sa querelle avec sa belle-mère fortifia la valeur de ses dénégations.

A la fin de l'interrogatoire, il hésita un instant et puis ajouta :
— Je voudrais éclaircir un point. Je regrette complètement et je désapprouve absolument les insinuations que Sir Ernest Heavywether a portées contre mon frère. Je suis convaincu que mon frère est aussi étranger au crime que moi-même.

Sir Ernest se contenta de sourire, et nota, d'un regard perçant, que la protestation de John avait produit une impression très favorable sur le jury.

Alors commença l'interrogatoire contradictoire.
— Si je vous comprends, dit Mr. Philips, vous affirmez n'avoir jamais pensé que les témoins qui déposèrent à l'enquête aient pu prendre votre voix pour celle de Mr. Inglethorp?

— Non. On m'avait dit qu'il y avait eu une querelle entre ma mère et Mr. Inglethorp, et j'ai toujours cru que c'était exact.

— Pas même lorsque la domestique Dorcas répéta certains fragments de la conversation que vous avez dû reconnaître?

— Je ne les ai pas reconnus.

— Vous devez avoir une bien courte mémoire!

— Non, mais nous étions tous deux très en colère, et nos paroles, je crois, ont dépassé notre pensée. J'ai prêté peu d'attention aux termes mêmes de ma mère.

Le reniflement incrédule de Mr. Philips fut un triomphe d'adresse judiciaire. Il passa à la question de la lettre.

— Vous avez produit ce document de façon fort opportune. L'écriture ne vous semble-t-elle pas familière?

— Pas que je sache!

— Ne trouvez-vous pas une ressemblance marquée avec votre propre écriture... mal déguisée?

— Non, je ne crois pas.

— J'atteste que c'est votre écriture.

— Je le nie.

— J'atteste que, désireux de produire un alibi, vous avez conçu l'idée d'un rendez-vous fictif et assez improbable, et vous vous êtes adressé cette lettre afin de confirmer vos dires.

— C'est faux.

— N'est-il pas exact qu'à l'heure où vous déclarez avoir attendu dans un lieu solitaire et désert, vous étiez, en fait, chez le pharmacien de Styles St. Mary, où vous avez acheté de la strychnine au nom de Mr. Inglethorp?

— Non. C'est un mensonge.

— J'atteste que, vêtu d'un complet appartenant à Mr. Inglethorp et affublé d'une barbe noire taillée comme la sienne, vous étiez chez le pharmacien, et vous y avez signé le registre.

— C'est absolument faux.

— Dans ce cas, je laisse au jury le soin d'apprécier la remarquable similitude qui existe entre l'écriture de la lettre, du registre et la vôtre, dit Mr. Philips, qui se rassit avec l'air d'un homme qui a fait son devoir mais qui est indigné de dénégations aussi impudentes.

L'audience fut ensuite renvoyée au lundi, vu l'heure tardive.

Je remarquai que Poirot paraissait profondément découragé. Il fronçait les sourcils d'une façon que je connaissais trop bien.

— Qu'y a-t-il, Poirot? demandai-je.

— Ah! mon ami, cela va mal, *très* mal.

Malgré moi, mon cœur fit un bond de soulagement. Il y avait évidemment des chances pour que John Cavendish fût acquitté.

En entrant, Poirot. refusa de Mary l'offre d'une tasse de thé.

— Non, je vous remercie, madame. Je vais me retirer dans ma chambre.

Je le suivis. L'air toujours préoccupé, il alla vers le secrétaire et y prit un petit jeu de cartes de patience. Puis il poussa une chaise jusqu'à la table, et, à mon ahurissement, il se mit solennellement à dresser des châteaux de cartes!

Je dus avoir l'air fort surpris, car il se hâta de me dire :

— Non, mon ami, je ne suis pas encore retombé en enfance. Je calme mes nerfs, voilà tout. Cette occupation réclame la précision des doigts. Et la précision des doigts exige la précision du cerveau. Et je n'en eus jamais plus besoin qu'en ce moment-ci.

— Qu'y a-t-il? demandai-je.

D'un grand coup de poing sur la table, Poirot démolit l'édifice si soigneusement construit.

— Voici, mon ami. Je puis vous bâtir des châteaux de cartes de sept étages de haut, mais je ne puis trouver le dernier chaînon.

Comme je ne savais trop que dire, j'observai un silence prudent, et il se remit à édifier lentement une autre construction éphémère tout en parlant par phrases saccadées.

— Cela se fait ainsi! En plaçant une carte sur l'autre, avec une précision mathématique!

Le château de cartes s'élevait sous ses mains, étage par étage. Il n'hésitait point. On eût presque dit un tour de prestidigitation.

— Quelles mains sûres vous avez! remarquai-je. Je crois bien que je ne les ai vues trembler qu'une fois.

— Sans doute, s'agit-il d'une occasion où j'étais enragé! observa Poirot très placidement.

— Ah! certes oui! Vous étiez dans une rage folle. Vous souvenez-vous? C'était lorsque vous avez découvert que la serrure de la mallette de Mrs. Inglethorp avait été forcée. Vous vous teniez près de la cheminée dont vous tripotiez les ornements à votre façon habituelle, et votre main tremblait comme une feuille. Je dois dire que...

Mais je m'arrêtai brusquement. Car, poussant un cri rauque et inarticulé, Poirot anéantit de nouveau son château de cartes et, se cachant les yeux derrière ses mains, il se balança d'avant en arrière, comme en proie à la plus affreuse angoisse.

— Grands dieux, Poirot, qu'est-il arrivé? m'écriai-je. Êtes-vous malade?

— Non... non... C'est, c'est que j'ai une idée.

— Oh! m'écriai-je, très soulagé. Une de vos petites idées.

— Ah! ma foi, non! répliqua Poirot franchement. Cette fois, c'est une idée gigantesque! Stupéfiante! Et c'est à vous, à *vous*, mon ami, que je la dois.

Et me saisissant tout à coup dans ses bras, il m'embrassa chaleureusement sur les deux joues. Puis, avant que je fusse revenu de ma surprise, il se précipita hors de la chambre.

Mary Cavendish entrait à ce moment.

— Que peut bien avoir Mr. Poirot? Il m'a bousculée en courant et en criant : « Un garage! Pour l'amour du ciel, indiquez-moi un garage! » Et, avant que j'aie pu lui répondre, il était déjà dans la rue.

Je courus à la fenêtre. En effet, j'aperçus Poirot, sans chapeau, dégringolant la rue à toute allure en gesticulant. Je me tournai vers Mary avec un geste de désespoir.

— Il va se faire arrêter. Tiens! Voilà qu'il a disparu au tournant.

Nos regards se rencontrèrent.

— Que peut-il bien se passer?

Je secouai la tête.

— Je ne sais. Il était en train de construire des châteaux de cartes, quand il s'est tout à coup écrié qu'il avait une idée, et il a filé, comme vous avez vu.

— Eh bien, dit Mary, sans doute rentrera-t-il pour dîner?

Mais la nuit tomba, et Poirot ne revint pas.

CHAPITRE XII

Le dernier chaînon

Le brusque départ de Poirot nous intrigua tous. Le dimanche matin se passa, et il n'était toujours pas revenu. Mais, vers trois heures de l'après-midi, un bruit prolongé et féroce de klaxon dans la rue nous attira à la fenêtre, et nous vîmes Poirot descendre d'une auto, accompagné par Japp et Summerhaye. Le petit homme était transformé. Il rayonnait de satisfaction. Il s'inclina avec un respect exagéré devant Mary Cavendish.

— Madame, je vous demande la permission de tenir une petite réunion au salon. Il est indispensable que tout le monde soit présent.

Mary sourit tristement.

— Vous savez bien, monsieur Poirot, que vous avez carte blanche de toutes les façons.

— Vous êtes trop aimable, madame.

Toujours rayonnant, Poirot nous poussa tous devant lui dans le salon, nous présentant des chaises.

— Mademoiselle Howard, veuillez vous asseoir ici. Mademoiselle Cynthia, ici, s'il vous plaît. Monsieur Laurence. La bonne Dorcas et Annie. Bien. Il nous faut attendre quelques instants Mr. Inglethorp. Je lui ai envoyé un mot.

Alors, Miss Howard se leva brusquement de sa chaise.

— Si cet homme met les pieds dans cette maison, je m'en irai aussitôt.

— Non! non!

Poirot alla vers elle et se mit à lui parler à voix basse. Miss Howard consentit enfin à se rasseoir, et, quelques instants plus tard, Alfred Inglethorp parut sur le seuil.

L'assemblée étant au complet, Poirot se leva de son siège et salua poliment l'auditoire.

— Mesdames, messieurs, comme vous le savez tous, je fus appelé par Mr. John Cavendish dans le but d'éclaircir cette affaire. J'examinai immédiatement la chambre à coucher de Mrs. Inglethorp qui, sur l'avis des médecins, avait été tenue fermée à clef. Elle était donc dans l'état précis où elle se trouvait au moment de la tragédie. Je découvris premièrement un fragment d'étoffe verte; deuxièmement, une tache encore humide sur le tapis près de la fenêtre; troisièmement, une boîte de poudre de bromure vide.

« Voyons d'abord le fragment d'étoffe verte. J'ai dit que je l'ai trouvé pris dans le verrou de la porte de communication entre la chambre à coucher de Mrs. Inglethorp et celle de Miss Cynthia. Je remis ce fragment aux policiers, qui ne l'ont pas considéré comme d'une grande importance. Et ils ne l'ont pas reconnu pour ce qu'il était : un morceau arraché à une veste verte de travailleur agricole.

Il y eut dans la pièce un petit remous d'excitation.

— Or, il n'y avait à *Styles Court* qu'une personne qui travaillait la terre, Mrs. Cavendish. Ce devait donc être Mrs. Cavendish qui pénétra dans la chambre de la morte par la porte communiquant avec la chambre de Miss Cynthia.

— Mais cette porte était verrouillée de l'intérieur! m'écriai-je.

— Oui, quand j'ai examiné la chambre. Mais nous n'avons sur ce point que l'affirmation de Mrs. Cavendish, car ce fut elle qui essaya d'ouvrir cette porte particulière et qui la déclara verrouillée. Dans la confusion qui régnait alors, elle a pu, sans aucune difficulté, glisser le verrou. J'ai saisi la première occasion favorable pour vérifier mes conjectures. D'abord, le fragment correspond exactement à une déchirure de la VESTE de Mrs. Cavendish. Puis, à l'enquête, Mrs. Cavendish a déclaré avoir entendu de sa chambre le bruit fait par la chute de la table placée près du lit de Mrs. Inglethorp. J'ai contrôlé, dès que je l'ai pu, la véracité de cette déclaration. Je laissai mon ami Mr. Hastings dans l'aile gauche de la maison, juste en dehors de la porte de Mrs. Cavendish. Moi-même, en compagnie des policiers, je me suis rendu dans la chambre de la victime, et j'y renversai par une feinte maladresse ladite table. Et Mr. Hastings m'affirma n'avoir rien entendu. Ceci confirma ma conviction que Mrs. Cavendish ne disait pas la vérité en déclarant qu'au moment de la tragédie elle s'habillait dans sa chambre. En fait, je suis convaincu que, loin d'avoir été dans sa chambre, Mrs. Cavendish se trouvait dans la chambre de la morte au moment où l'alarme fut donnée.

Je jetai un regard rapide vers Mary. Elle était très pâle, mais souriante.

— Je vais donner la raison de cette hypothèse, continua Poirot. Mrs. Cavendish se trouve dans la chambre de sa belle-mère. Disons qu'elle y cherche quelque chose qu'elle n'a pas encore réussi à trouver. Tout à coup, Mrs. Inglethorp s'éveille, en proie à une violente douleur. Elle jette un bras hors du lit, renverse la table et tire désespérément la sonnette. Mrs. Cavendish, effrayée, laisse tomber sa bougie, dont la graisse se répand sur le tapis. Elle la ramasse et se retire précipitamment dans la chambre de

Miss Cynthia en refermant la porte derrière elle. Elle se hâte vers le corridor, car il ne faut pas que les domestiques la trouvent là. Trop tard! Déjà un bruit de pas retentit le long de la galerie qui relie les deux ailes. Que peut-elle faire? Elle entre rapidement dans la chambre de la jeune fille qu'elle se met en devoir de réveiller. Le corridor est envahi par les domestiques et par les autres membres de la famille. Tous sont occupés à enfoncer la porte de Mrs. Inglethorp. Personne n'a l'idée que Mrs. Cavendish n'est pas arrivée avec les autres, mais, et ceci est très significatif, je ne puis trouver personne qui l'ait vue venir de l'autre aile.

Il regarda Mary Cavendish.

— Ai-je raison, madame?

Elle inclina la tête.

— Tout à fait raison, monsieur. Vous comprenez que si j'avais cru être utile à mon mari en révélant ces faits, je n'eusse pas hésité à le faire. Mais ils me paraissaient n'avoir aucun rapport avec son innocence ou sa culpabilité.

— Dans un sens, c'est juste, madame, mais ces faits ont débarrassé mon esprit de bien des erreurs et m'ont permis de voir d'autres faits avec leur véritable signification.

— Alors, le testament? s'écria Laurence. C'est donc vous, Mary, qui l'avez détruit?

Elle secoua négativement la tête et Poirot l'imita.

— Non, dit-il tranquillement. Il n'y a qu'une personne qui ait pu détruire ce testament. C'est Mrs. Inglethorp elle-même.

— Impossible! objectai-je. Elle ne l'avait rédigé que dans le courant de l'après-midi!

— Néanmoins, mon ami, c'est bien Mrs. Inglethorp qui l'a détruit. Autrement, vous ne pouvez expliquer que, par une des journées les plus chaudes de l'année, Mrs. Inglethorp ait donné l'ordre d'allumer un feu dans sa chambre.

Je poussai une sourde exclamation. Quels imbéciles nous avions été de ne pas relever ce détail. Poirot reprit :

— Vous vous rappellerez, messieurs, qu'il faisait ce jour-là près de 30° à l'ombre. Et pourtant, Mrs. Inglethorp a demandé du feu! Pourquoi? Parce qu'elle voulait détruire quelque chose et ne pouvait songer à une autre façon de le faire. Vous vous rappellerez que, par suite des économies de guerre pratiquées à *Styles*, aucun papier n'était jeté. Il n'y avait donc pas moyen de détruire un document aussi épais qu'un testament. Dès l'instant où j'appris qu'un feu avait été allumé dans la cheminée de Mrs. Inglethorp, je déduisis que c'était pour détruire quelque pièce importante, peut-être un testament. Ainsi la découverte dans la pièce du fragment calciné ne me surprit point. Je ne savais pas, bien entendu, à ce moment, que le testament en question n'avait été rédigé que l'après-midi même, et je reconnais que j'ai commis une grave erreur lorsque j'appris ce fait. Car j'en ai conclu que Mrs. Inglethorp avait décidé de détruire son testament à la suite de la querelle qu'elle avait eue dans le courant de l'après-midi, et donc que la querelle eut lieu *avant* et non *avant* la rédaction du testament.

« Sur ce point, je me trompais comme nous le savons, et je fus bientôt forcé d'abandonner cette idée. J'envisageai alors le problème sous un nouvel angle. A quatre heures, Dorcas entendit sa maîtresse qui disait avec colère : « Ne croyez pas qu'aucune crainte de publicité ni de scandale entre mari et femme puisse m'arrêter. » Je supposais, et avec raison, que ces paroles étaient adressées non pas à son mari, mais à Mr. John Cavendish. A cinq heures, donc une heure plus tard, elle emploie à peu près les mêmes paroles, mais le point de vue est différent. Elle avoue à Dorcas : « Je ne sais que faire! Un scandale entre mari et femme est une chose affreuse. » A quatre heures, elle était fâchée, mais tout à fait maîtresse d'elle-même. A cinq heures, elle est dans une détresse violente, et déclare qu'elle a eu un « grand choc ».

« En considérant l'affaire d'un point de vue psychologique, je fis une déduction dont l'exactitude était certaine. Le deuxième « scandale » dont elle parlait, n'était pas le même que le premier, et se rapportait à elle-même.

« Reconstruisons : A quatre heures, Mrs. Inglethorp se querella avec son fils et menaça de le dénoncer à sa femme qui, soit dit en passant, entendit la plus grande partie de la conversation. A quatre heures trente, à la suite d'une conversation sur la validité des testaments, Mrs. Inglethorp fait un testament en faveur de son mari, testament auquel les deux jardiniers apposent leurs signatures. A cinq heures, Dorcas surprend sa maîtresse dans une agitation extrême, et, tenant à la main un bout de papier, une lettre selon Dorcas. C'est alors qu'elle donne l'ordre d'allumer un feu dans sa chambre. On peut donc présumer qu'entre quatre heures trente et cinq heures, il s'est produit quelque chose qui l'amena à changer de sentiment, puisqu'elle est maintenant aussi désireuse de détruire le testament qu'elle l'était auparavant de l'écrire. Or, qu'est-il donc arrivé?

« D'après ce que nous savons, elle resta absolument seule au cours de cette demi-heure. Personne ne pénétra dans le boudoir et personne n'en ressortit. D'où venait donc cette résolution soudaine?

« On ne peut faire que des suppositions, mais je crois que la mienne est logique. Mrs. Inglethorp n'avait pas de timbres dans son bureau. Nous le savons, puisqu'elle demanda plus tard à Dorcas de lui en faire acheter. Or, dans le coin opposé de la pièce, se trouvait le secrétaire de son mari, fermé à clef. Elle désirait beaucoup trouver des timbres, et, suivant ma théorie, elle essaya ses clefs dans la serrure. Je sais que l'une des clefs s'y adapta. Elle ouvrit donc le bureau, et en cherchant les timbres elle trouva autre chose, ce papier que Dorcas vit plus tard dans sa main, et qui n'était assurément pas destiné à être lu par Mrs. Inglethorp. D'autre part, Mrs. Cavendish fut convaincue que ce papier était une preuve écrite de l'indignité de son mari. Elle demanda à Mrs. Inglethorp de le lui remettre, mais Mrs. Inglethorp l'assura, en toute sincérité, que ce document ne la concernait pas. Mrs. Cavendish crut que Mrs. Inglethorp protégeait son beau-fils. Or, Mrs. Cavendish est une femme très décidée, et son masque si réservé cachait une jalousie farouche. Elle résolut de se procurer ce papier à tout prix, et la chance lui fut favorable. Elle trouva par hasard la clef de la mallette de Mrs. Inglethorp, perdue le matin même. Or, elle savait que sa belle-mère tenait toujours tous ses papiers importants dans cette mallette.

« Mrs. Cavendish dressa son plan comme seule une femme poussée à bout par la jalousie pouvait le faire. Au cours de la soirée, elle repoussa le verrou de la porte donnant dans la chambre de Miss Cynthia. Sans doute prit-elle soin d'huiler les gonds, car je constatai plus tard que la porte s'ouvrait sans le moindre bruit. Pour plus de prudence, elle attendit jusqu'au petit jour avant d'agir, car les domestiques étaient habitués à l'entendre aller et venir dans sa chambre dès l'aube. Elle revêtit son costume de travail et se faufila très doucement dans la chambre de Mrs. Inglethorp en passant par celle de Miss Cynthia.

Poirot s'interrompit un instant, et Cynthia s'écria, incrédule :

— Mais je me serais réveillée, si quelqu'un avait traversé ma chambre !

— Pas si vous aviez été endormie, mademoiselle.

— Endormie ?

— Mais oui ! Vous souvenez-vous, reprit-il en s'adressant de nouveau à nous tous, vous souvenez-vous que Miss Cynthia a dormi pendant tout le brouhaha dans la pièce voisine ? Ceci comportait deux hypothèses : ou bien son sommeil était feint, ce que je ne crois pas, ou bien son inconscience avait été produite par des moyens artificiels.

« C'est poussé par cette intuition que j'examinai avec beaucoup de soin toutes les tasses à café, me souvenant que c'était Mrs. Cavendish qui, la veille, avait porté son café à Miss Cynthia. Je prélevai quelques gouttes de chaque tasse, et les fis analyser sans résultat. J'avais compté les tasses avec soin; au salon, l'une d'elles avait été déplacée. Six personnes avaient pris le café, et je trouvai en effet six tasses. Je dus reconnaître mon erreur.

« Puis je découvris que j'avais été coupable d'une grave omission. On avait servi le café à sept personnes et non point à six personnes, car le docteur Bauerstein était venu dans la soirée. Ceci changea l'aspect de toute l'affaire, car maintenant il manquait une tasse. Les domestiques ne remarquaient rien, puisque Annie, la femme de chambre qui avait apporté le café, ne savait pas que Mr. Inglethorp n'en prenait jamais, et que Dorcas, qui enleva les tasses le lendemain matin, trouva six tasses comme d'habitude, ou plutôt à vrai dire, elle en trouva cinq, la sixième étant celle qui fut retrouvée broyée dans la chambre de Mrs. Inglethorp.

« J'étais persuadé que la tasse qui manquait était celle de Miss Cynthia. Et ma conviction se trouvait confirmée par le fait que toutes les tasses trouvées en bas contenaient du sucre, alors que Miss Cynthia n'en prenait jamais dans son café. L'histoire d'Annie au sujet du « sel » trouvé sur le plateau du cacao qu'elle portait chaque soir dans la chambre de Mrs. Inglethorp retint mon attention. Je prélevai donc un échantillon de ce cacao et le fis analyser.

— Mais le docteur avait déjà pris ce soin! s'écria Laurence.

— Pas précisément! Il avait demandé au chimiste de s'assurer si le cacao contenait ou non de la strychnine. Mais il ne l'a pas fait analyser, comme moi, pour un narcotique.

— Pour un narcotique?

— Oui. Voici le rapport du chimiste. Mrs. Cavendish a administré un narcotique parfaitement inoffensif mais puissant à Mrs. Inglethorp et à Miss Cynthia. Et il est fort probable qu'elle passa un mauvais quart d'heure en conséquence. Imaginez quels furent ses sentiments lorsque sa belle-mère est subitement prise d'un malaise et meurt, et qu'aussitôt elle entend le mot « poison! » chuchoté autour d'elle. Elle avait cru que le narcotique qu'elle avait administré était absolument inoffensif! Mais il est hors de doute que pendant un moment affreux elle a craint être responsable de la mort de Mrs. Inglethorp. Elle est saisie de panique, se précipite en bas et laisse tomber la tasse à café et la soucoupe de Miss Cynthia dans une grande potiche de cuivre où Mr. Laurence les découvrit plus tard. Elle n'osa pas toucher au reste du cacao, car trop d'yeux sont fixés sur elle. Songez à son soulagement lorsqu'on parle de strychnine, et qu'elle découvre qu'elle n'est pas, après tout, responsable de la tragédie.

« Nous pouvons maintenant expliquer pourquoi les symptômes d'empoisonnement par la strychnine furent si lents à se manifester. Un narcotique pris en même temps que de la strychnine retardera l'effet du poison pour quelques heures.

Poirot s'arrêta. Mary le regarda tout en rougissant.

— Tout ce que vous avez dit est parfaitement exact, monsieur Poirot. Ce fut l'heure la plus atroce de ma vie. Je ne l'oublierai jamais! Mais vous êtes surprenant! Je comprends maintenant...

— ... Ce que je voulais dire, lorsque je vous ai affirmé que vous pouviez vous confesser sans danger au papa Poirot, hein? Mais vous n'osiez pas vous fier à moi!

— Je vois tout très clairement, maintenant, dit Laurence. Le narcotique contenu dans le cacao a retardé l'effet du poison absorbé avec le café.

— Précisément. Mais le café était-il empoisonné ou non? Ici, nous nous trouvons en face d'une petite difficulté, car Mrs. Inglethorp n'a jamais bu le café.

— Comment?

Ce fut un cri de surprise générale.

— Non. Vous vous rappelez que j'ai parlé d'une tache sur le tapis de la chambre de Mrs. Inglethorp? Cette tache présentait certaines particularités. Elle était encore humide; elle exhalait une forte odeur de café, et, enfoncé dans la laine du tapis, je découvris quelques petits débris de porcelaine. Je compris clairement ce qui était arrivé, car, à peine deux minutes plus tôt, j'avais posé mon portefeuille sur la table placée près de la fenêtre, et la table, basculante, l'avait jeté à terre à l'endroit précis de la tache. En regagnant sa chambre, la veille, Mrs. Inglethorp avait dû poser sa tasse de café sur la table, qui lui avait joué le même tour.

« Je ne pus que deviner ce qui se passa ensuite, mais je dirai que Mrs. Inglethorp ramassa la tasse brisée et la plaça sur la table, près du lit. Éprouvant le besoin d'un fortifiant, elle fit réchauffer son cacao et le but séance tenante. Or, nous sommes, de ce fait, en face d'un problème nouveau. Nous savons que le cacao ne contenait pas de strychnine. Le café ne fut jamais bu. Pourtant, la strychnine dut être administrée entre sept et neuf heures du soir.

« Mais la question reste entière : par quel moyen la strychnine fut-elle administrée, sans que la saveur désagréable du poison fût perçue par la victime?

Poirot jeta un coup d'œil circulaire et répondit à sa propre question d'une façon impressionnante :

— Son remède!

— Vous voulez dire que l'assassin a introduit la strychnine dans son tonique? m'écriai-je.

— Il n'eut pas besoin de l'y introduire, car elle se trouvait déjà dans la mixture. La strychnine qui tua Mrs. Inglethorp fut celle prescrite par le docteur Wilkins. Pour nous éclairer sur ce point, je vais vous lire un extrait d'un livre sur la préparation des remèdes que j'ai trouvé dans le dispensaire de l'hôpital de la Croix-Rouge à Tadminster.

L'ordonnance suivante est devenue célèbre dans les manuels :

Sulfate de strychnine	*5 cent.*
Bromure de potassium	*18 grammes.*
Eau distillée	*25 grammes.*

Cette solution dépose en quelques heures la plus grande partie du sel de strychnine sous forme d'un bromure insoluble en cristaux transparents. Une dame, en Angleterre, mourut après avoir absorbé une mixture semblable; la strychnine précipitée se dépose au fond de la bouteille, et de ce fait la malade l'avala presque entièrement en prenant la dernière dose.

Or, l'ordonnance du docteur Wilkins ne contenait, bien entendu, pas de bromure, mais vous vous rappelez que j'ai parlé d'une boîte de poudre de bromure vide. Une pincée ou deux de cette poudre introduites dans la bouteille du remède suffiraient pour précipiter la strychnine qui serait ainsi absorbée dans la dernière dose. Vous apprendrez plus tard que la personne qui versait habituellement le remède de Mrs. Inglethorp avait toujours grand soin de ne pas agiter la bouteille, afin de ne pas dissoudre le dépôt qui se trouvait au fond.

Au cours de l'affaire, j'ai relevé des preuves que les dispositions avaient été prises pour que la tragédie eût lieu lundi soir. Ce jour-là, le cordon de sonnette de Mrs. Inglethorp fut coupé, et le lundi soir Miss Cynthia passa la soirée chez des amis, de sorte que Mrs. Inglethorp se serait trouvée toute seule dans l'aile droite, complètement séparée d'aucune aide, et qu'elle serait sans doute morte avant qu'on ait pu appeler les médecins. Mais dans sa hâte de se rendre à la fête du village, Mrs. Inglethorp oublia de prendre son remède, et le lendemain elle déjeuna chez des amis. Ainsi, la dernière dose, la dose fatale, fut absorbée vingt-quatre heures plus tard que l'assassin ne l'avait prévu, et c'est grâce à ce délai que la preuve finale, le dernier anneau dans la chaîne, se trouve entre mes mains.

Puis, au milieu d'un silence tendu, Poirot nous montra trois étroites bandes de papier.

— Mes amis, voici une lettre de l'écriture même de l'assassin. Si elle avait été rédigée dans des termes un peu plus clairs, il est possible que Mrs. Inglethorp, avertie à temps, eût échappé à la mort. Mais, bien qu'elle se rendît compte qu'un danger la menaçait, elle n'en comprit pas la nature.

Dans un silence de mort, Poirot ajusta les bouts de papier et, après avoir toussé légèrement, il lut :

Ma très chère Evelyn,

Vous allez être inquiète de ne pas avoir de nouvelles. Tout va bien, mais ce sera pour ce soir, au lieu d'hier soir. Vous comprenez. Une bonne vie nous attend, lorsque la vieille sera morte et enterrée. Il est impossible que personne puisse m'imputer le crime. Vous avez eu une idée de génie en suggérant l'emploi des poudres de bromure. Mais il nous faut être très circonspects. Un faux pas...

— La lettre s'arrête ici, mes amis. Sans doute l'auteur fut-il interrompu. Mais il ne peut y avoir de doutes quant à son identité! Nous connaissons tous cette écriture, et...

Un cri qui ressemblait à un hurlement déchira le silence.

— Démon! comment vous êtes-vous procuré cette lettre?

Une chaise se renversa. Poirot fit un léger bond de côté, puis un mouvement rapide, et son assaillant s'écroula avec fracas.

— Mesdames, messieurs, dit Poirot avec un geste triomphant, permettez-moi de vous présenter l'assassin, Mr. Alfred Inglethorp!

CHAPITRE XIII

Poirot explique

— Poirot, vieille fripouille, j'ai bien envie de vous étrangler, lui dis-je. Pourquoi m'avez-vous trompé de la sorte?

Nous étions assis dans la bibliothèque. Nous venions de passer plusieurs journées très agitées. A l'étage inférieur, John et Mary étaient de nouveau réunis, tandis qu'Alfred Inglethorp et Miss Howard étaient en prison. Je tenais enfin Poirot et j'en profitai pour satisfaire ma légitime curiosité.

Poirot ne me répondit pas pour un instant, mais enfin il dit :

— Je ne vous ai pas trompé, mon ami. Tout au plus vous ai-je permis de vous tromper vous-même.

— Oui, mais pourquoi?

— Eh bien, c'est assez difficile à expliquer. Vous comprenez, mon ami, vous possédez une nature si honnête et un visage si transparent qu'il vous est impossible de dissimuler vos sentiments. Si je vous avais confié mes idées, la première fois que vous auriez vu Mr. Alfred Inglethorp, cet individu astucieux eût certainement flairé quelque chose. Et alors, nous perdions la chance de le pincer!

— Je crois que je possède plus de diplomatie que vous ne m'en attribuez! remarquai-je, un peu froissé.

— Mon ami, implora Poirot, ne vous fâchez pas, je vous en supplie! Votre aide m'a été de la plus grande utilité. Ce n'est que votre belle nature qui m'a empêché de me confier à vous.

— Soit, dis-je, amadoué, mais vous auriez tout de même pu me donner quelques indications!

— Je l'ai fait, mon ami! plusieurs fois! Mais vous avez refusé de les suivre. Réfléchissez; ai-je jamais dit que je croyais John Cavendish coupable? Ne vous ai-je pas déclaré, au contraire, qu'il serait presque sûrement acquitté?

— Oui, mais...

— Et n'ai-je pas ensuite parlé de la difficulté qu'il y avait à amener l'assassin devant la justice? N'avez-vous pas compris que je parlais de deux personnes tout à fait différentes?

— Non, dis-je, je n'ai pas compris cela du tout.

— Et ensuite, continua Poirot, ne vous ai-je pas répété plusieurs fois, au début de l'affaire, que je ne voulais pas que Mr. Inglethorp fût arrêté *maintenant*? Voilà qui aurait dû vous mettre sur la piste!

— Vous le soupçonniez donc depuis si longtemps que cela?

— Oui. D'abord, en dépit du bénéfice que d'autres personnes pouvaient retirer de la mort de Mrs. Inglethorp, il était indéniable que son mari en retirait le plus grand profit. Lorsque je me suis rendu avec vous à *Styles*, le premier jour, je n'avais aucune idée sur la manière dont le crime avait pu être commis. Mais, d'après ce que je savais de Mr. Inglethorp, je devinais qu'il serait fort difficile de trouver quelque indice pouvant l'impliquer dans l'affaire. Lorsque je parvins au château, je compris tout de suite que c'était Mrs. Inglethorp qui avait brûlé le testament! et, à ce propos, vous ne pouvez pas vous plaindre, mon ami, car j'ai fait tout mon possible pour vous faire comprendre ce que signifiait ce feu allumé dans la chambre à coucher au milieu de l'été!

— Oui, oui, dis-je avec impatience. Continuez.

— Eh bien, mon ami, mon opinion sur la culpabilité de Mr. Inglethorp fut très ébranlée. Il y avait même une telle accumulation de preuves contre lui que j'étais porté à croire qu'il n'avait pas commis le crime.

— Quand avez-vous changé d'avis?

— Lorsque je me suis rendu compte que plus je m'efforçais de le disculper, plus il s'ingéniait à se faire arrêter. Et ma certitude se confirma lorsque je découvris qu'Inglethorp ne s'intéressait aucunement à Mrs. Raikes, mais que c'était John Cavendish qui avait un flirt avec cette jeune femme.

— Mais pourquoi?

— Pour cette raison : dans le cas où Inglethorp poursuivait une intrigue avec Mrs. Raikes, son silence était parfaitement compréhensible. Mais lorsque je découvris que tout le village savait que John était attiré vers la jolie fermière, le silence d'Inglethorp pouvait s'interpréter tout différemment. Il était absurde de prétendre qu'il redoutait le scandale, puisque aucun scandale ne pouvait l'effleurer. Son attitude me fit beaucoup réfléchir, et je fus peu à peu amené à conclure qu'Alfred Inglethorp voulait être arrêté! Eh bien, dès cet instant, j'avais également décidé qu'il ne serait pas arrêté.

— Un moment, s'il vous plaît, je ne vois pas pourquoi il voulait être arrêté.

— Parce que, mon ami, suivant une loi de votre pays, une fois acquitté, un homme ne peut plus jamais être jugé de nouveau pour le même délit. Ah! Mais son idée était très forte! C'est assurément un homme de méthode. Voyez : il savait que dans sa situation il serait forcément soupçonné : il conçut l'idée extrêmement intelligente d'accumuler plusieurs preuves à son désavantage. Il voulait être soupçonné. Il voulait être arrêté. Car alors il produirait son alibi irréfutable, et il était tranquille pour le reste de ses jours.

— Pourtant, je ne vois toujours pas comment il a réussi à produire son alibi et à se rendre néanmoins chez le pharmacien.

Poirot me dévisagea avec une profonde surprise.

— Est-ce possible! Mon pauvre ami! Ne vous êtes-vous pas encore rendu compte que c'est Miss Howard qui est allée chez le pharmacien?

— Miss Howard?

— Mais bien entendu! Qui d'autre? C'était très facile pour elle. Elle est assez grande; sa voix est profonde et virile, de plus, n'oubliez pas qu'Inglethorp et elle sont cousins et qu'ils se ressemblent très nettement, surtout dans leur allure. C'était la simplicité même! Ah! c'est un couple rudement fort!

— Je ne saisis pas encore très bien comment opéra le bromure.

— Allons! Je vais essayer de reconstruire l'affaire. Je suis porté à croire que Miss Howard fut l'instigatrice du crime. Vous vous rappelez qu'elle nous dit un jour que son père avait été médecin? Peut-être préparait-elle ses remèdes pour lui? ou bien prit-elle l'idée dans un des nombreux livres qui traînaient dans la maison pendant que Miss Cynthia potassait son examen? Toujours est-il qu'elle savait que l'addition d'un bromure à un mélange contenant de la strychnine précipiterait le poison. Sans doute l'idée lui vint-elle tout à coup. Mrs. Inglethorp avait une boîte de poudre de bromure, qu'elle prenait de temps à autre la nuit. Il était facile de dissoudre une ou plusieurs de ces doses dans la fiole du tonique au moment où le pharmacien la livrait. Le risque était pratiquement nul. La tragédie n'aurait lieu qu'une quinzaine de jours plus tard. Si, par hasard, quelqu'un l'avait vu toucher au médicament, on l'aurait oublié d'ici là! Miss Howard aurait manigancé sa querelle et aurait quitté *Styles*. Le laps de temps et son absence déjoueraient tous les soupçons. Oui, c'était fort bien combiné. Et si les deux complices ne s'étaient pas avisés d'apporter des retouches à cette ingénieuse idée, il est possible que le crime ne leur eût jamais été imputé. Mais ils ne furent pas satisfaits. Ils voulurent être trop forts, et ce fut leur perte!

Poirot tira une bouffée de sa petite cigarette, et puis il dit, les yeux fixés au plafond :

— Ils tracèrent un plan pour rejeter les soupçons sur John Cavendish, en achetant de la strychnine chez le pharmacien du village, et en imitant son écriture.

« Mrs. Inglethorp devait prendre la dernière dose de son remède lundi. Donc, le lundi, Alfred Inglethorp s'arrange pour être vu par plusieurs personnes à un endroit fort éloigné du village. Auparavant, Miss Howard a inventé une histoire invraisemblable sur lui et Mrs. Raikes, pour expliquer le silence qu'il se propose d'observer ensuite. A six heures, Miss Howard, sous l'aspect d'Alfred Inglethorp, entre chez le pharmacien, raconte son histoire de chien à tuer, y obtient la strychnine et signe sur le registre du nom d'Alfred Inglethorp en imitant l'écriture de John, qu'elle avait étudiée avec soin.

« Mais comme il ne faut pas que John puisse également produire un alibi, elle lui avait au préalable écrit un mot anonyme, en contrefaisant toujours son écriture, et, de ce fait, il se rend à un endroit très solitaire et éloigné où il a peu de chances de rencontrer qui que ce soit.

« Jusqu'ici, tout va bien, Miss Howard retourne à Middlingham. Alfred Inglethorp rentre à *Styles*. Il n'y a rien qui puisse le compromettre, puisque c'est Miss Howard qui a la strychnine, laquelle, après tout, doit servir uniquement de prétexte pour jeter les soupçons sur John Cavendish.

« Mais survient une anicroche, Mrs. Inglethorp, ne prend pas son remède ce soir-là. La sonnette coupée, l'absence de Cynthia (arrangée par Inglethorp par l'intermédiaire de sa femme) ne servent plus à rien. Et c'est alors qu'il commet un faux pas.

« Mrs. Inglethorp est sortie et il s'assoit pour écrire à sa complice qui, croit-il, doit être inquiète devant l'insuccès de leurs plans. Il est probable que Mrs. Inglethorp rentra plus tôt qu'il ne l'attendait. Surpris tandis qu'il écrivait, et décontenancé, il referme précipitamment à clef son secrétaire. Puis, craignant que Mrs. Inglethorp intriguée ne lui pose de gênantes questions, il sort brusquement et va se promener dans les bois, ne se méfiant pas que Mrs. Inglethorp puisse ouvrir le secrétaire et y découvrir la lettre inachevée.

« C'est pourtant ce qui arriva, comme nous le savons. Mrs. Inglethorp lit cette lettre, apprend la perfidie de son mari et d'Evelyn Howard. Malheureusement, la phrase sur le bromure ne lui donne pas l'éveil. Elle sait qu'elle court un danger, mais ignore lequel. Elle décide de ne rien dire à son mari, mais écrit à son avoué, lui demandant de venir la voir le lendemain matin. Elle décide également de détruire immédiatement le testament qu'elle vient de rédiger et elle conserve la lettre fatale.

— Ce fut donc pour retrouver et reprendre cette lettre que son mari força la serrure de la mallette?

— Oui, et l'énorme risque qu'il hésita à courir montre bien qu'il se rendait compte de son importance! Car cette lettre était la seule preuve de son crime.

— Mais je ne comprends pas pourquoi, l'ayant retrouvée, il ne l'a pas détruite immédiatement.

— Examinez la chose de son point de vue. J'ai découvert qu'il n'eut que cinq courtes minutes pour rechercher la lettre, les cinq minutes qui précédèrent immédiatement notre arrivée. Car avant, Annie balayait l'escalier, et elle aurait vu toute personne se rendant dans l'aile droite. Représentez-vous la scène : Inglethorp pénètre dans la chambre du crime. Il se précipite vers la mallette; elle est fermée à clef. Mais il est prêt à tout risquer pour rentrer en possession de cette preuve irréfutable. En hâte, il force la serrure à l'aide d'un canif et fouille les documents jusqu'à ce qu'il ait trouvé la lettre compromettante. Mais le voilà enfermé dans un dilemme. Il n'ose conserver ce bout de papier sur lui. On peut l'arrêter au sortir de la chambre, et le fouiller. Si l'on trouve la lettre sur lui, il est perdu. Peut-être entend-il même à ce moment Mr. Wells et John qui sortent du boudoir. Il faut agir vite. Où cacher ce papier compromettant? On examinera certainement le contenu de la corbeille à papiers. Aucun moyen de détruire la lettre. Il jette un regard autour de lui et il voit... devinez quoi, mon ami?

Je secouai la tête.

— En un instant il a déchiré la lettre en longs rubans et les a enroulés en spirales qu'il enfonce en hâte parmi les autres allumettes en papier placées dans un vase sur la cheminée.

Je poussai une sourde exclamation.

— Personne ne songerait à regarder là, continua Poirot, et il lui sera facile de revenir plus tard détruire cette trace unique de son forfait.

— Alors, la preuve se trouvait dans la chambre de Mrs. Inglethorp, sous nos yeux, m'écriai-je.

Poirot acquiesça.

— Oui, mon ami. C'est là que j'ai découvert mon dernier chaînon, et c'est à vous que je dois cette heureuse chance.

— A moi?

— Oui. Vous rappelez-vous m'avoir dit que ma main tremblait tandis que je redressais les ornements de la cheminée?

— Mais, mais je ne vois pas...

— Non. Mais moi j'ai vu. Je me souvins, mon ami, que lorsque nous avions été dans la chambre de Mrs. Inglethorp, de grand matin, j'avais aligné tous les objets de la cheminée. Et, puisqu'ils étaient rangés, il était inutile de les toucher de nouveau, à moins que, dans l'intervalle, quelqu'un d'autre ne les eût dérangés.

— Ah! dis-je, voilà donc l'explication de votre conduite extraordinaire. Vous vous êtes précipité à *Styles*, et y avez encore trouvé le papier!

— Oui... et j'ai dû battre un record de vitesse!

— Pourtant, je ne comprends pas pourquoi Inglethorp fut assez naïf pour ne pas chercher à détruire depuis la nuit fatale cette preuve de son crime.

— Ah! mais je ne lui en laissai pas l'occasion. J'avais pris mes précautions pour cela.

— Vous?

— Oui. Rappelez-vous m'avoir reproché de mettre toute la maison dans la confidence?

— En effet.

— Eh bien, mon ami, j'ai vu qu'il y avait tout juste une chance. Je n'étais pas encore certain qu'Inglethorp fût le criminel, mais, s'il l'était, j'ai compris qu'il n'avait pas le document sur lui, mais qu'il avait pris soin de le cacher quelque part. En m'assurant la sympathie de la domesticité, je pouvais l'empêcher de le détruire. On le soupçonnait déjà, et en rendant la chose publique je m'assurai les services d'environ dix détectives amateurs, qui le surveilleraient incessamment; et se rendant compte de leur vigilance, il n'oserait pas détruire la lettre. Il fut donc contraint de quitter *Styles Court* en la laissant parmi les allumettes en papier.

— Oui, mais Miss Howard a sûrement eu bien des occasions de l'aider?

— Oui, mais Miss Howard ignorait l'existence du document. Fidèle à leur plan, elle ne parlait jamais à Alfred Inglethorp. Ils étaient soi-disant des ennemis mortels et ni l'un ni l'autre n'osait risquer une rencontre jusqu'à ce que John Cavendish fût dûment condamné. Bien entendu, je fis surveiller Mr. Inglethorp dans l'espoir qu'il me mènerait un jour ou l'autre à la cachette. Mais il était bien trop intelligent pour courir aucun risque. Le document était en lieu sûr. Puisque personne n'avait songé à examiner le vase à allumettes au cours de la première semaine, il n'était guère probable qu'on le fît ensuite. Sans votre bienheureuse réflexion, nous n'aurions jamais pu le prendre.

— Je comprends tout maintenant. Mais quand avez-vous commencé à soupçonner Miss Howard?

— Lorsque j'ai découvert qu'elle avait menti à l'enquête à propos de la lettre qu'elle avait reçue de Mrs. Inglethorp.

— Comment? A quel sujet?

— Avez-vous vu cette lettre? Vous rappelez-vous son aspect?

— Oui, plus ou moins.

— Vous vous souviendrez donc que Mrs. Inglethorp avait une écriture très caractéristique et qu'elle laissait toujours de grands espaces entre ses mots. Mais si vous regardez la date en haut de la lettre, vous pourrez faire une curieuse constatation.

— Laquelle?

— Bien que datée du 17 juillet, la lettre fut écrite non le 17 mais le 7 juillet, le lendemain du départ de Miss Howard. Le chiffre 1 fut placé devant le 7 afin de le transformer en 17!

— Mais dans quel but?

— C'est précisément ce que je me suis demandé. Pourquoi Miss Howard supprima-t-elle la lettre écrite réellement le 17 et produisit-elle en changeant la date la lettre écrite le 7? Parce qu'elle ne voulait pas montrer celle du 17. Et tout de suite le soupçon s'insinua dans mon esprit. Vous rappelez-vous que je vous ai dit de vous méfier des gens qui ne disent point la vérité?

— Et pourtant, m'écriai-je avec indignation; après cela vous m'avez donné deux raisons pour lesquelles Miss Howard n'avait pas pu commettre le crime!

— Et c'étaient de fort bonnes raisons, dit Poirot. Elles furent même des obstacles pour moi, jusqu'à ce que je me souvienne d'un fait très significatif : Miss Howard et Alfred Inglethorp étaient cousins. Elle n'avait pas pu commettre le crime seule, mais cela ne l'empêchait pas d'avoir pu être une complice. Et puis il y avait sa haine d'une virulence excessive et qui dissimulait une émotion d'un autre genre. Il devait exister sûrement un lien entre eux bien avant l'arrivée d'Alfred Inglethorp à *Styles.* Ils avaient déjà conçu leur projet infâme; il devait épouser cette vieille femme riche mais quelque peu sotte; il la persuaderait de faire un testament en sa faveur, et ils en seraient ensuite venus à leurs fins grâce à un crime très adroitement conçu. Si tout se fût passé selon leurs désirs, ils eussent sans doute quitté l'Angleterre et vécu tranquillement avec l'argent de leur malheureuse victime.

« C'est qu'ils forment un couple dénué de tout scrupule. Pendant que les soupçons étaient dirigés contre lui, elle organisait tranquillement les preuves qui devaient le disculper... Elle arrive de Middlingham ayant en sa possession tous les objets compromettants. On ne fait aucune attention à ses allées et venues. Elle cache la strychnine et les lunettes dans la chambre de John. Elle place la barbe dans le coffre du grenier. Et elle s'arrangera pour provoquer la découverte de ces objets au moment voulu.

— Je ne vois pas très bien pourquoi ils ont essayé de jeter la suspicion sur John, remarquai-je. Il eût été plus facile pour eux de compromettre Laurence.

— Certes, oui. Mais les preuves relevées contre Laurence furent l'effet du hasard et de coïncidences dont les deux complices furent les premiers ennuyés.

— Sa conduite fut vraiment bien maladroite, observai-je d'un ton songeur.

— Oui. Vous savez sans doute ce que cela dissimulait?

— Non.

— Vous n'avez pas compris qu'il croyait que Miss Cynthia était coupable du crime?

— Impossible! m'écriai-je, stupéfait.

— Pas du tout. Moi-même, j'ai failli avoir la même idée. J'y songeais lorsque j'ai posé à Mr. Wells cette première question au sujet du testament. Et puis, il y avait ces poudres de bromure, qu'elle avait préparées, son habileté à se déguiser et à jouer les personnages masculins, comme Dorcas nous l'a raconté. Il y avait, en fait, plus de preuves contre elle que contre qui que ce soit!

— Vous voulez rire, Poirot!

— Pas du tout. Voulez-vous que je vous dise ce qui avait fait pâlir Mr. Laurence lorsqu'il a pénétré dans la chambre de sa belle-mère, le soir fatal? C'est que, tandis que sa mère gisait sur son lit, donnant tous les signes d'avoir été empoisonnée, il vit par-dessus votre épaule, que le verrou de la porte donnant dans la chambre de Miss Cynthia était repoussé!

— Mais il a déclaré que la porte était verrouillée! m'écriai-je.

— Précisément! répliqua Poirot ironiquement. Et c'est ce qui me fit croire qu'elle ne l'était pas. Il s'efforçait de protéger Miss Cynthia.

— Mais pourquoi la protégeait-il?

— Parce qu'il l'aime.

— Là, Poirot, vous vous trompez complètement. Car je sais pertinemment que, loin de l'aimer, il a pour elle une véritable antipathie.

— Qui vous a dit cela, mon ami?

— Cynthia elle-même.

— La pauvre petite! Et elle en était peinée?

— Elle m'a assuré que cela lui était bien égal.

— Alors, c'est que cela lui causait beaucoup de chagrin, observa philosophiquement Poirot. Les femmes sont ainsi!

— Ce que vous dites à propos de Laurence me surprend beaucoup, remarquai-je.

— Mais pourquoi? C'est très clair. Mr. Laurence ne faisait-il pas la grimace chaque fois que Miss Cynthia parlait ou riait avec son frère? Il s'était mis en tête qu'elle était éprise de Mr. John. Lorsqu'il pénétra dans la chambre de sa belle-mère et la vit empoisonnée, il se dit que Cynthia était au courant de tout. Il en conçut un vif désespoir et il broya la tasse à café sous son talon, car il s'était rappelé que la jeune fille était montée la veille au soir avec sa mère, et il voulut empêcher qu'on pût analyser le contenu de la tasse. Et dès lors, il soutint vigoureusement et très inutilement, du reste, la théorie de « mort par suite de causes naturelles ».

— Expliquez-moi ce que signifiait « la tasse à café qui manquait »?

— J'étais à peu près certain que Mrs. Cavendish l'avait cachée, mais il fallait s'en assurer. Mr. Laurence ignorait totalement ce que je voulais dire, mais à la réflexion il conclut que, s'il pouvait découvrir quelque part une autre tasse à café, la dame de son cœur serait à l'abri de tout soupçon. Et il avait parfaitement raison.

— Encore un mot. Que signifiaient donc les dernières paroles de Mrs. Inglethorp?

— Elles étaient, bien entendu, une accusation contre son mari.

— Eh bien, Poirot, soupirai-je, je crois que vous avez tout expliqué. Je suis heureux que l'affaire se soit terminée d'aussi heureuse façon. Même John et sa femme sont réconciliés!

— Grâce à moi!

— Que voulez-vous dire, grâce à vous?

— Mon cher ami, ne vous rendez-vous pas compte que c'est simplement et uniquement le procès qui les a rapprochés? J'étais convaincu que John aimait encore sa femme. Et qu'elle était amoureuse de lui. Mais ils s'étaient éloignés l'un de l'autre à la suite d'un grave malentendu. Il savait qu'elle l'avait épousé sans amour. C'est, à sa façon, un homme très sensible; et il ne voulait pas s'imposer à elle si elle ne l'aimait pas. Mais, à mesure qu'il se retirait, son amour à elle grandissait. Or, comme ils sont tous deux extrêmement orgueilleux, leur orgueil les sépara. Il se laissa aller à un flirt avec Mrs. Raikes, et, de son côté, elle recher-cha la compagnie du docteur Bauerstein. Vous souvenez-vous que le jour de l'arrestation de John Cavendish, vous m'avez sur-pris à réfléchir si je devais ou non prendre une grande décision.

— Oui. Et j'ai bien compris votre embarras.

— Excusez-moi, mon ami, vous n'avez rien compris du tout. J'essayais de décider si oui ou non j'innocenterais immédiatement

John Cavendish. J'aurais pu le faire, mais cela eût compromis l'arrestation des vrais criminels. Ceux-ci ignorèrent jusqu'au dernier moment ma véritable pensée, et c'est en partie la raison de mon succès.

— Dois-je comprendre que vous auriez pu empêcher qu'on arrêtât John Cavendish?

— Oui, mon ami. Mais je me suis décidé en faveur du bonheur d'une femme. Rien, sauf le terrible danger par lequel ils viennent de passer, n'eût pu ramener ces deux grandes âmes l'une vers l'autre.

Je considérai Poirot avec une stupeur silencieuse. L'audace de ce petit homme! Qui, sauf Poirot, eût songé qu'un procès pour assassinat fût un sûr moyen de restaurer la félicité conjugale?

— Je perçois vos pensées, mon ami, dit Poirot en souriant. Personne, sauf Hercule Poirot, n'eût tenté pareille aventure! Et vous avez tort de le condamner! Le bonheur d'un homme et d'une femme est la chose la plus émouvante du monde.

Ses paroles me reportèrent aux événements qui avaient précédé notre conversation. Je me rappelai Mary, étendue toute pâle et lasse sur le canapé... Elle écoutait... écoutait... Une sonnette retentit en bas. Elle se redressa d'un bond. Poirot ouvrit la porte, et rencontrant son regard angoissé, il lui avait adressé un petit signe de tête rassurant. « Oui, madame, lui dit-il; je vous le ramène! » Il s'écarta et, au moment où je sortais de la pièce, je vis le regard qui éclaira les yeux de Mary, tandis que John Cavendish l'étreignait dans ses bras.

— Peut-être avez-vous raison, Poirot, dis-je doucement. C'est la plus belle chose du monde.

On heurta à la porte et Cynthia passa sa tête par l'entrebâillement.

— Je... je...

— Entrez, dis-je en me levant.

Elle entra, mais ne s'assit pas.

— Je voulais simplement vous dire quelque chose.

— Quoi donc?

Cynthia hésita quelques instants, puis elle s'écria tout à coup :

— Vous êtes deux chéris!

Et elle nous embrassa tous deux, d'abord moi, puis Poirot, et sortit de la chambre en courant.

— Que diable cela signifie-t-il? demandai-je, très surpris.

C'était fort agréable d'être embrassé par Cynthia, bien que la publicité du geste gâtât quelque peu mon plaisir.

— Cela veut dire qu'elle a découvert que Mr. Laurence ne la

déteste pas autant qu'elle le croyait! déclara Poirot d'un ton sentencieux.

— Mais...

— Le voici.

Laurence passait précisément devant la porte.

— Eh! monsieur Laurence! s'écria Poirot. Alors il nous faut vous féliciter aussi, pas vrai?

Laurence rougit puis sourit d'un air embarrassé. Un amoureux est vraiment un bien ridicule spectacle! Cynthia, au contraire, était charmante dans son émoi.

Je soupirai :

— Qu'y a-t-il, mon ami?

— Rien, dis-je tristement. Ce sont deux femmes délicieuses.

— Et ni l'une ni l'autre n'est pour vous! dit Poirot. Bah! Qu'importe? Consolez-vous. Peut-être chasserons-nous de nouveau ensemble? Qui sait? Et alors...

LES PENDULES

The clocks

Traduit de l'anglais par Th. Guasco

AVANT-PROPOS

C'était le 9 septembre, un après-midi comme tous les autres. Aucun de ceux qui furent mêlés aux événements de ce jour ne purent se vanter d'avoir été effleurés par le moindre pressentiment. (Il y aurait bien eu Mrs. Packer qui, très versée dans les sciences de l'avenir, décrivait toujours ses prémonitions — après coup, bien sûr — mais elle habitait au 47, Wilbraham Crescent, si loin du 19, qu'elle estima superflu ce jour-là d'en avoir.)

A l'agence Cavendish — secrétaires et dactylos; directrice Miss K. Martindale — le 9 septembre s'annonçait comme particulièrement morose. Sonnerie du téléphone; cliquetis des machines : le traintrain quotidien, sans rien d'intéressant.

A deux heures trente-cinq, le timbre de Miss Martindale résonna et, du bureau du personnel, Edna Brent ayant fait rapidement glisser son caramel le long de ses gencives, lui répondit de sa voix toujours un peu essoufflée et nasillarde :

— Oui, Miss Martindale?

— Voyons, Edna, ne parlez pas comme cela au téléphone. Je vous l'ai déjà dit. Articulez et ne soufflez pas si fort.

— Excusez-moi, Miss Martindale.

— C'est déjà mieux. Vous y arrivez quand vous le voulez. Envoyez-moi Sheila Webb.

— Elle n'est pas encore revenue de son déjeuner, Miss Martindale.

— Ah? (De l'œil Miss Martindale interrogea la pendule sur

son bureau. Très exactement six minutes de retard. Cette Sheila Webb en prenait à son aise depuis quelque temps.) Dès son retour, dites-lui que je l'attends.

— Bien, Miss Martindale.

Ayant récupéré le caramel sur sa langue, Edna se remit à suçoter paisiblement tout en dactylographiant *L'Amour sans Voile*, d'Arnold Levine. Cet érotisme laborieux la laissait froide — comme la plupart des lecteurs de Mr. Levine, en dépit de ses efforts. Quoi de plus mauvais qu'une mauvaise pornographie? Malgré leurs couvertures alléchantes, leurs titres prometteurs, d'année en année la vente de ses livres baissait; et voilà trois fois déjà qu'on lui renvoyait la facture de sa dernière dactylographie.

La porte s'ouvrit devant Sheila Webb, légèrement hors d'haleine.

— Le Fauve vous réclame, fit Edna.

Sheila grimaça.

— C'est bien ma veine! Juste le jour où je rentre en retard.

S'étant lissé les cheveux, elle saisit crayon et bloc, puis cogna à la porte de la direction.

De derrière son bureau, Miss Martindale leva les yeux. Femme d'une quarantaine d'années, c'était le véritable prototype de l'efficacité, à qui sa toison carotte avait fait donner le surnom de Fauve.

— Vous êtes en retard, Miss Webb, dit-elle.

— Désolée, Miss Martindale; mon autobus s'est trouvé coincé dans un encombrement.

— A cette heure-ci, c'est fatal. Vous n'avez qu'à le prévoir. (Elle consulta son bloc.) Une Miss Pebmarsh a téléphoné. Elle demande une sténo à trois heures — vous de préférence. Vous avez déjà travaillé pour elle?

— Pas que je sache, Miss Martindale. En tout cas pas dernièrement.

— Elle habite au 19, Wilbraham Crescent. (Elle s'arrêta, l'air interrogateur.)

Sheila secoua la tête.

— Ça ne me dit rien, non.

Miss Martindale regarda sa pendule.

— Pour trois heures, vous y serez facilement. Pas d'autres rendez-vous cet après-midi? (Du regard, elle parcourut son agenda.) Ah! si, le professeur Purdy vous attend à l'*Hôtel Curlew* à cinq heures. Vous serez de retour à temps, je pense. Autrement j'enverrai Janet.

Et du geste elle la congédia.

Sheila regagna la salle des employées.

— Quoi de neuf, Sheila?

— Oh! rien. Toujours la même routine. Une vieille taupe qui m'attend à Wilbraham Crescent et à cinq heures le professeur Purdy avec son affreux jargon archéologique. Oh! si seulement un jour il pouvait se passer quelque chose d'un peu plus excitant!

La porte directoriale se rouvrit.

— Dites-moi, Sheila, j'ai ici un petit mot pour vous, fit Miss Martindale. Si par hasard Miss Pebmarsh n'était pas là, entrez — ça ne sera pas fermé — et allez l'attendre dans la pièce tout de suite à droite. Dois-je vous l'inscrire?

— Inutile, Miss Martindale. Je m'en souviendrai.

De sous sa chaise où elle l'avait caché, Edna repêcha un soulier d'un goût douteux dont le talon aiguille s'était détaché.

— Mon Dieu, comment vais-je rentrer chez moi? se lamenta-t-elle.

— Fais pas tant d'histoires... on trouvera bien une solution, jeta une fille en s'arrêtant un instant.

Soupirant, Edna inséra une nouvelle feuille dans sa machine : « Il était en proie au désir. De ses doigts impatients, il arracha la frêle étoffe qui recouvrait ses seins et la bascula sur son divan. »

— Zut! fit Edna et elle plongea vers sa gomme.

Sheila prit son sac et sortit.

Bâti vers 1900, Wilbraham Crescent était d'une conception architecturale hautement fantaisiste qui se présentait sous forme d'une demi-lune, dont les maisons étaient accolées dos à dos. Ce qui fait qu'en arrivant du côté extérieur, on était incapable de repérer les premiers numéros, alors que dans l'intérieur, on cherchait vainement les derniers. Ses maisons guindées, avec leurs balcons artistiquement ouvragés, dénotaient une bourgeoisie cossue. A peine modernisées, sauf à l'intérieur où un vent de transformations avait passé sur salles de bain et cuisines.

Rien ne distinguait particulièrement le numéro 19 : petits rideaux très propres, poignée de cuivre étincelante et une allée bordée de buissons de rosiers.

Ayant poussé la grille, Sheila Webb marcha jusqu'à la porte et sonna. Pas de réponse. Après un instant, elle tourna la poignée comme on le lui avait dit et pénétra à l'intérieur. Dans l'entrée, la porte sur sa droite était entrebâillée. Elle frappa, attendit, puis s'introduisit dans un petit salon agréable avec peut-être un peu trop de bibelots pour notre époque. Seule originalité, d'innombrables pendules : tic-tac d'une horloge de grand-mère dans un coin; pendule en porcelaine de Saxe sur la cheminée; et là, sur le bureau, un gros oignon d'argent, tandis que sur une étagère près du feu reposait une montre de vermeil et que plus loin, près de la fenêtre, une vieille pendulette de voyage portait sur un des angles de son cuir fané le nom de « Rosemary » en lettres d'un or pâli.

Étonnée de voir quatre heures moins dix à la montre du bureau, Sheila leva les yeux vers celle de la cheminée. Elle aussi indiquait la même heure.

Bruissement, déclic; Sheila sursauta violemment. Par la porte d'une petite horloge de bois sculpté, jaillissait un coucou qui fortement et péremptoirement, annonça : « Coucou, coucou, coucou », sur trois notes éraillées, presque menaçantes. Puis, nouveau déclic; le coucou disparut.

Sheila eut un sourire, contourna le canapé, s'arrêta brusquement, pétrifiée. Étendu par terre, un homme — les yeux ouverts, aveugles — avec une tache sombre sur son costume gris foncé. Machinalement, Sheila se pencha, tâta la joue, la main : froides; puis la tache humide et elle en retira vivement ses doigts, les yeux agrandis d'horreur.

A cet instant, le claquement de la grille, dehors, lui fit inconsciemment tourner la tête. Dans l'allée, une femme se hâtait. Sheila déglutit péniblement, tant sa bouche était sèche. Elle restait plantée là, incapable de bouger, de crier... les yeux fixes.

La porte s'ouvrit devant une grande femme d'âge mûr, portant un sac à provisions. Cheveux gris et flous rejetés en arrière sur le front et de grands yeux d'un bleu extraordinaire qui dépassèrent Sheila, sans la voir.

Sheila émit une espèce de geignement, à peine audible. Les yeux bleus revinrent vers elle.

— Il y a quelqu'un ici? dit la femme d'une voix forte.

— Je... c'est... commença Sheila.

La femme contournait le canapé pour la rejoindre.

Alors Sheila hurla :

— Non... non, vous allez marcher dessus... sur lui... et il est mort.

CHAPITRE PREMIER

Récit de Colin Lamb

Comme dirait la police, le 9 septembre, à quatorze heures cinquante-neuf, je marchais direction Ouest, le long de Wilbraham Crescent. C'était la première fois que j'y venais et franchement Wilbraham Crescent me déroutait complètement.

J'étais en train de vérifier une de mes intuitions avec d'autant plus d'acharnement qu'elle se révélait moins fondée. Mais c'est ma spécialité.

En quête du numéro 61 — existait-il seulement? — je venais de remonter consciencieusement du numéro 1 au numéro 28, où Wilbraham Crescent s'interrompait brusquement, coupé par une large artère au nom sans équivoque d'Albany Road. Je rebroussai chemin. En bordure du trottoir Nord, il n'y avait qu'un mur derrière lequel d'énormes blocs modernes projetaient vers le ciel leurs étages d'appartements auxquels on devait certainement avoir accès par une autre rue. Donc, de ce côté-là, aucun espoir Sur mon passage, je contrôlais les numéros 24, 23, 22, 21. *Diana Lodge* — le 21 sans doute — avec un chat roux faisant sa toilette sur un pilier de sa grille, le 19...

La porte du 19 s'ouvrait et, jaillissant telle une bombe dans un hurlement suraigu, inhumain, une jeune fille fonçait dans l'allée. Elle passa la grille, me heurta si violemment que je faillis tomber, puis s'agrippa à moi avec désespoir.

— Allons, dis-je en retrouvant mon équilibre. Du calme, voyons, du calme.

Elle se calmait, s'arrêtait de crier, le souffle court, brisé de sanglots.

On ne peut pas dire que je me sois montré vraiment à la hauteur des circonstances.

— Avez-vous des ennuis? demandai-je. (Puis, devant la maladresse d'une telle phrase, j'ajoutai :) Que se passe-t-il?

Reprenant haleine, la jeune fille tendit le doigt :

— Là, dit-elle, là-dedans...

— Eh bien?

— Il y a un homme par terre... mort... elle lui a presque marché dessus.

Qui ça? Pourquoi?

— Parce qu'elle est aveugle, je crois. Lui, il est couvert de sang. Et baissant les yeux sur ses mains, elle me lâcha.

— Et moi aussi, je suis pleine de sang, ajouta-t-elle.

— En effet, constatai-je, considérant les taches sur ma manche avec un soupir. Moi également, maintenant. (Puis, après réflexion :) Je crois que vous feriez mieux de me faire voir tout ça.

— Non, non, je ne peux pas... je n'irai plus dans cette maison.

— Vous n'avez peut-être pas tort, dis-je cherchant des yeux un endroit propice où déposer cette jeune personne à moitié évanouie.

Après l'avoir laissé glisser doucement sur le trottoir, je l'adossai à la grille.

— Ne bougez pas jusqu'à mon retour, ça ne sera pas long. Vous ne risquez rien. Si vous avez un malaise, penchez-vous, posez la tête sur les genoux.

— Je me sens mieux, beaucoup mieux maintenant.

Elle n'en paraissait pas trop sûre; aussi sans approfondir la question, après lui avoir donné une petite tape encourageante sur l'épaule, ai-je vivement remonté d'allée. Une fois à l'intérieur, j'hésitai un instant dans le vestibule, et après un coup d'œil dans la pièce à gauche, une salle à manger, pénétrai dans le salon en face.

Là, dans un fauteuil, une femme aux cheveux gris, à mon entrée détourna vivement la tête.

— Qui est là?

C'était une aveugle, je m'en rendis compte aussitôt. Orientés vers moi, ses yeux fixaient un point au-delà de ma tête. J'allai droit au but.

— Une jeune fille s'est précipitée dans la rue en criant qu'il y avait un homme assassiné ici.

Tout en parlant le sentais le ridicule de ce que j'avançais. Quelle absurdité de penser qu'ici, dans cette pièce d'un ordre méticuleux, avec cette femme assise les mains croisées paisiblement, il y avait un cadavre!

Mais la voilà qui répond :

— Oui, derrière le canapé.

Je contournai le canapé et le vis — bras raidis, œil vitreux et cette tache de sang qui caillait.

— Comment est-ce arrivé? demandai-je brutalement.

— Je n'en sais rien.

— Mais voyons, qui est-ce?

— Je l'ignore.

— Il faut appeler la police. (Je cherchais du regard.) Où est le téléphone?

— Je ne l'ai pas.

Je l'observai attentivement.

— C'est chez vous ici?

— Oui.

— Pouvez-vous me raconter ce qui s'est passé?

— Mais certainement. Je revenais du marché (j'aperçus alors son sac à provisions, jeté sur une chaise, près de la porte) et en rentrant ici, je me suis rendu compte qu'il y avait quelqu'un. Pour une aveugle, c'est plus facile qu'on ne le croit. J'ai demandé qui était là : aucune réponse; seul le bruit d'une respiration halelante. J'allais vers ce bruit quand soudain l'inconnue hurla qu'il y avait un mort, que j'allais marcher dessus, et se rua dehors en poussant des cris.

Bien : leurs deux récits coïncidaient.

— Et qu'avez-vous fait?

— Je me suis avancée à tâtons, jusqu'à ce que je heurte quelque chose du pied.

- Et ensuite?

— M'agenouillant, j'ai touché une main d'homme, froide, aucun pouls. Alors je suis allée m'asseoir pour attendre que quelqu'un vienne, car la jeune femme allait sûrement appeler à l'aide. J'ai pensé qu'il valait mieux ne pas m'éloigner.

Le sang-froid de cette femme m'impressionnait. Elle n'avait pas crié, ne s'était pas enfuie terrifiée de la maison, mais s'était assise tranquillement pour attendre. Ce qui était intelligent, mais pas à la portée de tous.

A son tour, elle m'interrogeait :

— Qui êtes-vous donc?

— Je m'appelle Colin Lamb — je passais devant chez vous.

— Où est la jeune femme?

— Là-bas, contre votre grille où elle se remet de ses émotions. Où peut-on téléphoner?

— A cinquante mètres d'ici, il y a une cabine juste avant le tournant.

— C'est vrai, je l'ai vue en venant. Vous...

J'hésitais. Devais-je lui dire : « Vous restez là? » ou « Vous sentez-vous bien? »

Elle me tira d'embarras.

— Vous feriez mieux de ramener cette jeune fille ici.

— Je doute qu'elle accepte.

— Pas dans cette pièce, naturellement; mais dans la salle à manger en face. Dites-lui que je lui prépare du thé.

Elle se levait, venait vers moi.

— Mais... pourrez-vous...

Un instant sur ses lèvres flotta un sourire triste.

— Cher monsieur, depuis que j'habite ici — et il y a quatorze ans de cela — c'est moi qui fais toute ma cuisine. Une aveugle n'est pas forcément une incapable.

— Je vous fais toutes mes excuses. C'est vraiment bête de ma part. Il serait peut-être utile que je sache votre nom?

— Miss Millicent Pebmarsh.

Je sortis, dévalai l'allée. La jeune fille leva les yeux, je l'aidai à se remettre debout.

— Je me sens déjà mieux, fit-elle.

— Bravo, dis-je allégrement.

— Il y a bien un... quelqu'un d'assassiné, là-bas?

— Certes oui, ai-je confirmé très vite. Je cours à la cabine, téléphoner à la police. A votre place, j'irais attendre dans la maison. Et j'élevai le ton pour couvrir son prompt refus. Dans la salle à manger. Miss Pebmarsh vous fait du thé.

— C'était donc Miss Pebmarsh, cette aveugle?

— Oui. Elle est bouleversée elle aussi, mais garde tout son calme. Allons, venez. En attendant la police, une tasse de thé vous fera du bien.

Lui passant le bras autour des épaules, je l'entraînai vers la maison, l'installai confortablement dans la salle à manger. Puis je repartis à la hâte.

— Commissariat de Crowdean! annonça une voix impassible.

— Puis-je parler à l'inspecteur Hardcastle? De la part de Colin Lamb.

Un temps. Puis ce fut Dick Hardcastle à l'appareil.

— Colin? Je ne vous attendais pas si tôt. Où êtes-vous?

— Dans Crowdean, à Wilbraham Crescent. On a assassiné un homme au 19. Poignardé, je crois. Il y a une demi-heure environ qu'il est mort.

— Qui l'a trouvé? Vous?

— Non, je passais tranquillement par là. Quand soudain, comme sortant d'une des bouches de l'enfer, une fille a bondi hors de la maison. Elle a failli me faire tomber, m'a dit qu'il y avait par terre un homme mort, qu'une aveugle piétinait.

— Colin, vous êtes en train de me faire marcher, non?

La voix de Dick devenait méfiante.

— Ça a l'air invraisemblable, mais ce sont les faits. L'aveugle est la propriétaire de la maison, Miss Millicent Pebmarsh.

— Et elle piétinait un cadavre?

— Pas comme vous l'entendez, non, mais étant aveugle elle n'a pas vu où elle mettait les pieds.

— Bon, je mets en route la machine. Attendez-moi. Qu'avez-vous fait de la fille?

— Miss Pebmarsh lui offre le thé.

— Tout cela m'a l'air très sympathique, fit Dick.

CHAPITRE II

Au 19 de Wilbraham Crescent, tout l'appareil de la Justice s'était déployé. Il y avait là le médecin légiste, le photographe de l'identité judiciaire et les spécialistes des empreintes.

Bon dernier, arriva l'inspecteur Hardcastle, au visage énigmatique contredit par deux sourcils expressifs, pour veiller à ce que ses directives soient exécutées et bien exécutées.

Après avoir une fois encore contemplé le cadavre, puis échangé quelques mots avec le médecin, il se rendit à la salle à manger où devant trois tasses de thé vides, l'attendaient trois personnes : Miss Pebmarsh, Colin Lamb et une grande jeune fille aux boucles brunes et aux yeux en amande pleins de frayeur. « Très jolie », apprécia à part soi l'inspecteur. Et il se présenta à Miss Pebmarsh.

— Inspecteur Hardcastle.

Bien qu'ils ne se fussent jamais rencontrés sur le plan professionnel, il la connaissait de vue, savait, qu'ancien professeur, elle travaillait maintenant à l'Institut Aaronberg où l'on enseignait le Braille aux jeunes aveugles. Il semblait incroyable qu'on eût trouvé un homme assassiné dans sa petite maison proprette et sévère; mais l'invraisemblable arrive plus souvent qu'on ne le pense.

— C'est affreux pour vous, Miss Pebmarsh. Quel choc ça a dû être. J'aimerais un compte rendu précis de chacun de vous. J'ai cru comprendre que c'était Miss... (coup d'œil rapide au calepin que lui avait remis un agent)... Sheila Webb qui a découvert le corps. Avec votre permission, Miss Pebmarsh, je l'emmène dans la cuisine où nous serons plus tranquilles.

Ouvrant la porte, il fit passer la jeune fille devant lui. Déjà un jeune inspecteur prenait des notes silencieusement.

Nerveuse, Sheila Webb s'assit, fixant l'inspecteur de ses prunelles dilatées de peur.

Hardcastle faillit lui dire : « Je ne vous mangerai pas, mon enfant », se contint et prononça :

— Ne vous tracassez pas. Nous voulons simplement avoir une idée claire de ce qu'il s'est passé. Et d'abord, racontez-moi pourquoi vous êtes venue 19 Wilbraham Crescent.

Déjà rassurée, Sheila expliquait :

— Miss Pebmarsh a téléphoné au bureau pour qu'on lui envoie une dactylo à trois heures. Aussi, quand je suis rentrée de déjeuner, Miss Martindale m'y a-t-elle expédiée.

— Et c'était à votre tour? D'après votre roulement habituel, veux-je dire?

— Non, pas exactement. Miss Pebmarsh avait insisté pour m'avoir moi.

Hardcastle enregistra d'un froncement de sourcils.

— Ah! bon. Parce que vous aviez déjà travaillé pour elle?

— Non, jamais, répondit Sheila vivement.

— Vraiment? En êtes-vous sûre?

— Oui, oui, absolument, affirma Sheila. Voyez-vous, Miss Pebmarsh est une de ces femmes qu'on n'oublie pas. C'est d'autant plus bizarre.

— En effet. Enfin, pour l'instant, laissons cela. A quelle heure êtes-vous arrivée?

— Un peu avant trois heures, car le coucou de l'horloge... (Elle s'interrompit brusquement, le regard fixe...) Comme c'est étrange. Sur le moment, je n'y avais pas fait attention...

— A quoi donc, Miss Webb? Aux pendules?

— Oui. Le coucou a bien sonné trois heures, mais toutes les autres pendules avançaient d'une heure. Curieux, n'est-ce pas?

— Certes, très, reconnut l'inspecteur. Voyons, quand avez-vous découvert le cadavre?

— Pas avant de contourner le canapé. C'était... il était là. Oh! c'est atroce, atroce...

— Oui, je l'avoue. Le connaissiez-vous? L'aviez-vous déjà rencontré quelque part?

— Jamais.

— C'est sûr? Vous savez, il a pu vous paraître très changé. Réfléchissez. Êtes-vous certaine de ne l'avoir jamais vu?

— Tout à fait.

— Bon, admettons. Qu'avez-vous fait ensuite?

— Ce que j'ai fait?

— Oui?

— Mais rien... rien du tout. J'en étais incapable.

— D'accord, mais l'avez-vous touché?

— Oui, c'est vrai, pour voir si... pour voir, seulement. Mais il était... complètement froid... et... et j'avais les doigts pleins de sang, gluant, épais. C'était affreux, dit-elle, se mettant à trembler.

— Allons, allons, fit Hardcastle paternel. C'est fini maintenant. N'y pensez plus. Et après, que s'est-il passé?

— Je ne sais plus... Ah! si, elle est arrivée.

— Qui ça? Miss Pebmarsh?

— Oui. Mais à ce moment-là je ne savais pas qui c'était. Elle est entrée avec un panier à provisions, expliqua-t-elle d'un ton qui soulignait combien ce panier lui avait paru choquant, déplacé.

— Que lui avez-vous dit?

— Rien, je crois... j'ai essayé, mais j'avais la gorge nouée, dit-elle, portant la main à son cou. Et puis... et puis elle a demandé qui était là, elle a commencé à venir vers moi, et j'ai cru... j'ai cru qu'elle allait marcher dessus. J'ai crié... après je ne pouvais plus m'arrêter... j'ai couru hors de la maison, et...

— Bon, mais encore une question : pourquoi étiez-vous entrée dans cette pièce?

— Que voulez-vous dire? interrogea-t-elle l'air surpris.

— Eh bien, après avoir sonné, quand personne n'a répondu, pourquoi êtes-vous entrée.

— Ah! oui, je comprends. Parce qu'elle m'avait dit de le faire.

— Qui ça?

— Miss Martindale m'avait dit d'aller attendre dans le salon à droite dans le vestibule.

— Je vois, fit Hardcastle, l'air songeur.

Très intimidée, Sheila demandait :

— Est-ce... est-ce tout?

— Je pense que oui. Mais j'aimerais vous avoir sous la main encore une dizaine de minutes, au cas où j'aurais une question à vous poser. On vous raccompagnera chez vous après. Avez-vous des parents?

— Je suis orpheline, mais j'habite chez ma tante.

— Qui s'appelle?

— Mrs. Lawton.

— Merci, Miss Webb, fit l'inspecteur en lui serrant la main. Tâchez de bien dormir cette nuit. Vous en avez besoin après toutes vos émotions.

Avec un sourire timide, elle s'esquiva dans la salle à manger.

Avant que Hardcastle n'ait pu lui tendre une main secourable, Miss Pebmarsh, l'air résolu, lui passa devant et ayant tâté de la main une des chaises alignées le long du mur, s'en empara et s'assit. A peine Hardcastle eut-il poussé la porte que sans lui laisser le temps d'ouvrir la bouche, elle l'interrogeait déjà.

— Qui est ce jeune homme?

— Colin Lamb.

— Son nom, il me l'a dit. Mais d'où sort-il? Pourquoi est-il ici?

Assez étonné, Hardcastle la dévisageait :

— Il passait par hasard dans la rue quand Miss Webb s'est précipitée dehors en criant au meurtre. Après ce qu'il a vu en entrant ici, il nous a téléphoné et c'est nous qui l'avons prié de revenir nous attendre ici.

— Vous l'avez appelé Colin.

— Rien ne vous échappe, Miss Pebmarsh. C'est en effet un de mes amis, que je vois rarement, d'ailleurs. Un spécialiste de biologie sous-marine.

— Ah! bon.

— Maintenant, Miss Pebmarsh, parlons de cette affaire extraordinaire, voulez-vous.

— Volontiers. Mais j'ai fort peu de chose à vous dire.

— Il y a longtemps que vous habitez ici?

— Depuis 1950. J'étais institutrice. Quand on m'a annoncé que j'allais devenir aveugle, sans espoir de guérison, je me suis spécialisée dans l'étude du Braille et de ses diverses techniques d'enseignement. Je travaille maintenant à l'Institut Aaronberg pour enfants aveugles.

— Merci. Maintenant, parlons de cet après-midi. Attendiez-vous une visite?

— Non.

— Pour voir si ça vous rappelle quelqu'un, je vais vous lire une description de l'homme assassiné. Hauteur, un mètre soixante-dix; âge, la sxoiantaine; cheveux noirs grisonnants; yeux marron; menton énergique, bien rasé, mains soignées. Pourrait être un employé de bureau quelconque, genre comptable dans une banque, par exemple; ou alors dans une profession libérale — avocat ou autre.

Avant de répondre, Millicent Pebmarsh réfléchit longuement.

— Difficile à dire. Ce signalement est très vague et conviendrait à des milliers de gens. Il se peut que j'aie rencontré quelqu'un qui lui ressemble, mais ça ne serait pas un ami intime en tout cas.

— On ne vous a pas écrit pour vous annoncer une visite, ces jours-ci?

— Jamais de la vie.

— Bon. Mais quand vous avez téléphoné à l'agence Cavendish pour avoir une dactylo, vous...

— Pardon, dit-elle, lui coupant la parole, mais je n'ai jamais fait cela.

Hardcastle la fixait, éberlué :

— Vous n'avez pas appelé cette agence pour avoir une dactylo?...

— Inspecteur, je puis vous assurer que je n'ai jamais eu besoin d'une dactylo et que je n'ai jamais, vous m'entendez bien : jamais téléphoné dans cette intention à l'agence Cavendish.

— Vous n'avez pas réclamé Miss Webb en particulier?

— J'entends ce nom pour la première fois.

Stupéfait, Hardcastle la regardait :

— Pourtant, vous n'avez pas fermé votre porte à clef.

— Ça m'arrive souvent, dans la journée.

— N'importe qui pouvait s'introduire ici.

— En tout cas, on n'a pas hésité à le faire aujourd'hui, dit-elle revêche.

— Miss Pebmarsh, d'après le médecin légiste, on a dû tuer cet homme entre une heure et demie et trois heures moins le quart. Où étiez-vous alors?

Après réflexion :

— A une heure et demie, dit-elle, ou bien j'étais partie, ou sur le point de partir. J'avais des courses à faire.

— Décrivez-moi votre itinéraire avec précision.

— Voyons. D'abord je suis allée à la poste — celle d'Albany Road — pour y expédier un paquet et acheter des timbres. Ensuite, j'avais des courses pour la maison : boutons-pression, épingles chez le mercier. Puis je suis rentrée chez moi. Et même je peux vous dire à quelle heure exactement, car en remontant l'allée, j'ai entendu mon coucou chanter trois fois.

— Et vos autres montres?

— Pardon?

— Vos autres montres qui avancent toutes d'une heure?

— Qui avancent? Ah! vous voulez parler de l'horloge de grand-mère dans le coin?

— Pas seulement d'elle : des montres du salon également.

— Que voulez-vous dire? Les montres du salon? Mais au salon, il n'y en a pas d'autres.

CHAPITRE III

Hardcastle s'étonnait :

— Voyons, Miss Pebmarsh! Vous oubliez votre ravissante pendulette en Saxe, votre réveil français en vermeil et votre oignon en argent et... c'est vrai, il y a aussi celle avec « Rosemary » gravé au coin.

A son tour, Miss Pebmarsh paraissait stupéfaite.

— Inspecteur, ou vous êtes fou ou c'est moi qui le suis. Car je n'ai ni pendulette en Saxe, ni — que disiez-vous? — une montre avec « Rosemary » d'inscrit dessus, ni — qu'était-ce déjà l'autre?

— Un oignon en argent, répondit machinalement Hardcatsle.

— Si vous ne me croyez pas, demandez-le donc à ma femme de ménage, Mrs. Curtin.

L'inspecteur n'en revenait pas. Le ton net, assuré de Miss Pebmarsh paraissait convaincant. Un instant, il resta là à ressasser tous les faits. Puis, se levant :

— Miss Pebmarsh, voudriez-vous, s'il vous plaît, me suivre au salon.

— Mais certainement. A vrai dire, je tiens à aller voir ces pendules moi-même.

— Voir?

Hardcastle saisit le mot au vol.

— Les examiner serait peut-être plus juste dans ma bouche. Mais, voyez-vous, inspecteur, même les aveugles se servent de mots conventionnels qui ne correspondent pas exactement à leurs facultés. Je voulais dire plutôt, que j'aimerais les tenir dans la main, les sentir.

Précédant Miss Pebmarsh, Hardcastle traversa le vestibule, pénétra dans le salon. L'homme qui relevait les empreintes tourna la tête vers Hardcastle.

— J'ai bientôt terminé, inspecteur. Vous pouvez toucher à tout ce qu'il vous plaira.

Hardcastle acquiesça, saisit la petite pendulette de voyage sur laquelle était gravé « Rosemary » et la déposa sur la paume de Miss Pebmarsh. Celle-ci la palpa soigneusement, et fit de même avec les trois autres.

— Elles ne sont pas à moi, dit-elle en lui rendant la dernière. Les seules pendules qu'il y a d'habitude dans cette pièce, sont l'horloge de grand-mère dans un coin...

— C'est juste.

— ...et le coucou fixé au mur près de la porte.

Hardcastle ne savait plus que dire. Confiant qu'elle ne pouvait en faire autant, il examinait ce visage devant lui, ce front perplexe barré d'une ride légère.

Subitement elle s'écria :

— Je n'y comprends rien, non, rien du tout!

Elle tendit la main, sachant pertinemment là où elle était dans la pièce, et s'assit.

Voyant le spécialiste des empreintes près de la porte, Hardcastle lui demanda :

— Vous avez pensé aux pendules, oui?

— J'ai tout examiné, monsieur l'inspecteur. Il n'y a aucune trace de doigts sur celle de vermeil, mais sur cette surface-là elles ne s'impriment guère. Pas plus d'ailleurs que sur la porcelaine. Mais ce qui paraît bizarre, c'est qu'il n'y en a pas non plus sur le cuir du réveil ni sur l'oignon d'argent. Là, il serait normal qu'il y en eût. Au fait, aucune des montres n'est remontée et elles sont toutes arrêtées à la même heure : quatre heures treize.

— Et dans le reste de la pièce?

— Il y a trois ou quatre séries d'empreintes un peu partout — toutes de femme, à mon avis. J'ai mis le contenu des poches du mort là, dit-il en indiquant d'un geste un petit tas sur la table, vers laquelle Hardcastle se dirigea immédiatement.

Devant lui se trouvaient un portefeuille contenant sept livres et dix shillings, une pochette de soie sans initiales, une petite boîte de pilules digestives et une carte de visite. Se penchant, Hardcastle lut :

Mr. R. H. Curry
Metropolis and Provincial Insurance Co Ltd.
London. W. 2.

Alors, revenant vers le canapé où s'était assise Miss Pebmarsh :

— Vous n'attendiez pas la visite d'un employé d'une compagnie d'assurances, par hasard? lui demanda-t-il.

— D'une compagnie d'assurances? Non, pas du tout.

— De la *Metropolis and Provincial*, précisa Hardcastle.

Miss Pebmarsh secouait la tête :

— Non, je n'en ai jamais entendu parler.

— Vous n'avez pas l'intention de prendre une assurance quelconque?

— Mais non. Je suis assurée contre le vol et l'incendie par la *Joyce Insurance Company*. Mais personnellement, n'ayant ni parents ni amis, je ne vois pas pourquoi je m'assurerais sur la vie.

— En effet, ce nom ne vous dit rien : Mr. R. H. Curry? dit-il en épiant sa physionomie, mais sans y voir aucune réaction.

— Curry? répéta-t-elle, puis elle eut un geste de dénégation. C'est un nom peu commun, n'est-ce pas? Je ne crois pas l'avoir jamais entendu. Est-ce le nom du mort?

— Possible, dit Hardcastle.

Miss Pebmarsh hésitait, puis se décidant :

— Voulez-vous que je... je... touche...?

Hardcastle comprit à mi-mot.

— Accepteriez-vous, Miss Pebmarsh? N'est-ce pas vous en demander trop? Je ne suis pas très compétent dans ce domaine, mais vos doigts vous en apprendront sans doute plus sur un visage qu'une description.

— Très juste, dit Miss Pebmarsh. Ça n'a rien de très agréable, mais si ça peut vous être utile, je veux bien le faire.

— Merci, dit Hardcastle. Permettez-moi de vous y conduire...

Il lui fit faire le tour du canapé, l'aida à s'agenouiller, guida gentiment sa main vers le visage du mort. Très calme, elle ne laissait transparaître aucune émotion. Ses doigts descendirent le long des cheveux, des oreilles, un instant s'attardèrent derrière celle de gauche, puis suivirent la courbure du nez, de la bouche et du menton.

— Je vois très bien à quoi il ressemble, dit-elle en se relevant, et je ne le connais pas, j'en suis sûre maintenant.

L'homme des empreintes, qui venait de sortir après avoir rangé son matériel, passa de nouveau la tête par la porte.

— On vient le chercher, fit-il, désignant le corps. Peut-on l'emmener?

— Oui, dit l'inspecteur, Miss Pebmarsh, venez donc vous asseoir ici, voulez-vous?

Et il l'installa sur une chaise dans un coin. Deux hommes entrèrent, en un tour de main de ces professionnels, feu Mr. Curry eut disparu. Les ayant raccompagnés à la grille, Hardcastle revint s'asseoir auprès de Miss Pebmarsh.

— Quelle affaire invraisemblable, remarqua-t-il. Miss Pebmarsh, j'aimerais en récapituler devant vous les faits essentiels. Si je me trompe, dites-le-moi. Vous n'attendiez aucune visite aujourd'hui; vous ne vous êtes pas renseignée sur des questions d'assurances et vous n'avez reçu aucune lettre vous annonçant la visite d'un agent d'assurances dans la journée? Est-ce bien exact?

— Entièrement.

— Vous n'aviez aucun besoin d'une dactylo et vous n'avez pas téléphoné à l'agence Cavendish?

— Toujours exact.

— Quand vous êtes sortie à une heure et demie approximativement, il n'y avait ici que deux pendules — le coucou et l'horloge de grand-mère?

Sur le point de répondre, Miss Pebmarsn se retint :

— A vrai dire, je ne pourrais pas le jurer. N'y voyant plus, comment voulez-vous que je remarque la présence ou l'absence d'un objet? Toutefois, j'aurais pu m'en rendre compte en époussetant ici ce matin. Or tout était en ordre. Je tiens à faire le salon moi-même, à cause de mes bibelots. Les femmes de ménage sont si peu soigneuses!

— Êtes-vous sortie ce matin?

— Oui, comme à l'ordinaire, pour aller faire ma classe à l'Institut Aaronberg de dix heures à midi et demie. Je suis rentrée vers une heure moins le quart pour me faire des œufs brouillés et du thé. Ensuite, comme je vous l'ai dit, je suis ressortie à une heure et demie. Au fait, j'ai déjeuné dans la cuisine, je ne suis pas venue dans cette pièce.

— Bien, dit Hardcastle. Si vous pouvez me certifier qu'à dix heures ce matin, il n'y avait ici que vos pendulettes habituelles, ce serait donc plus tard dans la matinée qu'on aurait pu déposer les autres.

— Renseignez-vous auprès de ma femme de ménage, Mrs. Curtin. Elle est chez moi de dix heures à midi. Elle habite 17, Dipper Street.

— Merci, Miss Pebmarsh. Et maintenant, en nous fondant sur les quelques faits que voilà, j'aimerais que vous m'apportiez vos idées et vos suggestions. A un moment donné aujourd'hui, on a apporté quatre pendules dans cette maison. Leurs aiguilles à toutes, indiquaient quatre heures treize. Cette heure évoque-t-elle quelque chose pour vous?

— Non, fit Miss Pebmarsh, rien du tout.

— Venons-en alors au mort. A moins d'avoir prévenu votre femme de ménage, il semble peu probable qu'il l'ait fait entrer et laissé seul ensuite dans la maison. Nous l'interrogerons d'ailleurs plus tard à ce sujet. Cet homme, donc, ne peut être venu ici que pour deux motifs : soit pour affaires, soit pour des raisons personnelles. Or il a été poignardé entre une heure et demie et trois heures moins le quart. Lui a-t-on donné rendez-vous? Vous prétendez n'en rien savoir. S'occupait-il de questions d'assurances? Là encore vous ne savez rien. La porte n'étant pas fermée, il a très bien pu entrer et s'asseoir ici pour vous attendre. Mais pourquoi?

— Toute cette histoire est rocambolesque, dit Miss Pebmarsh s'énervant. A votre avis ce serait ce — comment s'appelle-t-il déjà? — ce Curry qui a apporté les pendules?

— Mais pas trace d'un emballage, observa Hardcastle. Comment aurait-il pu apporter quatre pendules dans ses poches? Voyons, Miss Pebmarsh, ces pendules... cette heure de quatre heures treize... aucune association d'idées...?

— Ou c'est l'œuvre d'un fou, dit-elle, ou alors on s'est trompé de maison. Non, inspecteur, je ne vois rien à vous dire.

Sur ce, un jeune policier entrebâilla la porte. Hardcastle l'ayant rejoint dans le hall, alla ensuite à la grille s'entretenir quelques instants avec ses hommes :

— Maintenant, vous pouvez ramener la jeune fille chez elle, dit-il. Elle habite 14, Palmerston Road.

Il revint dans la salle à manger. Par la porte ouverte, on entendait Miss Pebmarsh s'affairer sur son évier. Debout dans l'encadrement, il lui dit :

— J'ai besoin de ces pendules, Miss Pebmarsh, je vous laisse un reçu.

— Faites, faites, inspecteur. Elles ne m'appartiennent pas.

Se tournant vers Sheila Webb :

— Vous pouvez rentrer chez vous, Miss Webb, lui dit-il.

Sheila et Colin se levèrent.

— Raccompagne-la à la voiture, je te prie, Colin, ajouta-t-il en s'installant à la table pour rédiger le reçu.

Les deux jeunes gens étaient déjà dans l'allée quand soudain la jeune fille s'arrêta :

— Mes gants... je les ai oubliés.

— J'y vais.

— Non, je sais où je les ai laissés. Et puis, ça m'est égal maintenant... maintenant qu'ils l'ont emmené.

Elle partit en courant, revint un instant après.

— Je suis désolée de m'être conduite comme une idiote tout à l'heure.

— A votre place, n'importe qui en aurait fait autant.

Au moment où la voiture démarrait, Hardcastle réapparut. S'adressant à un des jeunes agents :

— Veuillez me faire emballer très soigneusement les pendules du salon — toutes, sauf le cartel et le coucou.

Puis après encore quelques ordres, il se tourna vers son ami.

— Je pars faire un tour, dit-il. Tu viens?

— Avec plaisir, répondit Colin.

CHAPITRE IV

Récit de Colin

— Et où allons-nous comme ça ? demandai-je à Dick Hard-castle.

— Agence Cavendish, dit-il au chauffeur. C'est dans Palace Street, vers l'Esplanade, sur la droite.

— Bien, monsieur.

La voiture démarrait. Déjà, les curieux fascinés formaient un petit attroupement. Sur le pilier de *Diana Lodge*, la maison voisine, toujours le chat roux qui avait fini sa toilette et, assis très droit, agitait légèrement la queue en contemplant, avec ce suprême dédain particulier aux chats et aux chameaux, les visages humains au-dessous de lui.

— D'abord, l'agence Cavendish, ensuite la femme de ménage. Procédons par ordre, car le temps presse, dit Hardcastle en jetant un coup d'œil à sa montre. Déjà quatre heures passées.

Après un silence :

— Assez jolie la fille, ajouta-t-il.

— Plutôt, acquiesçai-je.

Il me jeta un regard amusé.

— Elle nous a raconté une histoire étonnante. Plus vite nous l'aurons vérifiée, mieux ce sera.

— Tu ne penses pas qu'elle ait...

Il m'interrompit.

— Les gens qui découvrent les cadavres m'intéressent tou-jours beaucoup.

— Mais cette fille-là était à moitié morte de peur. Si tu l'avais entendue crier...

Nouveau regard ironique, tout en me répétant qu'elle était très jolie.

— Et qu'est-ce qui nous vaut ta visite à Wilbraham Crescent, Colin ? Tu admirais la grâce de notre architecture victorienne ? Ou avais-tu un but précis ?

— Oui, j'en avais un. Je cherchais en vain le numéro 61. Peut-être n'existe-t-il pas ?

— Mais si, les numéros vont jusqu'au 88, je crois.

— Écoute, Dick, quand je suis arrivé au 28, Wilbraham Cres-cent s'est évanoui.

— Les étrangers s'y perdent toujours. Tu aurais dû prendre à droite en remontant Albany Road, puis de nouveau sur ta droite,

et tu te serais retrouvé dans l'autre moitié de Wilbraham Crescent. Les maisons, construites de part et d'autre de leurs jardins
accolés, se tournent le dos. Comprends-tu?

— Ah! je vois, dis-je. Sais-tu qui habite au 61?

— Au 61... attends. Ça doit être Bland, l'entrepreneur.

— Oh! zut, dis-je. Ça ne m'arrange pas du tout.

— Ce n'est pas un entrepreneur que tu cherches?

— Non, ça ne me dit rien. A moins... Y a-t-il longtemps qu'il
est installé?

— Bland? Il est né ici. C'est certainement un type du pays.
Il a des années de métier.

— Mon Dieu, que c'est ennuyeux!

— Il n'y a pas pire entrepreneur, me dit Hardcastle d'un ton
prometteur. Il utilise des matériaux de mauvaise qualité, construit
de ces maisons qui ont l'air assez solides d'apparence et qui, dès
qu'on y habite, s'écroulent sur vous. Il marche toujours sur une
corde raide — mais réussit de justesse à s'en tirer.

— Pas la peine de m'allécher, Dick. L'homme que je cherche
incarnerait probablement la droiture même.

— Bland vient d'hériter, ou plutôt sa femme. C'est une Canadienne qui a rencontré Bland ici pendant la guerre. Sa famille
était contre ce mariage et a coupé les ponts après. Mais l'an dernier, à la disparition de son grand-oncle, par suite des morts de
la guerre et autres accidents, brusquement voilà Mrs. Bland seule
survivante de toute la famille, et sa légataire universelle. Juste à
temps, je pense, pour sauver Bland de la faillite.

— Tu as l'air drôlement bien informé sur ce Mr. Bland?

— Oh! ça... Écoute, le contrôleur des contributions s'intéresse
toujours aux gens qui, du jour au lendemain, deviennent riches.
On se demande s'ils n'ont pas de petites combines, des dessous de
table quelconques. C'est pourquoi on exige des comptes. Bland
s'est expliqué et tout était régulier.

— De toute façon, dis-je, les gens qui ont fait fortune en un jour
ne m'intéressent pas. Ce n'est plus à cet échelon que je cherche.

— Ah oui? Ce stade-là est dépassé, n'est-ce pas?

— En effet.

— Et maintenant, c'est terminé?... ou pas?

— Écoute, impossible de t'expliquer ça en deux mots. Dînons
ce soir ensemble comme prévu — à moins que ton travail ne te
retienne?

— Non, ça ira. L'essentiel, vois-tu, c'est de mettre en marche
les rouages de l'engrenage. Il nous faut des renseignements sur

ce Mr. Curry. Mais une fois que nous saurons ce qu'il était, ce qu'il faisait, il nous sera facile de comprendre qui avait intérêt à le supprimer. Tiens, nous voilà arrivés, fit-il en se penchant à la vitre.

Située dans la rue la plus commerçante de la ville, pompeusement appelée Palace Street, l'agence Cavendish, comme la plupart des affaires environnantes, s'était établie dans une maison victorienne restaurée. A droite, une maison à peu près identique, avec une plaque sur laquelle on lisait : « Edward Glen. Photos d'art. Spécialiste pour portraits d'enfants, mariages, etc. » A l'appui de ces dires, dans une vitrine, une multitude d'agrandissements de clichés d'enfants de tous âges, du bébé à l'adolescent, servaient à appâter les bonnes mères de famille. Il y avait aussi des couples, jeunes gens intimidés, jeunes femmes souriantes.

De l'autre côté de l'agence Cavendish, des bureaux assez vieillots : ceux d'un marchand de charbon ; et plus loin, là où autrefois s'élevaient des demeures de style, un *Café oriental* flambant neuf, de trois étages.

Ayant monté les quatre marches et franchi le seuil de l'agence, Hardcastle et moi, obéissant au panneau sur la porte droite qui disait « Entrez sans frapper », sommes entrés dans une grande pièce où trois jeunes femmes tapaient consciencieusement à la machine. Deux d'entre elles, indifférentes à notre présence, continuèrent à taper, tandis que la troisième devant laquelle se trouvait un téléphone, s'arrêtait, l'air interrogateur. Cessant de suçoter son bonbon, elle nous demanda d'une voix nasillarde :

— Vous désirez ?

— Miss Martindale, fit Dick.

— Je crois qu'elle est en ligne en ce moment.

Au même instant, un déclic. Décrochant le combiné, la jeune fille appuya sur un bouton et dit :

— Deux messieurs désirent vous voir, Miss Martindale. (Levant les yeux vers nous :) Vos noms s'il vous plaît ?

— Hardcastle, fit Dick.

— C'est Mr. Hardcastle, Miss Martindale. (Puis posant l'appareil.) Par ici, fit-elle en se dirigeant vers une porte où une plaque de cuivre indiquait : « Miss Martindale ». Elle ouvrit, s'effaça pour nous laisser entrer, annonça : « Mr. Hardcastle », puis referma la porte. Miss Martindale leva les yeux. Elle avait une cinquantaine d'années et, sous sa tignasse de cheveux carotte, l'air important, le regard vif.

L'un après l'autre, elle nous examina.

— Mr. Hardcastle ?

Dick lui tendit une de ses cartes professionnelles, tandis

que m'effaçant, j'allai m'asseoir sur une chaise dans un coin.

Les sourcils fauves de Miss Martindale se froncèrent, dénotant une certaine surprise mêlée de mécontentement.

— Que désirez-vous, inspecteur?

— Quelques renseignements, Miss Martindale, qui pourraient m'être utiles.

A son ton, je compris que Dick allait faire du charme, aborder la question par le biais. Miss Martindale y serait-elle sensible? J'avais des doutes à cet égard.

J'examinai les lieux. Sur le mur au-dessus de Miss Martindale, une série de photos dédicacées. Entre autres, celle d'une femme célèbre pour ses romans à suspense, Mrs. Ariadne Oliver, que je connaissais vaguement. « Avec mes meilleurs souvenirs », avait-elle signé d'un trait ferme et large. « Votre très reconnaissant Garry Gregory », paraphait plus loin le portrait d'un auteur de romans policiers, mort depuis bientôt seize ans. De Miriam Hogg, écrivain de romans roses, un « Bien à vous, Moham ». Et sous les traits d'un petit homme chauve, le représentant ici du roman d'amour, d'une écriture minuscule, s'avouait : « Votre très dévoué Armand Levine. »

Tous ces trophées entre eux présentaient certaines analogies. Les hommes, pour la plupart vêtus de tweed, fumaient la pipe; quant aux femmes, elles disparaissaient dans leurs fourrures.

Cependant, Hardcastle commençait à interroger Miss Martindale.

— Je crois savoir que vous avez pour employée une certaine Sheila Webb?

— Oui, c'est juste. Malheureusement je ne pense pas qu'elle soit là pour le moment.

Appuyant sur l'interphone, elle demanda :

— Edna, Sheila Webb est-elle rentrée?

— Non, Miss Martindale.

Aussitôt elle raccrocha.

— Elle avait du travail à l'extérieur dès le début de l'après-midi. Elle devrait déjà être rentrée. A moins qu'elle ne soit allée directement à son rendez-vous de cinq heures, au *Curlew Hôtel*, sur l'Esplanade.

— Bon, dit Hardcastle. Que savez-vous sur cette jeune fille?

— Pas grand-chose, fit Miss Martindale. Elle est employée ici depuis — voyons, laissez-moi réfléchir — environ un an. Son travail me donne toute satisfaction.

— Savez-vous chez qui elle était avant?

— Si vous y tenez vraiment, inspecteur, je peux vous le dire. Son curriculum vitae doit être quelque part dans mes classeurs.

Enfin, je crois me souvenir qu'elle a d'abord travaillé dans une affaire londonienne qui lui a donné d'excellentes références. Il me semble — si ma mémoire est bonne — qu'il s'agissait d'une agence immobilière.

— Vous dites qu'elle est très capable?

— Tout à fait, dit Miss Martindale qui pourtant n'était pas du genre prodigue en compliments. Elle a une vitesse de frappe efficace et me paraît suffisamment instruite. C'est une dactylo consciencieuse.

— La voyez-vous en dehors de ses heures de bureau?

— Non. Il me semble qu'elle vit chez une tante. (Miss Martindale s'impatientait). Inspecteur, dit-elle, puis-je savoir pourquoi vous me posez toutes ces questions? Cette jeune fille se serait-elle attiré des ennuis?

— Non, Miss Martindale, pas exactement. Connaissez-vous une Miss Millicent Pebmarsh?

— Pebmarsh? (Froncement des sourcils fauves.) Voyons, ah! oui, bien sûr. C'est chez elle que Sheila devait aller à trois heures.

— Comment a-t-on pris le rendez-vous, Miss Martindale?

— Par téléphone. Miss Pebmarsh désirait une dactylo et m'a demandé de lui envoyer Miss Webb.

— Elle a précisé qu'elle voulait Sheila Webb?

— Oui.

— A quelle heure vous a-t-elle téléphoné?

Miss Martindale réfléchit un instant, puis :

— Je ne l'ai pas eue par le standard. Donc, ça devait être pendant le déjeuner. Pour vous fixer, disons à peu près deux heures moins dix. En tout cas avant deux heures. Tenez, je l'ai noté sur mon carnet : c'était à une heure quarante-neuf exactement.

— Miss Pebmarsh vous a-t-elle parlé elle-même?

— Je pense que oui, fit Miss Martindale assez surprise.

— Mais pouviez-vous reconnaître sa voix? La connaissiez-vous personnellement?

— Non, pas du tout. Elle m'a simplement dit qu'elle s'appelait Miss Millicent Pebmarsh, m'a donné son adresse dans Wilbraham Crescent. Puis, comme je vous l'ai dit, m'a demandé de lui envoyer Sheila Webb à trois heures, si elle était libre.

Compte rendu clair et net. Certes, Miss Martindale ferait un témoin de premier ordre.

— J'aimerais bien savoir ce que tout cela signifie, dit Miss Martindale légèrement excédée.

— Eh bien, voilà. Miss Pebmarsh dit qu'elle ne vous a jamais téléphoné.

Miss Martindale tombait des nues :

— Comment! Mais c'est incroyable!

— Vous, au contraire, vous me dites qu'on vous a téléphoné, mais sans pouvoir certifier que c'était Miss Pebmarsh.

— Non, évidemment, ça m'est difficile sans la connaître. Mais enfin, je ne vois pas dans quel dessein on aurait fait cela. A moins d'une plaisanterie quelconque.

— C'est un peu plus sérieux que cela, fit Hardcastle. Cette Miss Pebmarsh — ou qui que ce soit d'autre — vous a-t-elle dit pourquoi elle désirait particulièrement Sheila Webb?

— Il me semble qu'elle m'avait spécifié que Sheila avait déjà travaillé pour elle.

— Est-ce exact?

— Sheila ne s'en souvient pas, mais ce n'est pas concluant, inspecteur. Après tout, ces filles vont travailler dans tant d'endroits différents, voient tant de têtes nouvelles, qu'il semble difficile qu'elles se rappellent ce qui s'est passé à quelques mois d'intervalle. Mais, je ne vois pas ce qui me vaut votre visite?

— Nous y venons. Quand Miss Webb est arrivée au 19, Wilbraham Crescent, elle est entrée, puis est allée au salon, suivant les instructions reçues, m'a-t-elle dit. Vous êtes d'accord?

— Entièrement. Miss Pebmarsh m'avait prévenue qu'elle serait peut-être un peu en retard et que Sheila n'avait qu'à aller l'attendre dans la maison.

— Et au salon, reprit Hardcastle, Miss Webb a trouvé un homme mort sur le parquet.

Miss Martindale paraissait pétrifiée. Un instant elle chercha ses mots, puis :

— Vous dites, inspecteur? Un homme mort?

— Assassiné, rectifia Hardcastle. Poignardé, même.

— Oh! mon Dieu! Quel ennui pour cette pauvre fille!

Genre de remarque, manquant d'à-propos, très caractéristique de Miss Martindale.

— Le nom de Curry vous rappelle-t-il quelque chose, Miss Martindale? Mr. R. H. Curry?

— Non, je ne vois pas.

— De la compagnie d'assurances *Metropolis and Provincial*?

Autre dénégation de Miss Martindale, dont le visage ne reflétait rien.

— Vous voyez quel est mon dilemme, fit l'inspecteur. Vous, vous me dites que Miss Pebmarsh vous a téléphoné pour que Sheila Webb se rende chez elle à trois heures; Miss Pebmarsh, elle, prétend ne l'avoir jamais fait. Et en arrivant là-bas, Sheila

Webb trouve un cadavre... L'inspecteur s'arrêta et attendit.

— Tout ça me paraît plus qu'invraisemblable, fit Miss Martindale d'un ton réprobateur.

Soupirant, Dick Hardcastle se leva pour prendre congé.

— C'est une bonne petite affaire que vous avez là, mademoiselle. Ça fait longtemps que vous êtes dans le métier?

— Quinze ans. C'est une réussite. Partie presque de rien, j'ai maintenant huit employées et du travail plus qu'il n'en faut.

— Vous êtes surtout spécialisée dans les œuvres littéraires, je vois? dit Hardcastle, regardant les photos d'auteurs sur les murs.

— Oui. A mes débuts j'ai été pendant de longues années la secrétaire de l'auteur de romans policiers bien connu, Garry Gregson. En fait, c'est grâce à un legs qu'il m'a fait que j'ai pu monter cette agence. Beaucoup de ses confrères m'ont patronnée. Mes connaissances de la technique littéraire m'ont servie auprès d'eux. Je leur fournis nombre de renseignements : dates, citations, jurisprudence, procédure, et action des divers poisons, également des détails géographiques, tels que restaurants, rues à l'étranger. Car les lecteurs de nos jours, plus tatillons qu'autrefois, n'hésitent pas à signaler leurs erreurs aux auteurs.

Elle se tut. Poliment Hardcastle enchaîna :

— Vous avez, en effet, le droit d'être fière.

Et il se dirigea vers la porte que je lui ouvris.

Déjà les trois jeunes filles se préparaient à partir. A la réception, Edna debout, l'air désolé, brandissait d'une main son talon aiguille et de l'autre son soulier. « Il n'y a qu'un mois que je les ai, se plaignait-elle. Elles m'ont coûté assez cher. C'est cette sacrée grille d'égout à côté du pâtissier du coin. Après, je ne pouvais plus marcher. J'ai dû rentrer ici, avec des croissants, mes souliers à la main. Et comment vais-je prendre l'autobus, maintenant, je me le demande?... »

C'est à ce moment qu'elles nous aperçurent. Edna dissimula vivement le soulier coupable tout en jetant un fugitif coup d'œil à Miss Martindale qui, si j'en juge par les apparences, n'était pas du genre talon aiguille. En femme pratique, elle portait d'ailleurs des souliers à talons plats.

— Tous mes remerciements, Miss Martindale, dit Hardcastle Si par hasard quelque chose vous revenait à l'esprit...

— Bien sûr, coupa Miss Martindale d'un ton brusque.

En montant dans la voiture, je dis :

— Donc, malgré tous tes soupçons, l'histoire de Sheila Webb se révèle exacte?

— D'accord, d'accord, fit Dick. C'est toi qui as raison.

— M'man! s'écria Ernie Curtin, cessant un instant de promener de haut en bas de la vitre, en un bruit crissant, son petit jouet de métal qu'il prenait pour une fusée en route vers Vénus. M'man! qu'est-ce qu'il se passe?

Pas de réponse. Mrs. Curtin, l'air sévère comme toujours, s'activait à sa vaisselle au-dessus de son évier.

— M'man! Il y a une voiture de la police juste en face de la maison.

— Assez de mensonges, Ernie, veux-tu, dit Mrs. Curtin tout en posant bruyamment tasses et soucoupes sur l'égouttoir. Tu sais ce que je t'ai dit?

— J'mens jamais, dit Ernie angélique. C'est une voiture de la police et y'a deux hommes qui en sortent.

Mrs. Curtin se retourna vivement vers son rejeton.

— Qu'as-tu encore fait? dit-elle. Tu nous as encore attiré des ennuis, non?

— Sûr que non, fit Ernie. J'ai rien fait.

— C'est avec cet Alf, dit Mrs. Curtin. Lui et sa bande. Je t'ai dit, et ton père aussi, que ce sont des voyous. Ça finit toujours par tourner mal. D'abord c'est le tribunal pour enfants, puis la maison de redressement sans doute. Et je veux pas de ça, t'entends?

— Ils sont à la porte, annonça Ernie.

Délaissant sa vaisselle, Mrs. Curtin rejoignit son héritier à la fenêtre.

— Eh ben vrai! marmonna-t-elle.

Au même instant, le marteau de la porte résonna. Après s'être essuyé rapidement les mains à un torchon, Mrs. Curtin alla ouvrir. Méfiante, l'œil belliqueux, elle dévisageait les deux hommes du haut des marches.

— Mrs. Curtin? s'informa le plus grand des deux.

— C'est bien moi, dit-elle.

— Inspecteur Hardcastle. Puis-je vous voir un instant?

D'assez mauvaise grâce, Mrs. Curtin s'effaça et ouvrant la porte brutalement, fit entrer l'inspecteur dans une petite pièce propre et nette qui donnait l'impression qu'on n'y pénétrait que rarement, impression d'ailleurs tout à fait exacte.

— Votre fils? s'enquit poliment l'inspecteur.

— Oui, confirma Mrs. Curtin, qui ajouta agressivement. Et un brave petit, quoi que vous en pensiez.

— J'en suis persuadé, dit Hardcastle aimable.

Peu à peu s'effaçait la méfiance de Mrs. Curtin.

— Je viens vous poser quelques questions sur le 19, Wilbraham Crescent. Vous y travaillez, je crois?

— Je n'ai jamais dit le contraire, fit Mrs. Curtin toujours sur la défensive.

— Chez Miss Millicent Pebmarsh?

— Ouais, c'est chez elle que je travaille. C'est une très gentille dame.

— Une aveugle, fit Hardcastle.

— Oui, pauvre dame. Mais on ne le croirait pas, à la voir se diriger chez elle, trouver tout ce qu'elle veut. C'est fantastique. Elle sort aussi, et même elle traverse les rues.

— C'est le matin que vous allez chez elle?

— Tout juste. J'y arrive à dix heures moins le quart, dix heures, et j'en repars à midi, quand j'ai fini, quoi.

Puis, la voix rêche, elle ajouta :

— C'est pas qu'on lui a volé quelque chose, si?

— Tout le contraire, fit l'inspecteur qui pensait aux pendules.

— Qu'est-ce qui ne va pas, alors?

— On a trouvé un mort dans le salon, cet après-midi.

Mrs. Curtin était sidérée. Ernie, lui, pétillait de joie. Il ouvrit la bouche, prêt à dire : « Oooh! » mais jugeant plus sage de ne pas attirer l'attention sur lui, la referma.

— Un mort? dit Mrs. Curtin incrédule. Et dans le salon, ajouta-t-elle encore plus sceptique.

— Oui, on l'a poignardé.

— Vous voulez dire que c'est un assassinat?

— Oui, un assassinat.

— Et qui l'a fait? dit Mrs. Curtin.

— Nous n'en sommes pas encore là, malheureusement. Nous pensions que vous pourriez peut-être nous aider.

— J'sais rien du crime, trancha Mrs. Curtin.

— Non, mais il y a une ou deux choses qui nous intriguent. Par exemple, ce matin, un homme a-t-il sonné à la porte?

— Non, pas que je me souvienne. Pas aujourd'hui. A quoi ressemblait-il?

— Un homme âgé d'une soixantaine d'années, dans un complet sombre, correct. Tenez, genre courtier d'assurances.

— J'l'aurais pas fait entrer, fit Mrs. Curtin. Avec moi, pas question d'assurances, d'Encyclopédie britannique ou d'aspirateurs. Rien à faire. Miss Pebmarsh, elle encourage pas le porte-à-porte, moi non plus.

— D'après sa carte de visite, cet homme s'appelait Curry. Avez-vous déjà entendu ce nom-là?

— Curry? Curry? (Mrs. Curtin secouait la tête.) C'est-y indien, des fois? fit-elle méfiante.

— Oh non, dit Hardcastle, non, ce n'est pas hindou non plus.

— Et qui l'a trouvé? Miss Pebmarsh?

— Non, une jeune dactylo. A la suite d'un malentendu elle pensait que Miss Pebmarsh avait besoin de ses services. C'est elle qui a découvert le corps. Aussitôt après, Miss Pebmarsh est rentrée.

— Quelle histoire! soupira Mrs. Curtin. Quelle histoire!

— Nous vous demanderons peut-être de venir voir le corps, dit l'inspecteur, pour savoir si cet homme est déjà venu à Wilbraham Crescent. Miss Pebmarsh affirme que non. Autre chose encore. Pouvez-vous me dire de mémoire combien il y a de pendules dans le salon de Miss Pebmarsh?

Sans hésiter, Mrs. Curtin répondait .

— Dans le coin, il y a la grosse horloge; et sur le mur, le coucou. Il sort et vous dit coucou. Même que ça vous fait sursauter quelquefois. J'y ai pas touché, ajouta-t-elle hâtivement. J'y touche jamais. Miss Pebmarsh, elle tient à les remonter elle-même.

— Il ne leur est rien arrivé, dit Hardcastle rassurant. Vous êtes certaine qu'il n'y avait que ces deux pendules dans la pièce, ce matin?

— Évidemment, comment voulez-vous qu'il y en ait d'autres? Quelle drôle d'idée.

— N'y avait-il pas, par exemple, un petit réveil en plaqué or sur la cheminée ou encore une pendulette de porcelaine à fleurs, ou un réveil en cuir avec « Rosemary » écrit dessus?

— Mais non; qu'est-ce que c'est que cette salade?

— S'ils avaient été là, vous les auriez remarqués, oui?

— Y a pas de doute.

— Chacune de ces pendules avançait d'une heure par rapport à l'horloge et au coucou.

— P't-être qu'elles étaient étrangères, suggéra Mrs. Curtin. Mon homme et moi, une fois on a été en autocar en Suisse, puis en Italie, et là-bas on avançait toujours d'une heure sur ici. A cause de leur Marché commun sans doute; moi et Mr. Curtin on est pas pour. L'Angleterre, voyez-vous, c'est assez grand pour nous.

Mais l'inspecteur ne se laissa pas entraîner dans une discussion politique.

— Pouvez-vous me dire l'heure exacte à laquelle vous avez quitté la maison?

— Midi et quart, à une minute près, fit Mrs. Curtin.

— Miss Pebmarsh était-elle rentrée, à ce moment-là?

— Non, pas encore. D'habitude elle revient entre midi et midi et demi, mais ça varie.

— Elle était sortie depuis quand?

— Avant que j'arrive. Moi, je suis là à dix heures.

— Bien. Merci, Mrs. Curtin.

— Ça paraît bizarre, ces pendules. A moins que Miss Pebmarsh ait été dans une vente.

— Ça lui arrive souvent?

— Il y a quatre mois, elle a rapporté une descente de lit en poils de chèvre. Pas chère et en bon état. Et les rideaux de velours par-dessus le marché. A fallu les raccourcir mais ils étaient presque neufs.

— Mais, en général, achète-t-elle des bibelots, tableaux, porcelaines — enfin, ce que l'on trouve dans la brocante?

— Non, pas à ma connaissance, fit Mrs. Curtin. Mais sait-on jamais dans ces ventes? On est entraîné, quoi! Rentré chez soi, on se demande à quoi ce fourbi va servir. Tenez, moi, j'ai acheté six bocaux de confitures, une fois. Quand j'y repense, ça m'aurait coûté bien moins cher de les faire moi-même. Et des tasses, avec ça, des soucoupes... Au marché du mercredi, c'est plus intéressant, ajouta-t-elle l'air sombre.

Voyant qu'il n'en apprendrait pas davantage, l'inspecteur prit alors congé.

— Un assassinat, chouette! fit Ernie, se désintéressant momentanément de la conquête de l'espace pour ce sujet d'actualité autrement passionnant. C'est pas Miss Pebmarsh qu'a fait le coup? suggéra-t-il alléché.

— Assez de sottises, fit sa mère. (Puis, saisie d'un doute :) J'me demande si j'aurais pas dû lui dire?

— Dire quoi, m'man?

— T'occupe pas, fit Mrs. Curtin. Ça n'a pas d'importance.

CHAPITRE VI

Récit de Colin

Une fois que nous eûmes attaqué de bons steaks saignants, arrosés de bière fraîche, Hardcastle poussant un soupir de satisfaction, m'annonça qu'il se sentait mieux.

— Au diable les agents d'assurances, les pendules et les filles hystériques! Allons, qu'est-ce que tu deviens, Colin? Je te croyais à mille lieues d'ici, et te voilà en train de musarder dans les rues de Crowdean. Si tu veux mon avis, pour la biologie sous-marine ce n'est pas l'endroit rêvé.

— Allons, pas d'ironie, Dick. La biologie sous-marine est très utile. Dès qu'on prononce ce nom, les gens ont tellement peur de s'ennuyer qu'ils ne vous posent jamais de questions.

— Comme ça, aucun risque de se trahir, hein?

— Tu oublies, dis-je froidement, que le diplôme que j'ai obtenu à Cambridge — sans mention il est vrai, mais un diplôme tout de même — est justement celui de biologiste de la vie sous-marine. C'est passionnant, et un jour je m'y remettrai.

— Naturellement, je suis au courant de ce que tu fais en ce moment. Mes félicitations. Le procès de Larkin se plaide le mois prochain, non?

— Oui.

— Époustouflant la manière dont il arrivait à transmettre sa camelote, depuis tout ce temps-là. Sans qu'on le surprenne jamais, n'est-ce pas?

— Jamais. Une fois qu'on a catalogué un type comme honnête, il est difficile d'en démordre.

— Il devait être très malin, remarqua Dick.

— Pas tant que ça. Pour moi, il exécutait seulement des consignes. Il avait libre accès à des documents très importants qu'il emportait tranquillement. Il les donnait à photographier et les remettait en place le jour même. Excellente organisation. Il s'arrangeait pour toujours déjeuner dans un endroit différent. Nous pensons qu'il devait accrocher son pardessus près d'un autre identique — qui n'était pas toujours porté par le même homme. Sans que jamais ni l'homme ni Larkin ne s'adressent la parole, il y avait échange de pardessus. On aimerait en savoir plus long sur leur système. C'était magnifiquement orchestré, à la seconde près. Derrière tout ça, il y a un cerveau.

— Ce qui explique pourquoi tu traînes encore près de la base navale de Portlebury?

— Oui, nous connaissons les deux extrémités de la filière : la base et Londres. Nous savons où et quand Larkin recevait sa paie. Mais entre les deux, il y a un hiatus, une drôle de petite combine que nous cherchons à découvrir car c'est là que se trouve le cerveau moteur. A un point X, se tient le quartier général avec son planning remarquable, qui brouille les pistes, pas une fois, mais au moins sept ou huit.

— Et pourquoi Larkin jouait-il ce jeu? interrogea Hardcastle curieux. Par idéologie? Orgueil? Ou par intérêt?

— Ce n'est pas un idéaliste, répondis-je. Il aime l'argent, voilà tout.

— Et vous n'auriez pas pu le coincer là plus tôt? Il le dépensait, cet argent, non? Il ne le planquait pas?

— Oh! non, il le faisait valser tant et plus. En fait, nous l'avions démasqué depuis longtemps, sans le faire savoir.

Hardcastle acquiesça.

— Je vois. Vous avez tapé dans le mille, et puis vous avez laissé courir un moment. Pas vrai?

— Plus ou moins. Il avait déjà transmis des renseignements très importants; nous lui avons permis d'en passer d'autres, apparemment intéressants. Dans mon service, le rôle d'idiot est payant de temps à autre.

— Je ne crois pas que ce genre de travail me plairait, Colin, dit Hardcastle pensif.

— Évidemment, ce n'est pas aussi passionnant que les gens l'imaginent, dis-je. C'est même généralement très monotone.

Dick me considérait d'un air intrigué.

— Je m'expliquerais bien ta présence à Portlebury, mais pourquoi ici, à Crowdean, qui est au moins à dix milles de là?

— Pour y trouver des croissants.

— Des croissants?

— Oui. Ou bien des lunes : nouvelles lunes, lunes croissantes, lunes décroissantes, et ainsi de suite... J'ai commencé à chercher à Portlebury. Il y a là-bas le bistrot du *Croissant de Lune!* C'était trop beau. J'y ai perdu pas mal de temps. Ensuite, il y avait *La Lune et les Étoiles*, *A la Pleine Lune*. Mais rien à faire. Laissant tomber les lunes, je me suis alors consacré aux croissants. Il y en avait plusieurs à Portlebury. Et le Croissant de Lansbury, celui d'Alridge, de Livermead, de Victoria...

Devant l'ahurissement « croissant » de Dick, j'éclatai de rire.

— Dick, ne fais pas cette tête. Je ne suis pas parti comme ça, le nez au vent.

Et ouvrant ma serviette, j'en extirpai une feuille de papier à lettres d'hôtel à en-tête, que je lui tendis. Dessus, un dessin grossier.

Hôtel Barrington
Berners Street
London W. 2.

— On l'a trouvée dans le portefeuille de Hangury, un de nos hommes qui a beaucoup travaillé sur cette affaire. C'était un de nos meilleurs agents. Il s'est fait renverser par une voiture, à Londres, sans qu'on ait pu relever le numéro. A vrai dire, je me demande ce que ça signifie : quelque chose qu'Hangury, pensant que c'était important, a dû noter ou copier. Qui sait? Quelque chose qu'il a vu ou entendu. En tout cas, en rapport avec la lune ou son croissant, l'initiale W et le nombre 61. C'est moi qui le remplace maintenant. Je travaille dans un certain rayon, tout autour de Portlebury.

« Sans bien savoir ce que je cherche, je suis persuadé qu'il y a quelque chose à trouver. Ça me fait trois semaines d'un labeur acharné, sans la moindre lueur. Ici, il n'y a qu'un seul croissant, celui de Wilbraham, et je venais y faire un petit tour pour voir à quoi ressemble le numéro 61, avant de te passer un coup de fil pour te demander des tuyaux. Mais ce 61 est impossible à trouver.

— Comme je te l'ai dit, c'est un entrepreneur du quartier qui y habite.

— Sans intérêt pour moi. A moins qu'il n'ait une domestique étrangère?

— Possible. De nos jours c'est courant. En tout cas, elle doit être déclarée chez nous. Je te renseignerai dès demain.

— Merci, vieux.

— D'autre part, suivant le processus habituel, nous allons interroger les gens des maisons de chaque côté du 19. Je pourrais y adjoindre la maison juste derrière, dont le jardin est mitoyen. Ça ne m'étonnerait pas que ce soit le 61. Si le cœur t'en dit, tu peux m'accompagner.

J'acceptai sans me faire prier. Rendez-vous fut pris pour le lendemain à neuf heures et demie au poste de police.

Arrivé à l'heure dite, je trouvai mon ami fou de rage. Dès qu'il eut renvoyé son malheureux sous-ordre, je lui en demandai avec tact la raison.

Un instant incapable de parler, soudain il explosa :

— Ces pendules de malheur!

— Encore les pendules? Qu'est-ce qu'il leur arrive?

— Il en manque une.

— Laquelle?

— Le réveil de cuir — avec « Rosemary » dessus.

— Extraordinaire. Comment est-ce arrivé?

— Quels imbéciles — et moi aussi d'ailleurs, ajouta Dick très objectif. Si l'on veut que rien n'accroche, il faudrait toujours mettre les points sur les i. Hier encore les pendules étaient toutes au salon. Je les ai même fait examiner par Miss Pebmarsh pour voir si elle les reconnaissait. Puis on est venu enlever le corps.

— Et après?

— J'ai demandé à Edward de les emballer soigneusement et de me les apporter ici. Toutes sauf le coucou et la grande horloge. Et c'est là où je suis fautif, j'aurais dû préciser : quatre montres. Edward m'assure qu'il a immédiatement exécuté mes ordres. Il maintient qu'outre les deux pendules au mur, il n'y en avait que trois autres.

— On a dû faire vite, observai-je. Ce qui impliquerait...

— Que la Pebmarsh pourrait avoir fait le coup : prendre le réveil quand j'ai quitté la pièce et l'emporter à la cuisine.

— Possible. Mais pourquoi?

— Nous n'en savons pas lourd. Voyons qui d'autre serait capable... La jeune fille peut-être.

— Je ne crois pas, dis-je après un instant de réflexion.

Puis me souvenant tout à coup, je m'arrêtai.

— C'est donc elle, dit Hardcastle. Allez, poursuis. Quand l'a-t-elle fait?

— Nous allions vers le car de police, dis-je tristement. Elle avait oublié ses gants. Quand je lui ai proposé d'aller les chercher, elle m'a répondu : « Oh! je sais exactement où ils se trouvent », et elle est partie en courant. Elle n'est restée qu'une seconde, remarque.

— Et en te rejoignant, elle avait ses gants?

— Oui... oui, je pense, fis-je hésitant.

— Elle ne les avait sûrement pas, dit Hardcastle, sinon tu n'aurais pas eu d'hésitation.

— Peut-être qu'elle les avait fourrés dans son sac?

— Le hic, fit Hardcastle l'air réprobateur, c'est que tu es tombé amoureux de cette fille.

— Ne dis pas de bêtises, rétorquai-je sur la défensive. Je l'ai vue hier pour la première fois et on ne peut pas dire que nous ayons lié connaissance d'une façon romantique.

— Pas si sûr que cela, fit Hardcastle. Ce n'est pas tous les jours qu'une jeune fille se précipite dans les bras d'un jeune homme en criant au secours, selon la plus pure tradition victorienne. L'homme se sent un héros, le défenseur-né. Seulement halte-là, mon vieux! Qui sait si cette jeune fille n'a pas trempé jusqu'au cou dans cette affaire de meurtre?

— Tu ne vas pas me faire croire que c'est cette fluette petite qui a poignardé un homme, qu'elle a si bien caché son coutelas qu'aucun de tes gorilles n'a pu le retrouver, et qu'ensuite, de sang-froid, elle s'est élancée dehors pour me faire la grande scène du 1?

— Tu n'imagines pas ce qu'on peut voir dans mon métier, fit Hardcastle l'air sombre.

J'étais indigné.

— Tu n'as pas l'air de te rendre compte que moi, je passe ma vie parmi des espionnes ravissantes de toutes nationalités. Et avec ça, si bien roulées qu'il y a de quoi en faire perdre le goût du whisky à un privé américain. Crois-moi, je suis vacciné contre les appas féminins, quels qu'ils soient.

— Nous finissons tous à Waterloo, dit Hardcastle. Il suffit de rencontrer son type. Et Sheila Webb m'a l'air d'être le tien.

— De toute manière, je ne comprends pas pourquoi tu veux absolument lui coller ça sur le dos.

— Ce n'est pas que j'y tienne, gémit Hardcastle. Mais il faut bien un point de départ. Le corps a été trouvé chez Miss Pebmarsh — qui est donc notre suspect numéro 1. Par qui? Par cette jeune Sheila — inutile de te dire que le premier qui découvre un homme mort est souvent le dernier à l'avoir vu en vie. En attendant mieux, nous sommes braqués sur ces deux-là.

— Quand je suis entré dans la pièce, l'homme en question était mort depuis au moins une demi-heure. Que réponds-tu à cela?

— Que c'est entre une heure et demie et deux heures et demie que Sheila Webb s'est absentée pour déjeuner.

Je le regardais avec exaspération.

— Et Curry? Qu'as-tu appris sur lui?

Brusquement amer, Hardcastle me répondit :

— Rien.

— Qu'est-ce que tu veux dire, rien?

— Eh bien, qu'on ne le connaît pas — il n'existe pas.

— Qu'en dit la compagnie d'assurances *Metropolis*?

— Rien, puisqu'elle non plus n'existe pas. En ce qui concerne Mr. Curry, de Denver Street, il n'y a pas de Mr. Curry, pas de Denver Street, ni de numéro 7, ni d'ailleurs aucun numéro.

— Passionnant. D'après toi, il avait donc de fausses cartes de visite avec une adresse professionnelle imaginaire?

— Apparemment.

— Où est la combine, à ton avis?

Hardcastle haussait les épaules.

— Pour l'instant nous jouons aux devinettes. Peut-être encaissait-il des primes d'assurances pour la frime. Comme un moyen pour lui d'entrer chez les gens, de manigancer un vol à l'américaine. Ce pouvait être un escroc, un maître chanteur ou le détective d'une agence privée, ou même un amateur qui piquait des bibelots. Nous n'en savons rien.

— Mais ça ne saurait tarder?

— Oh! bien sûr, ça arrivera bien un jour. Nous faisons vérifier ses empreintes. Si on en retrouve la trace, c'est un grand pas de franchi. Sinon, ça se corse encore davantage.

— Un privé... dis-je pensif. J'aimerais assez ça. Ça ouvre des horizons... Quand présente-t-on l'affaire au tribunal?

— Après-demain. Pure formalité : on ajournera la séance dès l'ouverture.

— Quel est le résultat de l'autopsie?

— Oh! poignardé à l'aide d'un instrument pointu — genre couteau de cuisine, par exemple.

— Ce qui tendrait à éliminer Miss Pebmarsh. Ça paraît difficile pour une aveugle de poignarder un homme. Au fait, est-elle vraiment aveugle?

— Sans aucun doute. Nous avons contrôlé ses dires : tout est vrai. Alors qu'elle enseignait les mathématiques dans une école du Nord, il y a seize ans, elle a perdu la vue — s'est mise à apprendre le Braille avec toute la sauce et a fini par décrocher son poste à l'Institut Aaronberg.

— C'est peut-être une cinglée, non?

— Obsédée par les pendules et les agents d'assurances?

— Cette affaire est tellement extraordinaire, dis-je, manifestant involontairement un léger enthousiasme. On croirait de l'Ariane Oliver dans ses plus mauvais romans, ou feu Garry Gregson à ses instants de génie.

— Vas-y, moque-toi bien de moi. Ce n'est pas toi le pauvre

bougre responsable de cette enquête aux yeux de ses supérieurs!

— Oh! bon, bon. Espérons que tu pourras tirer quelque chose des voisins.

— J'en doute, fit Hardcastle avec aigreur. Même assassiné en plein milieu du jardin et transporté par deux hommes masqués dans la maison, personne n'en saurait rien, personne n'aurait regardé par la fenêtre. Par déveine, ce n'est pas la campagne ici. Wilbraham Crescent est habité bourgeoisement. A partir d'une heure, les femmes de ménage, qui, elles, n'ont pas les yeux dans leurs poches, n'y sont plus. Pas une voiture — même d'enfant — ne roule par ici.

— Il n'y a pas de vieil infirme assis au long du jour devant sa fenêtre?

— Ce serait l'idéal. Mais non, aucun.

— Et au 18? Au 20?

— Au 18, nous trouvons un Mr. Waterhouse et sa sœur — lui est « principal » chez les avoués Gainsford et Swettenham; elle s'occupe « *principalement* » de lui, Quant au « 20 », tout ce que j'en sais c'est qu'il y vit une femme qui élève au moins vingt chats. Moi, les chats...

Je compatis à la dureté de son existence, et sur ce, nous voilà partis.

CHAPITRE VII

Sur les marches du 18, Mr. Waterhouse hésitant, lançait un regard inquiet à sa sœur :

— Tu es sûre qu'il ne t'arrivera rien?

— Enfin, James, que veux-tu dire? ronchonna Miss Waterhouse exaspérée.

Mr. Waterhouse prit cet air contrit qui chez lui devenait une seconde nature.

— C'est seulement, chère amie, qu'étant donné ce qui s'est passé hier... à côté... je pensais qu'il...

Très soigné, les cheveux grisonnants, Mr. Waterhouse s'apprêtait à partir pour son étude. C'était un homme grand, un peu voûté, au teint également gris, bien qu'il eût l'air en parfaite santé.

Quant à Miss Waterhouse, grande, anguleuse, elle était ce

genre de femme exigeante envers elle-même, intolérante envers les autres.

— Enfin, pourquoi diable veux-tu qu'on m'assassine aujourd'hui parce qu'on a assassiné hier chez la voisine?

— Mais, Édith, tout dépend du meurtrier auquel on a affaire...

— Alors, tu crois vraiment qu'il y a quelqu'un en train de déambuler dans Wilbraham Crescent pour choisir une victime dans chaque maison? Vraiment, James, c'est presque un blasphème.

— Un blasphème, Edith? dit Mr. Waterhouse interloqué. Une telle association d'idées lui échappait.

— Rappelle-toi le massacre des Innocents, c'est dans les Écritures.

— Je crois que là, Édith, tu vas un peu fort!

— Et je voudrais bien voir qui oserait entrer ici pour essayer de me tuer, moi, ajouta Miss Waterhouse avec humour.

A la réflexion, son frère s'avoua que c'était difficilement concevable. S'il avait dû se choisir une victime, loin de lui l'idée de prendre sa sœur. Car il est plus que probable que celle-ci, en cas d'attaque, aurait assommé son agresseur avec un tisonnier ou une barre de fer, pour le livrer tout ensanglanté et fort penaud entre les mains de la police.

— Je voulais seulement t'avertir, dit-il toujours plus humble, que... euh... quelques individus malsains traînent dans les parages.

— Sait-on encore ce qu'il s'est passé vraiment? commenta Miss Waterhouse. Il circule tant d'histoires. Encore ce matin, Mrs. Head m'en a raconté d'extraordinaires.

— Évidemment, évidemment, fit Waterhouse qui n'avait aucune envie d'écouter les potins de leur femme de ménage. Sa sœur ne cessait de se plaindre de ses inventions rocambolesques, qu'elle écoutait cependant d'une oreille avide.

— On raconte, fit Miss Waterhouse, que cet homme était comptable à l'Institut Aaronberg. Ayant découvert une erreur dans ses écritures, il était venu en demander l'explication à Miss Pebmarsh...

— ... Qui l'aurait assassiné, coupa son frère légèrement moqueur. Elle, une aveugle? Allons, voyons, tu ne vas pas...

— ... Qui lui aurait passé un lacet autour du cou et l'aurait étranglé, continua Miss Waterhouse. Il ne s'y attendait pas. Se méfie-t-on d'une aveugle? Bien sûr, je n'en crois rien, ajouta-t-elle. Cette Miss Pebmarsh est une femme très bien. Ce n'est pas parce que je ne partage pas toujours ses opinions qu'on doit lui attribuer des instincts criminels. Voyons, il n'y a pas que l'instruction qui

compte! Quand je vois ces écoles extraordinaires, presque entièrement en verre! On croirait des châssis à tomates. Je suis persuadée
que ça ne doit pas être bon pour la santé des enfants. D'ailleurs
Mrs. Head ne m'a-t-elle pas dit que Susan ne s'habituait pas à
sa nouvelle classe? Avec toutes ces fenêtres qui vous invitent à
regarder dehors, comment veut-on qu'elle s'intéresse à ses cours?

— Mon Dieu! fit Waterhouse en consultant sa montre, je vais
être en retard. Eh bien, au revoir, ma chère. Fais attention à toi.
Tu ferais peut-être mieux de mettre la chaîne.

Nouveau ronchonnement de Miss Waterhouse. Mais ayant
refermé derrière son frère, sur le point de monter elle se ravisa,
saisit un club de golf qu'elle déposa contre la porte, pour parer
à l'attaque.

« Bon! constata-t-elle avec satisfaction. Évidemment James dit
des bêtises. Mais mieux vaut se tenir sur ses gardes. Avec tous ces
fous qu'on relâche des asiles sous prétexte de les réintégrer dans la
vie courante, les pauvres innocents comme nous sont toujours
en danger! »

Miss Waterhouse était dans sa chambre quand Mrs. Head
— petite femme rondelette et bondissante telle une balle, qu'un
rien divertissait — se précipita vers elle.

— Deux messieurs vous demandent, dit-elle surexcitée. Enfin,
pas des messieurs, des gens de la police.

Sur la carte de visite qu'elle lui tendait, Miss Waterhouse lut :
Inspecteur Hardcastle.

— Les avez-vous fait entrer au salon? demanda-t-elle.

— Non, dans la salle à manger. J'avais ramassé le petit déjeuner
et j'ai trouvé que c'était assez bien pour eux : ce n'est que la
police après tout.

Sans bien saisir la logique de ce raisonnement, Miss Waterhouse
répondit :

— Je viens.

— Ils veulent sûrement vous questionner sur Miss Pebmarsh.
Savoir si elle ne vous paraissait pas bizarre. Ils prétendent que
ces manies-là, elles vous attrapent d'un seul coup, sans prévenir
ou presque. Mais généralement, on le voit à leur manière de
causer. Ou dans les yeux, qu'ils disent. Ben, avec une aveugle
c'est pas commode, pas vrai? Ah!... (Elle hochait la tête.)

Une légère curiosité transparaissant sous son air comme toujours agressif, Miss Waterhouse descendit et fit son entrée dans
la salle à manger.

— Bonjour, Miss Waterhouse, dit Hardcastle en se levant.

Il était accompagné d'un grand jeune homme brun que Miss

Waterhouse — bien qu'il eût bredouillé « Sergent Lamb » à
mi-voix — ne daigna pas saluer.

— J'espère qu'il n'est pas trop tôt pour vous déranger? enchaîna Hardcastle. Mais vous devinez sans doute ce qui m'amène,
après ce qu'il s'est passé à côté, hier.

— D'habitude, un assassinat chez une voisine ne passe pas
inaperçu, concéda Miss Waterhouse. J'ai même mis à la porte
deux ou trois reporters qui voulaient savoir si je n'avais pas vu
ou entendu quelque chose.

— Vous avez bien fait de les renvoyer, approuva Hardcastle.
Ces gens-là se faufilent un peu partout, mais je vous crois tout à
fait capable d'en venir à bout.

A ce compliment, Miss Waterhouse ne put s'empêcher de manifester un léger contentement.

— J'espère que vous ne nous en voudrez pas de vous poser à
peu près les mêmes questions, fit Hardcastle. Mais si par hasard
vous avez vu quelque chose qui puisse nous intéresser, nous vous
en serions très reconnaissants. A cette heure-là vous étiez chez
vous, je crois?

— J'ignore à quelle heure fut commis ce meurtre.

— Entre une heure et demie et deux heures et demie, à peu
près.

— Alors j'y étais sûrement.

— Et votre frère?

— Il ne rentre pas déjeuner. Qui a été assassiné? Il ne semble
pas qu'on l'ait dit dans mon journal.

— Nous l'ignorons, avoua Hardcastle.

— Un inconnu? Mais pas pour Miss Pebmarsh, quand même?

— Miss Pebmarsh soutient qu'elle n'attendait personne et
qu'elle ne le connaît absolument pas.

— Comment peut-elle l'affirmer, se récria Miss Waterhouse,
alors qu'elle n'y voit rien?

— Nous le lui avons soigneusement décrit.

— Quel genre d'homme était-ce?

D'une enveloppe, Hardcastle sortait un mauvais cliché qu'il
lui montra.

— Le voici. Savez-vous qui ça peut être?

— Non, non... dit Miss Waterhouse regardant la photo. Je ne
l'ai jamais vu, j'en suis certaine. Mon Dieu, le pauvre, il a l'air
d'un homme tout à fait bien. Il n'est pas du tout impressionnant,
on le croirait simplement endormi, sur cette photo.

Silence de Hardcastle, jugeant superflu de lui dire qu'elle avait
été choisie comme la moins désagréable à voir.

— La mort vient souvent plus doucement qu'on ne le pense; et quant à cet homme, il n'a pas dû se rendre compte de ce qu'il lui arrivait.

— Et Miss Pebmarsh, que dit-elle de tout cela?

— Elle n'y comprend rien.

— C'est ahurissant.

— Si seulement vous pouviez nous aider. Essayez de vous souvenir. Voyons, hier, entre midi et demi et trois heures, étiez-vous à la fenêtre, ou dans le jardin peut-être?

Miss Waterhouse réfléchissait. Puis :

— Oui, j'étais au jardin... attendez : avant une heure, je crois. C'est à une heure moins dix que je suis remontée me laver les mains et me mettre à table.

— N'avez-vous pas vu Miss Pebmarsh entrer ou sortir de chez elle?

— Elle rentrait, je crois... j'ai entendu grincer sa grille, disons un peu avant midi et demi.

— Lui avez-vous parlé?

— Oh! non. J'ai juste levé les yeux en entendant ce grincement. C'est l'heure à laquelle elle rentre d'habitude, après ses cours.

— A ce qu'elle m'a dit, Miss Pebmarsh est ensuite ressortie vers une heure et demie. Êtes-vous d'accord?

— Eh bien! oui, sans pouvoir jurer de l'heure exacte, je l'ai passer vue passer devant ma grille.

— Pardon, Miss Waterhouse, vous avez bien dit « passer devant votre grille »?

— Naturellement. J'étais au salon qui, contrairement à cette salle à manger, donne, lui, sur la rue. J'y ai pris mon café après le déjeuner. Assise près de la fenêtre, je lisais le *Times*, et c'est en tournant une page, je crois, que j'ai remarqué Miss Pebmarsh passant devant ma grille. Qu'y a-t-il d'étonnant à cela, inspecteur?

— Oh! pas grand-chose, fit Hardcastle souriant. Sinon que j'avais cru comprendre que Miss Pebmarsh sortait pour aller à la poste et faire quelques courses, et le chemin le plus court, dans ce cas-là, n'est-ce pas par l'autre côté?

— Tout dépend à quels magasins l'on va, répliqua Miss Waterhouse. Évidemment, de l'autre côté, la poste et les commerçants d'Albany Road sont plus proches.

— Mais peut-être Miss Pebmarsh a-t-elle l'habitude de passer devant chez vous à cette heure-là?

— Mon Dieu, je n'en sais rien, ni à quelle heure elle sort, ni dans quelle direction. Je n'ai pas le temps de surveiller mes voisins, inspecteur. J'ai bien trop à faire pour m'occuper des autres. Pas comme certains qui passent leur temps à leur fenêtre à guetter les allées et venues dans la rue. Mais il s'agit souvent de malades qui n'ont rien de mieux à faire que de cancaner sur leurs voisins.

A son ton rêche, l'inspecteur se douta que Miss Waterhouse pensait à quelqu'un en particulier.

— Bien sûr, bien sûr, enchaîna-t-il précipitamment. (Puis ajouta :) Peut-être allait-elle téléphoner : n'est-ce pas de ce côté que se trouve le téléphone public?

— Si, en face du 15.

— Et voilà ma question la plus importante, Miss Waterhouse : n'auriez-vous pas vu entrer cet homme, cet homme mystérieux comme l'ont appelé les journaux?

— Non, fit Miss Waterhouse, non, je ne l'ai pas vu. Ni lui, ni personne d'autre.

— Entre une heure et trois heures que faisiez-vous?

— Pendant une demi-heure environ, les mots croisés du *Times* jusqu'au moment où il m'a fallu aller à la cuisine laver ma vaisselle du déjeuner. Ensuite, voyons : j'ai rédigé deux lettres et quelques chèques; puis je suis montée trier des vêtements pour les porter chez le teinturier. C'est à ce moment-là, je pense, que de ma chambre j'ai perçu du vacarme à côté. Entendant des cris, je suis aussitôt allée à la fenêtre. Devant la grille, il y avait un jeune homme avec une jeune fille dans ses bras, m'a-t-il semblé.

A ces mots, légère agitation du « sergent Lamb »; mais qui n'attira pas autrement l'attention de Miss Waterhouse, à mille lieues de supposer que c'était lui le jeune homme en question.

— ... Le jeune homme, je ne l'ai vu que de dos en train de discuter avec la jeune fille. En fin de compte, chose curieuse, il l'a adossée à la grille. Et il s'est précipité dans la maison.

— Vous n'aviez pas vu Miss Pebmarsh rentrer chez elle juste avant?

— Non, répondit Miss Waterhouse. Mais je n'ai regardé à la fenêtre qu'en entendant pousser ce cri invraisemblable. De toute façon, je ne m'en suis pas autrement inquiétée, les jeunes gens ont des manières si curieuses, crier, se bousculer, glousser, enfin à faire tant de bruits divers, que je n'ai pas pris ça au sérieux. En tout cas, pas avant l'arrivée des voitures de police.

— Et à ce moment-là, qu'avez-vous fait?

— Eh bien, je suis sortie, et après être restée quelques instants sur les marches, je suis allée dans le jardin derrière la maison. Je me demandais ce qui se passait; mais de là on ne voyait rien

non plus. Quand je suis revenue, un petit groupe s'était formé.
On m'a dit qu'il y avait eu un assassinat en face — ce qui me parut
fantastique, oui, fantastique, fit Miss Waterhouse d'un ton réprobateur.

— Et vous n'avez rien d'autre à nous dire?

— Non, vraiment rien.

— Récemment, ne vous a-t-on pas envoyé de prospectus d'assurances, annoncé la visite d'un courtier?

— Non, pas du tout. D'ailleurs James et moi, nous sommes
assurés par une Mutuelle. Évidemment, nous recevons toujours
des lettres publicitaires et autres prospectus, mais pas ces jours-ci.

— Aucune lettre signée « Curry »?

— Curry? Jamais de la vie.

— Et ce nom ne vous rappelle rien?

— Rien. Pourquoi donc?

Hardcastle sourit.

— Ça vaut mieux, dit-il. C'est le nom du mort, ou du moins
celui qu'il s'attribuait.

— Ce n'était pas le sien?

— Nous avons l'impression que non.

— Un genre d'escroc, alors? questionna Miss Waterhouse.

— On ne peut rien affirmer sans preuves.

— Heureusement, heureusement. Il faut être prudent, je sais.
Pas comme certains, ici, qui racontent n'importe quoi. C'est à
se demander pourquoi on ne les poursuit pas pour médisance.

— Diffamation, corrigea le jeune Lamb, ouvrant la bouche
pour la première fois.

A la surprise de Miss Waterhouse, qui le regarda comme si
elle ne s'était pas rendu compte de son existence en tant qu'individu et l'avait considéré uniquement en tant que complément de
l'inspecteur Hardcastle.

— Vous me voyez désolée de n'avoir pu vous aider, dit Miss
Waterhouse.

— Moi aussi, répliqua Hardcastle. Le témoignage de quelqu'un d'aussi intelligent que vous, avec votre jugement et vos
facultés d'observation, m'aurait été fort utile.

— Si seulement j'avais pu voir quelque chose, surenchérit
Miss Waterhouse, d'un ton soudain aussi spontané que celui d'une
jeune fille.

— Et votre frère? demanda l'inspecteur.

— James? Aucun danger! s'exclama Miss Waterhouse méprisante. Il ne sait jamais rien. De toute façon il se trouvait chez
Gainsford and Smettenham dans High Street. Oh non! James ne vous

serait d'aucun secours. Comme je vous l'ai dit, il ne rentre jamais déjeuner.

— Où mange-t-il d'ordinaire?

— Oh! il ne prend que des sandwiches et du café aux *Three Feathers*, un endroit très apprécié des hommes d'affaires pour ses déjeuners ultra-rapides.

— Merci, Miss Waterhouse. Veuillez nous excuser de vous avoir importunée si longtemps.

Et se levant, il passa dans l'entrée où Miss Waterhouse les raccompagna.

— Très bon club de golf, dit Colin, s'emparant de celui qui était posé contre la porte et le soupesant d'une main. Vous êtes parée pour le pire, à ce que je vois, Miss Waterhouse?

Celle-ci perdit contenance.

— Vraiment, dit-elle, je ne comprends pas du tout ce que ce club vient faire là.

Et le lui arrachant des mains elle le remit dans son sac.

Une fois dehors :

— Eh bien, soupira Colin, malgré tout le plat que tu lui as fait, tu n'en as pas tiré grand-chose.

— D'habitude pourtant, ça réussit. Les plus coriaces sont souvent les plus sensibles aux compliments.

— A la fin elle ronronnait comme un chat devant un pot de crème. Malheureusement, il n'en est rien sorti d'intéressant.

— Rien? fit Hardcastle.

Colin se retourna vivement vers lui.

— A quoi penses-tu?

— Oh! à un détail insignifiant et sans doute sans importance : Miss Pebmarsh, pour aller faire ses courses, a tourné non pas vers la droite mais vers la gauche. Or, d'après Miss Martindale, c'est à deux heures moins dix qu'on lui aurait téléphoné.

Colin le regarda étonné :

— Bien qu'elle l'ait nié, tu penses que ça pourrait être Miss Pebmarsh? Elle a pourtant été très catégorique.

— Oui, prononça Hardcastle d'un ton neutre. Presque trop.

— Mais si c'est elle, pourquoi?

— Oh! pourquoi ceci, pourquoi cela... pourquoi toute cette comédie? Est-ce Miss Pebmarsh qui a téléphoné pour faire venir cette jeune fille? Alors pourquoi? Si c'est quelqu'un d'autre, alors pourquoi compromettre Miss Pebmarsh? Que savons-nous jusqu'ici? Rien. Au moins, si cette Martindale connaissait Miss Pebmarsh, elle aurait pu identifier sa voix... Eh bien, puisque le 18 est si décevant, tentons notre chance auprès du 20.

CHAPITRE VIII

Outre son numéro, le 20 Wilbraham Crescent portait un nom : *Diana Lodge*. D'apparence hostile avec son portail fortement grillagé et ses tristes lauriers tavelés, mal taillés, qui le défendaient des importuns.

— Si jamais une maison mérite de s'appeler *Les Lauriers*, c'est bien celle-là! apprécia Colin. Je me demande pourquoi on l'a baptisée *Diana Lodge*? dit-il en jetant les yeux autour de lui.

Point de parterres de fleurs dans ce jardin redevenu sauvage où prédominaient de touffus massifs enchevêtrés, ainsi qu'une forte odeur ammoniacale de chat. De la maison délabrée pendaient des gouttières fatiguées; seule la porte, fraîchement repeinte en bleu outremer cru, dénotait un certain entretien, mais, par contre, accusait encore l'abandon de tout le reste. Aucune sonnette électrique, mais une sorte de poignée que l'on devait tirer. Ce que fit l'inspecteur, déclenchant à l'intérieur un carillon grêle et lointain.

— Ma parole, articula Colin, on dirait un château fort.

Quelques instants ils restèrent là à attendre. Puis, des sons bizarres se firent entendre dans la maison, comme une espèce de litanie, moitié parlée, moitié chantée.

— Du diable si... commençait Hardcastle.

Mais le troubadour disert se rapprochant de la porte, les mots devenaient audibles.

— Non, mon chou-chou, là, mon petit. Mi-mi-chacha, mimi. Cléo-Cléopâtre. Allons minou-minou-minou...

Bruits de portes qui se ferment; enfin s'ouvrit celle de l'entrée. Devant eux, en une robe d'un velours vert fané, se tenait une dame. Coiffée, à la mode d'il y a trente ans, d'un échafaudage très compliqué de mèches gris jaunasse, avec autour du cou un boa de fourrure orangée.

— Mrs. Hemming? s'aventura Hardcastle.

— C'est moi. Tout doux Sunbeam, doudou petit...

C'est alors que l'inspecteur vit le boa se transformer en chat. Et non pas solitaire. Car dans l'entrée déambulaient trois autres chats miaulants qui prirent place aux côtés de leur maîtresse, en circonvolutions souples autour de sa jupe, cillant vers les visiteurs. Et avec eux, envahissante, une forte odeur de chat montait au nez des deux hommes.

— Je me présente, inspecteur Hardcastle.

— Vous venez me voir au sujet de ce sale type de la S. P. A., je

pense, fit Mrs. Hemming. C'est une honte! J'ai d'ailleurs écrit pour me plaindre. Oser m'accuser de rendre mes chats malheureux, de les élever dans de mauvaises conditions d'hygiène! Quel toupet! Moi qui ne vis que pour mes bêtes, inspecteur. Elles sont tout pour moi, mon bonheur, ma joie. Il faut voir comment je les soigne! Shah-Shah-Mimi. Non, pas là, mon chéri.

Mais sans égard pour la main restrictive, Shah-Shah-Mimi bondit sur la table du hall. Et là, fixant le visiteur, entreprit de faire sa toilette.

— Entrez, dit Mrs. Hemming. Oh! non — que je suis distraite — pas dans cette pièce-là!

Mais quand elle ouvrit la porte de gauche, de la pièce émanait une puanteur encore plus âcre.

Là, sur les chaises et tables, des tas de peignes et de brosses bourrés de poils. Et sur de vieux coussins sales, six autres chats encore.

— Je vis pour mes chers petits, déclara à nouveau Mrs. Hemming. Ils me comprennent si bien.

Courageusement, l'inspecteur Hardcastle s'avança. Malheureusement pour lui il était allergique aux chats. Et, bien entendu, tous les chats lui firent fête. L'un sauta sur ses genoux, l'autre se frotta amoureusement à son pantalon. Mais, lèvres serrées, l'inspecteur tenait bon.

— Puis-je vous poser quelques questions, Mrs. Hemming, au sujet de...

— Ne vous gênez pas, l'interrompit Mrs. Hemming. Je puis tout vous montrer : leur nourriture, leurs paniers. Cinq d'entre eux couchent dans ma chambre, les sept autres ici en bas. Quant au poisson qu'ils mangent, il est toujours de première qualité et cuit de mes mains.

— Il ne s'agit pas des chats, dit Hardcastle élevant le ton. Je viens au sujet de cette triste affaire d'à côté. Vous êtes au courant, non?

— A côté? Vous voulez parler du chien de Mr. Josaiah?

— Non, dit Hardcastle, du 19 où hier on a trouvé un homme assassiné.

— Vraiment? fit Mrs. Hemming poliment mais sans le moindre intérêt, les yeux toujours sur ses chats.

— Puis-je vous demander si vous étiez chez vous hier, entre une heure et demie et trois heures et demie?

— Oh! mais oui. Je fais toujours mon marché très tôt le matin afin de rentrer à temps pour le déjeuner de mes petits, après quoi je les brosse et je les toilette.

— Et vous n'avez rien remarqué à côté? Les voitures de police, ni l'ambulance, rien de tout cela?

— Désolée, mais je ne crois pas avoir regardé par cette fenêtre. J'étais au fond du jardin à chercher cette pauvre Arabella qui s'était perdue. C'est une toute jeune chatte; elle avait grimpé sur un arbre et je craignais qu'elle ne puisse en descendre. J'ai essayé de l'attirer avec un plat de poisson, mais elle avait peur, la pauvre petite. A la fin, lassée, je suis rentrée à la maison. Eh bien, le croiriez-vous? Au moment où je passais la porte, la voilà qui descend et me suit.

Tour à tour, elle dévisagea les deux hommes pour voir ce qu'ils en pensaient.

— Après tout, c'est possible, dit Colin incapable de tenir sa langue plus longtemps.

— Pardon? fit Mrs. Hemming surprise.

— J'aime beaucoup les chats, continua Colin, et leur comportement m'est familier. Ce que vous nous dites me paraît fort symptomatique et conforme à leur nature de chat. Tenez, voyez comme ceux-ci se pelotonnent autour de mon ami qui ne peut franchement les souffrir, au lieu de s'intéresser à moi, en dépit de toutes mes avances.

Mrs. Hemming se rendit-elle compte que Colin ne se comportait pas comme un agent de police ordinaire? Elle ne parut pas s'en apercevoir, murmura simplement :

— Les chers petits, ils savent toujours, n'est-ce pas?

Un ravissant persan posait ses pattes sur les genoux de l'inspecteur, et d'un air d'extase lui plantait ses griffes dans la peau, le pétrissant comme une pelote à épingles. C'en était trop pour l'inspecteur qui se leva.

— Madame, pourriez-vous me montrer le jardin du fond? demanda-t-il.

Léger rictus moqueur de Colin.

— Oh! mais bien sûr, bien sûr, je suis à votre disposition, fit Mrs. Hemming se levant à son tour.

De son cou s'étirait le chat orangé, qu'elle posa machinalement auprès du persan gris, puis elle les précéda dehors.

— Nous nous sommes déjà vus, fit Colin au chat orangé. Et vous, vous êtes très beau, n'est-ce pas? ajouta-t-il s'adressant à un persan bleu qui, assis sur une table près d'une lampe chinoise, remuait doucement la queue. Il le gratta derrière l'oreille, le caressa; alors seulement le chat consentit à ronronner.

— Fermez bien la porte derrière vous, Mr... euh, cria Mrs. Hemming du hall. Le vent souffle aujourd'hui et je crains que mes petits ne prennent froid. Et aussi ces sales gamins... pas moyen de laisser mes chers petits se promener seuls dans le jardin.

— Quels sales gamins? s'enquit Hardcastle.

— Les deux garçons de Mrs. Ramsay, qui habitent derrière. De vrais blousons noirs. Armés de leur fronde, ils se cachent pour les attaquer. Et l'été, ce sont des pommes qu'ils jettent.

— C'est une honte! fit Colin.

De ce côté, le jardin était encore plus sauvage, si possible, que celui du devant. Envahi de mauvaises herbes, hérissé de buissons échevelés, avec encore des aucubas.

« Nous perdons notre temps », jugea Colin face à la muraille d'impénétrables arbustes au travers desquels il était impossible d'entrevoir quoi que ce soit du jardin de Miss Pebmarsh.

Diana Lodge pouvait se décrire comme entièrement isolée de ses voisins.

— Le 19, disiez-vous? interrogea Mrs. Hemming s'arrêtant indécise au milieu du jardin. Mais je le croyais habité par une aveugle seule?

— L'homme assassiné était étranger à la maison.

— Ah! bien, fit Mrs. Hemming toujours distraite, il n'est donc venu là que pour se faire assassiner. Ma foi, c'est curieux.

« Ce qui, se dit Colin intérieurement, décrit très bien la situation. »

CHAPITRE IX

Ayant repris la voiture, ils roulèrent le long de Wilbraham Crescent, tournèrent sur leur droite deux fois de suite, pour reprendre la seconde section du Crescent.

— En fait, c'est simple comme bonjour, remarqua Hardcastle.

— Quand on le sait, dit Colin.

— Le 61 est mitoyen au jardin de Mrs. Hemming, mais par un de ses coins, il touche à celui du 19. Ce qui nous permettra d'aller dire un petit bonjour à votre Mr. Bland. Au fait, ils n'ont pas de domestique étrangère.

— Envolée ma théorie! se lamenta Colin.

Une fois arrivés :

— Dites donc, fit Colin, en voilà un beau jardin.

C'était en effet le jardin de banlieue modèle : rempli de massifs de géraniums bordés de lobelias; de beaux bégonias et çà et là, de grenouilles, de champignons, de grimaçants lutins et autres objets décoratifs en faïence.

— Je suis sûr que Mr. Bland est un homme de valeur, décréta Colin en frissonnant. Sans cela, comment expliquer ces réalisations étonnantes?

Et comme Hardcastle sonnait :

— Tu crois qu'il est là, à cette heure?

— Je lui ai téléphoné, expliqua Hardcastle, pour prendre rendez-vous.

A cet instant, une jolie petite camionnette ralentit pour rentrer dans le garage. Claquant la portière derrière lui, Mr. Josaiah Bland s'avançait vers eux. De taille moyenne, chauve, avec de petits yeux bleus, il les accueillit très chaleureusement.

— Inspecteur Hardcastle? Entrez donc, dit-il.

Et il les conduisit au salon où tout respirait la richesse : le bureau empire, un secrétaire en marqueterie et divers bibelots de valeur.

— Prenez place, dit Mr. Bland toujours affable. Cigarettes? A moins que ce ne soit interdit pendant le service.

— Non merci, fit Hardcastle.

— Pas d'alcool non plus, je pense? Eh bien, autant de gagné pour nous deux, pas vrai? enchaîna Mr. Bland. Alors, que se passe-t-il? L'affaire du 19, je suppose. Un coin de son jardin touche au nôtre, mais sauf des fenêtres du premier, on n'en voit pas grand-chose. Drôle d'histoire, hein? Du moins à ce que racontent les journaux. J'étais ravi de recevoir votre coup de téléphone. Comme ça, j'aurai des renseignements de première main. Vous ne pouvez pas savoir les bruits qui circulent. Pas étonnant que ma femme soit nerveuse, avec cette idée d'un assassin en train de rôder. Ah! cette manie qu'on a de nos jours de relâcher des tas de types névrosés. En liberté surveillée, comme on dit. Et puis hop, ils descendent quelqu'un et on les boucle à nouveau. Et ce qu'on entend raconter! Par les livreurs, la femme de ménage... vous ne pouvez pas vous l'imaginer! Il y en a qui disent qu'on l'a étranglé avec du cordon à rideau, d'autres qu'on l'a poignardé, ou encore qu'on l'a assommé. En tout cas c'est bien d'un homme qu'il s'agit, non? C'est pas la vieille qu'on a liquidée? Un inconnu, disent les journaux...

Mr. Bland se taisait enfin.

— C'était un inconnu avec sa carte de visite dans sa poche, fit Hardcastle d'un ton sarcastique.

— Et voilà. Encore une invention, s'écria Mr. Bland. Ah! ces potins. On se demande qui invente toutes ces histoires.

— A propos du mort, veuillez regarder ceci, dit Hardcastle, sortant une fois de plus le cliché de l'identité judiciaire.

— Alors, c'est lui? dit Mr. Bland. Un homme comme vous et moi, comme tout le monde en somme. Inutile sans doute de vous demander pourquoi on l'a assassiné?

— C'est un peu prématuré, rétorqua Hardcastle. Ce que j'aimerais savoir, Mr. Bland, c'est si vous l'avez jamais rencontré.

— Jamais, fit Bland. Et je suis physionomiste.

— Il ne s'est jamais présenté chez vous, sous un prétexte quelconque — pour placer des assurances ou une machine à laver, que sais-je moi. Non?

— Mais non.

— Peut-être Mrs. Bland en saurait-elle davantage. Après tout, c'est elle qui l'aurait reçu s'il avait sonné à votre porte.

— Très juste. Mais je me demande si... Vous savez, Valérie, ma femme, n'est pas très solide. Je n'aimerais pas lui donner d'émotions. Car enfin, c'est la photo d'un cadavre, n'est-ce pas?

— Exact, fit Hardcastle. Mais elle n'est pas du tout impressionnante.

— C'est vrai. Fort bien prise, on croirait le type endormi.

— C'est de moi que tu parles, Josaiah?

La porte s'ouvrait, poussée par une femme entre deux âges qui avait dû écouter avidement toute leur conversation de la pièce voisine.

— Ah! te voilà, ma chère, fit Bland. Je te croyais encore au lit.

— Quel horrible crime, dit Mrs. Bland à mi-voix. Rien que d'y penser, j'en tremble.

Haletante, elle se laissa tomber sur le canapé.

— Allonge-toi, ma chérie, dit Bland.

Elle obéit. C'était une femme blondasse au teint anémique, ayant l'air d'une malade qui se complaît dans son état. Un instant Hardcastle lui trouva une fugitive ressemblance avec quelqu'un, mais qui? Impossible malgré ses efforts, de s'en souvenir.

De sa voix plaintive, Mrs. Bland poursuivait :

— Je ne suis pas très bien portante, inspecteur. C'est pourquoi mon mari essaie de m'épargner toute émotion, tout ennui. Je suis une hypersensible. Vous parliez d'une photo du... enfin d'un mort, je crois. Oh! mon Dieu, c'est affreux! Je me demande si j'aurai le courage de la regarder.

« Et dire qu'elle en meurt d'envie », pensa Hardcastle. Malicieusement, il surenchérit :

— Peut-être en effet, vaut-il mieux pas, Mrs. Bland. C'était seulement pour savoir s'il n'avait pas sonné à votre porte un jour, par hasard, auquel cas vous auriez pu nous aider.

— Il faut que je fasse mon devoir, n'est-ce pas? dit Mrs. Bland avec un petit sourire courageux.

Et elle tendit la main.

— Crois-tu vraiment que ce soit la peine de te rendre malade, Val?

— Ne sois pas stupide, Josaiah. Il le faut.

Elle contemplait la photo avec un grand intérêt et même — du moins aux yeux de l'inspecteur — un certain dépit.

— Mais il a l'air... Vraiment, on ne croirait jamais qu'il est mort. Ni qu'on l'ait assassiné. L'a-t-on... a-t-il été étranglé?

— Poignardé, fit l'inspecteur.

Frissonnante, Mrs. Bland ferma les yeux.

— Pensez-vous l'avoir déjà vu, Mrs. Bland?

— Non, fit Mrs. Bland avec une répugnance manifeste. Non, non. Je ne crois pas. Est-ce que c'était... enfin, faisait-il du porte-à-porte?

— Plus probablement un courtier d'assurances, émit Hardcastle prudent.

— Un parent de Miss Pebmarsh?

— Pas du tout. Il lui est totalement inconnu.

— Très étrange, fit Mrs. Bland.

— Vous connaissez Miss Pebmarsh?

— C'est beaucoup dire. En tant que voisine seulement. Elle demande souvent conseil à mon mari sur son jardin.

— Vous avez l'air en effet d'un excellent jardinier, remarqua Hardcastle.

— Oh! non, rien d'extraordinaire, fit Bland modestement. Bien sûr, je m'y connais un peu. Mais deux fois par semaine je fais venir un type de métier pour tout nettoyer et planter ce qu'il faut. Incontestablement notre jardin est le plus beau de tous les environs. Mais je n'y travaille pas moi-même, pas comme mes voisins.

— Mrs. Ramsay? s'exclama Hardcastle.

— Non, non. Comme McNaughton, au 63. Son jardin, pour lui c'est sa vie. Il y passe des journées entières, se passionne pour son compost; Dieu sait s'il peut être ennuyeux sur ce sujet! Au fait... vous avez sans doute d'autres choses à me demander.

— En effet, acquiesça Hardcastle. Votre femme ou vous, étiez-vous par hasard dans votre jardin hier? Comme il touche au 19, il se pourrait que vous ayez vu ou entendu quelque chose d'intéressant?

— A midi? A l'heure du crime? interrogea Bland.

— Plutôt entre une heure et trois heures.

Bland fit non de la tête :

— A ce moment-là, j'étais dans la maison d'où l'on ne voit rien. Valérie et moi déjeunons à la salle à manger qui donne sur la rue. Comment savoir ce qui se passe au jardin?

— A quelle heure déjeunez-vous?

— A environ une heure. Parfois une heure et demie.

— Et ensuite, vous n'êtes pas sortis?

— Ma femme se repose toujours après le repas; et moi-même, quand j'en ai le temps, je pique aussi mon petit somme. J'ai dû quitter la maison... euh... vers trois heures moins le quart, je pense. Mais je ne suis pas allé malheureusement me promener au jardin.

— Tant pis, soupira Hardcastle. Ces questions, nous sommes forcés de les poser à tout le monde.

— Bien sûr, bien sûr. Désolé de ne pouvoir vous aider.

— Très joli, chez vous, admira Hardcastle. Vous n'avez pas lésiné sur les frais, si je puis dire.

Bland rit de bon cœur.

— C'est que nous aimons les jolies choses. Ma femme a du goût. Et l'an dernier il nous est tombé une aubaine. Un héritage de l'oncle de ma femme, qu'elle n'avait pas revu depuis au moins vingt-cinq ans. Une bonne surprise, quoi. Pour nous, ça a changé bien des choses, je vous l'assure. Nous roulons sur l'or à présent et nous pensons même nous offrir une croisière dans le courant de l'année. Voir la Grèce et le reste. Très instructif, je crois. Moi, je me suis fait moi-même, je n'ai pas eu le temps de m'occuper de tout ça, mais ça m'intéresse. Je ne suis allé que de temps à autre, en week-end dans le « gay Paris », mais voyager, voyez-vous, c'est mon rêve. Je caresse l'idée de vendre la maison pour aller vivre au Portugal, en Espagne ou même dans les Antilles. Comme beaucoup de gens, d'ailleurs. Là-bas, plus d'impôt sur le revenu, plus d'embêtements. Mais ma femme n'est pas d'accord.

— Ce n'est pas que je n'aime pas voyager, leur expliqua Mrs. Bland, mais je ne me vois pas vivre ailleurs qu'en Angleterre. J'ai ici tous mes amis, ma sœur aussi, et puis nous sommes connus. Dans un autre pays, ce serait l'isolement. Et enfin j'ai mon médecin ici, qui me soigne très bien. Un médecin étranger ne m'inspirerait aucune confiance.

— Nous verrons, fit son mari. Nous partirons en croisière et, qui sait? Peut-être tomberas-tu amoureuse d'une île grecque?

Mrs. Bland eut l'air sceptique :

— Y aura-t-il au moins un bon médecin anglais à bord? interrogea-t-elle.

— Certainement, affirma son mari.

Et tout en raccompagnant Colin et Hardcastle, il leur renouvela ses regrets de ne pouvoir leur être d'aucune aide.

— Alors, qu'en penses-tu? demanda Hardcastle.

— Je ne le chargerais pas de me construire une maison, répondit Colin. Mais les petits entrepreneurs véreux ne m'intéressent guère pour l'instant. Ce que je cherche, moi, c'est un homme au service d'une cause, un homme engagé. Au point de vue de ton enquête, Bland n'est pas l'assassin qu'il te faut. C'est plutôt le genre de type qui nourrirait sa femme à l'arsenic ou qui, peut-être, essaiera de la basculer dans la mer Égée, pour épouser une blonde capiteuse. Mais si...

— Écoute, chaque chose en son temps, interrompit Hardcastle. Pour le moment, c'est d'un autre meurtre qu'il s'agit.

CHAPITRE X

Au 62 Wilbraham Crescent, pour s'encourager, Mrs. Ramsay se répétait sans cesse : « Plus que deux jours encore, plus que deux jours. »

Et de la main, elle balayait une mèche sur son front moite. Grand fracas dans la cuisine. Mrs. Ramsay ne se sentait pas d'attaque pour aller mesurer l'étendue du désastre. Si seulement elle avait pu ne rien entendre! Oh! tant pis, plus que deux jours!

Traversant le hall, elle ouvrit brutalement la porte, et d'une voix déjà moins acerbe qu'il y a trois semaines, interrogea :

— Alors, qu'est-ce qu'il y a encore?

— Pardon, m'man, s'excusa son fils Bill. On faisait simplement une partie de boules avec des boîtes de conserves, et puis, j'sais pas comment, elles ont roulé dans le placard à vaisselle.

— On l'a pas fait exprès, fit Ted le plus jeune.

— Allons ouste, rangez-moi ça. Donnez un coup de balai et jetez tout ce qu'il y a de cassé à la poubelle.

— Oh! m'man, pas maintenant.

— Si, tout de suite.

— Ted n'a qu'à le faire, fit Bill.

— C'est ça, protesta Ted. C'est toujours moi. J'le ferai pas si tu le fais pas.

— J'te parie que si.

— Et moi que non.

Les deux garçons s'empoignèrent.

— Oh! filez! cria Mrs. Ramsay, les poussant hors de la cuisine.

Puis la porte fermée, elle se mit en devoir de ramasser les boîtes, balayer les débris.

« Plus que deux jours! pensa-t-elle, et c'est la rentrée. » Ah! vraiment, quelle adorable, quelle miraculeuse perspective pour les mères de famille! Lui revint en mémoire cette phrase si dure d'une journaliste : « Dans toute son année, une femme ne peut espérer que six jours de bonheur — le premier et le dernier jour de chaque vacance. » Que c'est donc vrai, songeait Mrs. Ramsay, tout en balayant les débris d'assiettes de son plus beau service. Avec quelle joie n'avait-elle pas attendu la venue de sa progéniture, il y avait cinq semaines à peine. Et maintenant : « Demain, Ted et Bill rentreront au collège. J'ose à peine y croire. Tant j'ai hâte qu'ils y soient. »

Pourtant, comme elle avait été heureuse de les accueillir sur le quai de la gare, à leur arrivée. Se réjouissant ensuite de les voir parcourir la maison du haut en bas, courir dans le jardin. Et ce gâteau qu'elle leur avait confectionné pour leur goûter... Aujourd'hui, elle n'avait plus qu'un seul désir : un jour de détente, sans repas plantureux à préparer, sans d'interminables rangements à faire. Dieu sait si elle les aimait, si elle en était fière de ses garçons! Mais ils étaient tuants, épuisants par leur vitalité, leur appétit, leur tapage.

A ce moment, s'élevèrent des cris rauques. Inquiète, elle tourna la tête. Mais ce n'était rien; ils sortaient seulement dans le jardin. Tant mieux — au moins là ils avaient de l'espace. Évidemment, ils risquaient peut-être d'ennuyer les voisins. Pourvu qu'ils laissent en paix les chats de Mrs. Hemming! Pas pour les chats, non, mais à cause du grillage de la clôture si néfaste pour leurs culottes. D'un coup d'œil elle s'assura que la boîte à pharmacie était bien là, à portée de sa main sur la commode. Non qu'elle fût mère poule; elle savait qu'à leur âge les garçons sont naturellement casse-cou. Et même, l'une de ses premières recommandations était toujours : « Allons, ne restez pas là, dans le salon, à saigner comme des bœufs. Vite à la cuisine, où le linoléum ne craint rien. »

A l'instant même, au-dehors, retentit un hurlement terrifiant suivi d'un silence si profond que Mrs. Ramsay commença à prendre peur. Elle restait là figée, la pelle à ordures à la main, quand la porte de la cuisine s'ouvrit devant Bill, le visage empreint d'un air d'extase et de respect qui ne lui était pas naturel.

— M'man, prononça-t-il, il y a un inspecteur avec un autre homme qui sont là.

— Ah! fit Mrs. Ramsay soulagée. Et que veut-il, mon chéri?

— Te voir. Ça doit être pour le crime. Tu sais, chez Miss Pebmarsh, hier?

— Mais je ne vois pas ce qu'il a à me dire, fit Mrs. Ramsay d'une voix ennuyée.

La vie n'est qu'une succession de corvées, se disait-elle. Comment peler les pommes de terre du ragoût si à cette heure on recevait la visite d'un inspecteur?

— Tant pis, soupira-t-elle, allons-y quand même.

Et ayant lancé la vaisselle cassée sous l'évier, elle se lava les mains, puis se lissa les cheveux pour suivre Bill qui déjà s'impatientait :

— Allons, m'man, dépêche-toi donc.

Son fils sur ses talons, Mrs. Ramsay entra dans le salon où deux hommes l'attendaient avec Ted pour leur tenir compagnie, les yeux écarquillés d'admiration.

— Mrs. Ramsay?

— Bonjour, messieurs.

— Votre fils vous a sans doute dit que j'étais inspecteur de police? dit Hardcastle.

— Vous tombez mal, très mal ce matin, fit Mrs. Ramsay. J'ai un travail fou. En avez-vous pour longtemps?

— Non, la rassura Hardcastle. Peut-on s'asseoir?

— Mais oui, dit-elle d'un ton énervé, prenant elle-même une chaise, roide comme la justice, se doutant déjà qu'il y en aurait pour un moment.

— Vous pouvez nous laisser, les enfants, dit Hardcastle gentiment.

— Non, on reste, dit Bill.

— Oui, on reste, fit écho Ted.

— On veut savoir, dit Bill.

— Ouais, on veut, répéta Ted.

— Il y a eu beaucoup de sang? demanda Bill.

— C'était un voleur? s'enquit Ted.

— Silence, les garçons, dit Mrs. Ramsay. L'inspecteur ne veut pas de vous ici, vous avez compris?

— Nous, on reste, réaffirma Bill. On veut tout savoir.

Se levant, Hardcastle alla ouvrir la porte, puis fixant les enfants :
« Filez », prononça-t-il.

Rien d'autre, mais d'un ton sans réplique. Sans discuter davantage, les deux petits se levèrent et d'un pas traînard, quittèrent la pièce.

« Quelle autorité, pensa Mrs. Ramsay admirative. Pourquoi suis-je donc incapable d'en faire autant? » Puis réfléchissant, elle se dit qu'elle était la mère. Chez les autres — on le lui avait répété — ces garçons se conduisaient tout autrement qu'à la maison. C'est aux mères qu'est réservé le pire. Et après tout, n'est-ce pas préférable? S'ils étaient des anges à la maison, des voyous chez les autres, ne se feraient-ils pas une réputation désastreuse? Mais voyant l'inspecteur se rasseoir, elle se rappela le but de sa visite.

— Si vous venez pour ce qui s'est passé au 19 hier, dit-elle très nerveuse, je n'ai rien à vous raconter, monsieur l'inspecteur. Je ne suis au courant de rien, j'ignore même qui sont mes voisins.

— C'est une aveugle, Miss Pebmarsh, qui travaille à l'Institut Aaronberg.

— Ah! oui, je vois, dit Mrs. Ramsay. Pourtant je connais très mal les gens du Croissant inférieur.

— Étiez-vous chez vous entre midi et demi et trois heures?

— Oh! oui, c'est l'heure où je m'occupe du déjeuner. Cependant je suis sortie vers trois heures; j'ai emmené les garçons au cinéma.

De sa poche, l'inspecteur ressortait le cliché et le lui tendit.

— Ce visage ne vous dit rien?

Mrs. Ramsay l'examinait avec un intérêt grandissant.

— Non, dit-elle, non, je ne crois pas. Mais se rappelle-t-on tous ceux que l'on voit?

— Il n'est pas venu vous proposer des contrats d'assurances, par exemple, ou autre chose de ce genre?

— Non, répondit Mrs. Ramsay d'un ton plus ferme. Ça non, j'en suis certaine.

— Nous pensons qu'il s'appelait Curry, dit Hardcastle.

Mais s'excusant à nouveau :

— Non, continua-t-elle. Je n'ai guère le temps de voir ou de remarquer quoi que ce soit durant les vacances.

— Sans doute très mouvementées, fit l'inspecteur. Vous avez là deux beaux garçons, débordants de vie. Peut-être un peu trop parfois?

Mrs. Ramsay lui sourit :

— Oui, dit-elle, ils sont un peu fatigants, mais si gentils.

— J'en suis persuadé, dit Hardcastle. Ils en ont l'air. Et aussi très intelligents, sans doute. Vous permettez : j'ai envie de bavarder un instant avec eux, avant de partir. Dans une maison, les enfants observent souvent des choses qui passent inaperçues aux yeux des adultes.

— Je ne vois pas ce qu'ils auraient pu remarquer. Ce n'est pas comme s'il s'agissait de voisins.

— Mais vos jardins ne sont-ils pas mitoyens?

— Oui, mais complètement séparés.

— Vous connaissez Mrs. Hemming, au 20?

— Si l'on peut dire, s'exclama Mrs. Ramsay. A cause des chats, nous avons bien échangé quelques mots.

— Vous aimez les chats, vous aussi?

— Oh! non, ce n'est pas ça... Elle est toujours à se plaindre.

— Se plaindre? A quel propos?

— L'ennui, quand on élève autant de chats, c'est qu'on en devient un peu toqué. Moi, j'aime bien les chats, nous en avons même eu un autrefois, un chat tigré très bon ratier. Mais cette femme, tous ces chichis qu'elle fait! Elle leur cuisine des menus spéciaux, ne les laisse jamais sortir, les pauvres, vivre à leur guise. Alors — et je les comprends — ils cherchent toujours à s'échapper. Quant à mes garçons, ils ne sont pas méchants au fond. Ils ne leur feraient jamais de mal. Enfin, les chats savent très bien se débrouiller tout seuls, ce sont des animaux très sensés quand on les traite normalement.

— Tout à fait d'accord, dit Hardcastle. Il est certain que vous ne devez pas manquer de travail pendant les vacances, avec vos fils à nourrir et à distraire. Quand rentrent-ils à l'école?

— Après-demain.

— J'espère que vous allez vous reposer?

— J'en ai bien l'intention, répondit-elle, puis sursauta en entendant la voix du grand jeune homme qui jusqu'ici prenait silencieusement des notes.

— Il vous faudrait une de ces jeunes filles étrangères — au pair, comme on dit — suggérait-il. Qui viennent aider un peu dans la maison et en échange apprendre l'anglais.

— Je devrais y songer, dit Mrs. Ramsay intéressée, bien que je me méfie des étrangères. Ce qui fait rire mon mari. Évidemment, lui qui voyage tellement, il a plus d'expérience que moi.

— Il est à l'étranger en ce moment?

— Oui. En Suède, depuis le début d'août. C'est un ingénieur des travaux publics. Quel dommage qu'il ait dû partir, et juste au moment des vacances, encore. Il s'entend si bien avec les enfants. Le train électrique, il en raffole encore plus qu'eux.

Tenez, les rails et les embranchements traversent souvent l'entrée, jusque dans l'autre pièce. Au risque de faire tomber quelqu'un. Les hommes sont de grands enfants, ajouta-t-elle avec indulgence.

— Quand pensez-vous qu'il rentrera, Mrs. Ramsay?

— Je ne le sais jamais, dit-elle tristement. Ce qui n'arrange rien...

Sa voix tremblait.

— Inutile de vous déranger plus longtemps, fit Hardcastle en se levant. Vos enfants vont nous montrer le jardin.

Bill et Ted qui les attendaient dans l'entrée furent immédiatement séduits par cette proposition.

— Le jardin n'est pas très grand, dit Bill comme pour s'excuser.

Manifestement, on avait tenté quelques efforts pour aménager le terrain. Dans une plate-bande sur le côté, des dahlias s'entremêlaient aux marguerites; puis, un maigre gazon inégal. Et des allées, qu'on aurait dû sarcler, jonchées de petits avions, de plateformes à fusées et autres engins de la science moderne, plus ou moins détériorés. Dans le fond on apercevait un pommier couvert de pommes appétissantes et à côté, un poirier.

— C'est là, dit Ted, montrant du doigt le dos de la maison de Miss Pebmarsh qu'on apercevait très bien, entre poirier et pommier. C'est là, le 19 où il y a eu un meurtre.

— Vous êtes aux premières loges, ici, dit l'inspecteur. Et des fenêtres du premier étage encore plus, sans doute?

— Très juste, fit Bill. Si seulement on avait été là hier, on aurait pu en apprendre des choses.

— Et la propriétaire, cette Miss Pebmarsh, vous l'avez aperçue quelquefois?

Les garçons se consultèrent du regard, puis :

— C'est une aveugle, répondit Ted. Mais ça ne l'empêche pas de se promener dans son jardin. Et sans canne, ni rien. Même qu'une fois elle nous a renvoyé notre ballon. C'est chic, hein?

— Et hier, vous l'avez vue?

— Non, on la voit pas le matin; elle est jamais là. C'est après le thé qu'elle sort au jardin, expliqua Bill.

Avisant un tuyau d'arrosage qui disparaissait près du poirier dans le coin du jardin, Colin fit observer :

— Je ne pensais pas que les poiriers avaient besoin d'arrosage.

— Oh! ça... fit Bill un peu gêné.

— Mais d'autre part, en grimpant à l'arbre on pourrait très bien arroser un chat d'un bon petit jet d'eau, pas vrai? continua Colin en riant.

— Oh! fit Bill, ça leur fait pas de mal. C'est pas une fronde, ajouta-t-il l'œil hypocrite.

— Est-ce que vous ne vous êtes pas servi d'une fronde aussi, par hasard?

— Ça n'a rien donné, soupira Ted. On arrivait jamais à viser juste.

— Mais par contre, avec le jet, vous devez bien vous amuser, c'est pourquoi Mrs. Hemming vient se plaindre.

— Elle a qu'ça à faire, grogna Bill.

— Et avez-vous jamais passé à travers la clôture?

— Pas ici, répondit Ted trop vite. A cause du grillage.

— Mais alors, comment vous débrouillez-vous?

— Oh! y a qu'à se faufiler à travers la palissade, on descend un peu dans le jardin de Miss Pebmarsh et de là on franchit la haie de Mrs. Hemming. Par un trou du grillage, expliqua Ted.

— Tu ne peux pas tenir ta langue, imbécile, gronda Bill.

— Vous avez dû faire la chasse aux indices, depuis l'assassinat? dit Hardcastle.

De nouveau, les garçons se consultèrent du regard.

— A votre retour du cinéma, quand vous avez appris ce qui s'était passé, je parie que vous avez filé dans le jardin du 19 pour le visiter de fond en comble.

— Eh bien... Bill hésitait.

— Peut-être avez-vous trouvé quelque chose qui nous a échappé? continua l'inspecteur.

Bill se décidait.

— Vas-y, Ted, cherche-les.

Et Ted obéissant partit en courant.

— J'ai peur qu'on n'ait rien de bien intéressant, s'excusa Bill. On faisait ça... pour s'amuser seulement.

Et il dévisagea Hardcastle d'un œil inquiet.

— C'est normal, répondit celui-ci. Nous autres de la police, nous ne trouvons pas toujours quelque chose. C'est le métier qui veut ça.

Ce qui parut faire plaisir à Bill.

Ted revenait enfin, toujours courant. Il leur remit un mouchoir sale noué aux quatre coins. Encadré par les deux garçons, Hardcastle défit les nœuds, en étala le contenu.

Il y avait là l'anse d'une tasse, un bout de porcelaine chinoise, une truelle cassée ainsi qu'une fourchette rouillée, une pièce, un piton et un morceau de verre irisé.

— Très intéressant, fit l'inspecteur d'un ton sérieux. (Puis, apitoyé par les physionomies passionnées des garçons, il ramassa le bout de verre.) Je le prends. Sait-on jamais, c'est peut-être une piste.

Colin, lui, soulevait la pièce, l'examinait.

— Elle n'est pas anglaise, dit Ted.

— Non, elle n'est pas anglaise, répéta Colin. (Puis, levant les yeux vers Hardcastle). On pourrait prendre ça aussi?

— Pas un mot à âme qui vive, fit Hardcastle d'une voix de conjuré.

Ravis, les garçons promirent le silence.

CHAPITRE XI

— Ramsay, dit Colin songeur, voyage à l'étranger. Part sans prévenir, semble-t-il, du jour au lendemain. Sa femme nous déclare qu'il est ingénieur des Travaux publics, et ne paraît pas en savoir plus long sur lui...

— C'est une brave femme, dit Hardcastle.

— Oui, mais pas très heureuse.

— Épuisée, c'est tout. A cause des gosses.

— Non, il n'y a pas que ça.

— Le genre de gibier que tu chasses ne s'encombrerait sûrement pas d'une femme et de deux gosses.

— On ne peut jurer de rien, fit Colin. Tu n'imagines pas jusqu'où vont les agents pour se camoufler. Une veuve à court d'argent peut finir par accepter bien des compromissions.

— Elle n'a pas une tête à ça.

— Que vas-tu t'imaginer! Je ne te parle pas de vie dissolue, mon cher. Non, mais simplement d'accepter d'être Mrs. Ramsay et de fournir une façade. Bien sûr, il a dû lui monter le coup, dire qu'il faisait de l'espionnage, mais pour nous, et faire vibrer la corde patriotique.

— Le monde où tu vis est bien étrange, Colin, fit Hardcastle en hochant la tête.

— C'est vrai. Il ne faut pas que j'y reste trop longtemps... On a tendance à soupçonner tout le monde. Vois-tu, la moitié des types, dans mon métier, touchent des deux côtés, ils finissent par ne plus savoir pour qui ils travaillent. On perd tout idéal. Enfin... parlons d'autre chose, veux-tu?

— Nous ferions mieux d'aller chez les McNaughton.

Devant la grille du 63, l'inspecteur s'arrêta.

— Encore une maison qui touche au 19, fit-il. Comme celle des Bland.

— Quels renseignements as-tu sur ces gens?

— Peu de chose. Ils n'habitent ici que depuis un an. Un vieux couple. Professeur à la retraite. Passionné de jardinage.

Sous les fenêtres devant la maison, des massifs de roses et un épais tapis de crocus. La porte leur fut ouverte par une jeune femme aux traits souriants, dans une blouse fleurie.

— Vous voulez? fit-elle.

— La main-d'œuvre étrangère, souffla Hardcastle, et il lui tendit sa carte.

— La police, dit la jeune fille avec un mouvement de recul. Et elle dévisagea Hardcastle comme si c'était le diable en personne.

— Mrs. McNaughton est-elle là?

— Madame là, oui.

Et elle les conduisit au salon qui donnait sur le jardin de derrière.

— Madame là-haut, reprit-elle d'un ton désenchanté. Et de l'entrée, elle appela : Mrs. McNaughton? Mrs. McNaughton?

— Oui, qu'y a-t-il, Gretel? répondit une voix lointaine.

— Police, deux polices. J'ai mis au salon.

D'en haut, un petit bruit de course flotta jusqu'à eux; puis, un « Oh! mon Dieu, mon Dieu... que va-t-il se passer? » Enfin, des pas et un instant après Mrs. McNaughton, l'air soucieux (son air habituel, sans doute, pensa Hardcastle), apparaissait.

— Mon Dieu, fit-elle. Mon Dieu, monsieur l'inspecteur, mais nous ignorons tout de cette histoire. Pourquoi venir nous voir, nous? c'est au sujet du meurtre, n'est-ce pas?... Ce n'est pas pour les redevances de télévision, au moins?

Hardcastle la rassura.

— Tout ça paraît tellement extraordinaire, dit Mrs. McNaughton. Et surtout à l'heure du déjeuner. Drôle d'idée. Juste au moment où les gens ont l'habitude de rentrer chez eux. Mais on voit tant de ces drames affreux dans les journaux! Qui se passent tous en plein jour. Tenez, des amis à nous, ils étaient invités à déjeuner en ville, eh bien, un camion de déménagement s'est arrêté devant leur porte, des hommes en sont descendus qui ont emporté tous leurs meubles. Et la rue entière les a vus opérer, sans les soupçonner le moins du monde. Comme moi, hier, j'ai cru entendre un cri, mais Angus m'assura que c'était ces terribles petits Ramsay. Ils passent leur temps à courir dans leur jardin en essayant d'imiter fusées et bombe atomique. A vous faire peur, parfois.

Mais Hardcastle, une fois de plus, tendait la photo fatidique.

— Avez-vous jamais vu cet homme, Mrs. McNaughton?

Elle le dévorait des yeux.

— Je crois que oui. J'en suis sûre. Mais où donc? A moins que ce ne soit celui qui est venu me proposer une nouvelle Encyclopédie en quatorze volumes. Ou ce représentant avec son nouveau modèle d'aspirateur; je n'ai rien voulu savoir et il s'est attaqué à mon mari, en train de repiquer des boutures dans le jardin. Il n'avait aucune envie d'être dérangé, mais ce type continuait à lui expliquer comment se servir de l'aspirateur pour dépoussiérer les rideaux, les escaliers, les coussins, enfin, pour nettoyer à fond « tout », répétait-il, absolument « tout ». Alors, levant les yeux, Angus dit seulement : « Et les boutures? Peut-il les repiquer, oui? » J'en étais malade de rire. Et complètement abasourdi, l'homme a disparu.

— Et il ressemble à la photo?

— Non, pas exactement. Il était bien plus jeune, je crois. Mais plus j'y pense, plus il me semble l'avoir déjà vu. Oui, il a dû essayer de me vendre quelque chose.

— Des assurances, peut-être?

— Non, non, pas d'assurances. C'est mon mari qui s'occupe de ces questions-là. Et nous sommes très bien assurés. Mais pourtant... plus je regarde cette photo, plus je...

Ce qui malgré tout laissait Hardcastle assez froid. Par expérience, il jugeait Mrs. McNaughton femme à vouloir à tout prix avoir son mot à dire dans une histoire de meurtre. Plus elle regarderait cette photo, plus elle s'en persuaderait. Et sans illusions, il soupirait.

— ... au volant d'une camionnette, continuait Mrs. McNaughton. Mais quand, je n'en sais plus rien. C'était celle du boulanger peut-être...

— Était-ce hier, par hasard?

— Non, non, pas hier, dit-elle l'air désemparé, repoussant de son front une mèche de cheveux gris. A moins que... (elle réfléchissait)... non, je ne crois pas. (Puis se rassérénant :) Mais il se peut que mon mari s'en souvienne.

— Il est là?

— Oh! oui, au jardin.

Et d'un geste elle leur montra par la fenêtre un homme âgé qui, dans l'allée, poussait une brouette.

— Nous ferons peut-être mieux d'aller lui parler.

— Mais bien sûr. Par ici, venez.

Elle les précédait, et d'une voix haletante :

— Ces messieurs sont de la police, Angus, annonça-t-elle. Ils désirent te montrer une photo de la victime. Tu sais, je suis persuadée d'avoir déjà rencontré cet homme. Est-ce que ce n'est pas lui qui est venu, la semaine dernière, nous demander si nous n'avions pas des vieux objets à vendre?

— Voyons ça, fit McNaughton. Tenez-la moi, voulez-vous? demanda-t-il à Hardcastle. J'ai les mains pleines de terre.

Après un bref coup d'œil :

— Jamais vu ce type, conclut-il.

— D'après vos voisins, le jardinage vous passionne, émit Hardcastle.

— Qui vous a dit ça? Pas Mrs. Ramsay?

— Non, Mr. Bland.

— Bland, grogna McNaughton méprisant. Il n'y entend rien. Tout ce qu'il sait faire, c'est planter : des bégonias, des géraniums... on se croirait dans un parc municipal. A propos, inspecteur, vous intéressez-vous aux arbustes? Je sais bien que c'est la mauvaise saison, mais j'ai réussi à faire pousser ici deux ou trois spécimens, de quoi vous étonner! On ne les trouve d'habitude que dans le Devon ou la Cornouaille.

— Je crains de ne pas m'y connaître beaucoup, s'excusa Hardcastle.

Comme un artiste devant un amateur qui avouerait son ignorance en peinture, McNaughton l'examinait.

— Je viens, hélas! vous parler de choses bien moins intéressantes, ajouta l'inspecteur.

— Ah! oui, le meurtre d'hier, sans doute. Mais vous savez, j'étais au jardin quand c'est arrivé.

— Vraiment?

— Enfin, quand la fille a hurlé.

— Et qu'avez-vous fait?

— Oh! fit Mr. McNaughton un peu honteux, rien. D'ailleurs, j'ai cru que c'étaient ces sacrés garçons d'à côté. Ils font toujours un tel tapage, à pousser des cris, à brailler.

— Mais voyons, ce cri ne venait pas de leur direction?

— Oh! mais ces gamins ne restent jamais chez eux. Ils se faufilent à travers nos haies, nos palissades. Il n'y a personne pour les visser, voilà le drame. Leur mère est bien trop faible.

— Mr. Ramsay, à ce qu'on m'a dit, est perpétuellement en voyage.

— Un ingénieur, jeta McNaughton sans préciser. Toujours

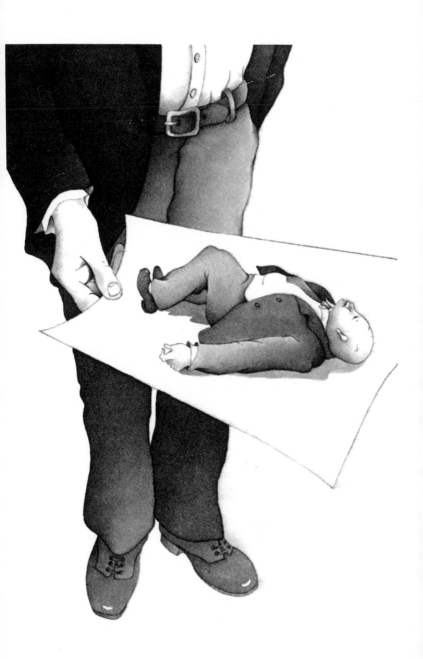

en balade, pour construire des barrages, ou est-ce des pipe-lines?
Des histoires de pétrole...? A vrai dire, je n'en sais trop rien. Le
mois dernier, il a dû partir brusquement pour la Suède. Et du
jour au lendemain la pauvre mère s'est retrouvée seule pour tout
faire, cuisine, ménage, et le reste... enfin, rien d'étonnant à ce que
les garçons aient la bride sur le cou. Non pas que ces enfants
soient vraiment méchants. Il leur faudrait seulement un peu de
discipline.

— A part ces cris, vous n'avez rien remarqué? A propos, quelle
heure était-il?

— Je ne sais pas. Avant de sortir, je prends soin d'enlever ma
montre depuis le jour où je l'ai noyée sous le jet et qu'on a eu
tant de mal à la faire réparer. Mais tu as entendu toi aussi, ma
chérie? Tu sais l'heure qu'il était?

— Deux heures et demie, il me semble. En tout cas, nous
devions avoir fini de déjeuner depuis une demi-heure environ.

— Ah! bien. Et à quelle heure déjeunez-vous d'habitude?

— Une heure et demie, dit Mrs. McNaughton. Avec un peu
de chance. Notre jeune Danoise n'a aucune idée de l'heure.

— Et ensuite, une petite sieste?

— Ça dépend. Mais pas ce jour-là. J'avais à déblayer un peu,
pour augmenter mon tas de compost.

— C'est épatant, ces composts, fit Hardcastle d'un ton solen-
nel.

Tout de suite, Mr. McNaughton eut l'air enchanté.

— Très juste. C'est sans comparaison. Et j'en ai fait des adeptes.
Tous ces engrais chimiques, c'est meurtrier. Tenez, je vais vous
le montrer.

Entraînant Hardcastle par le bras, il poussa sa brouette jusqu'à
la palissade qui séparait son jardin de celui du 19. Derrière les
lilas, dans toute sa splendeur, s'élevait le tas de compost. Et à
côté, dans une petite resserre, l'on apercevait des outils accrochés.
Mr. McNaughton y rangea sa brouette.

— Quel ordre, remarqua Hardcastle.

— Il faut être soigneux, dit McNaughton.

Mais rêveur, Hardcastle contemplait de l'autre côté de la palissade le jardin voisin, où un encorbellement de roses conduisait
jusqu'à la maison.

— Vous n'avez vu personne dans le jardin du 19? demanda-
t-il. Personne à une fenêtre?

— Absolument rien, fit McNaughton. Désolé.

— Mais Angus, dit sa femme, il me semble avoir vu une ombre
se faufiler dans le jardin du 19.

— Je ne crois pas, ma chérie, dit son mari d'un ton ferme. Je n'ai rien vu, moi.

— Cette femme, elle, affirmerait n'importe quoi, gronda Hardcastle, une fois en voiture.

— Tu crois vraiment qu'elle a reconnu la photo?

— J'en doute. Elle essaie de s'en persuader. Ce genre de témoin je ne le connais que trop bien! Quand je l'ai poussée dans ses retranchements, elle a été incapable de s'expliquer, pas vrai?

— C'est juste.

— Bien sûr, elle peut s'être assise en face de ce type dans un autobus — tout arrive. Mais à mon avis, elle brode. Et toi, qu'en penses-tu?

— Comme toi.

— On piétine un peu, soupira Hardcastle. Pourtant il y a des choses bizarres dans tout ça... Par exemple, comment Mrs-Hemming, si envoûtée qu'elle soit par ses chats, peut-elle ignorer à ce point Miss Pebmarsh, sa voisine? Et se préoccuper si peu de cet assassinat.

— Oh! tu sais, quand on est dans la lune...

— Une piquée, quoi! Ce genre de femme, il peut y avoir le feu, un vol, un assassinat, elles ne s'aperçoivent jamais de rien.

— D'autant plus qu'avec son grillage et sa haie, elle ne peut pas voir grand-chose au-dehors.

De retour au poste de police, Hardcastle sourit à son ami, lui dit :

— Alors, sergent Lamb, vous pouvez disposer maintenant.

— Finies les visites, aujourd'hui?

— Pour l'instant, oui. J'en ai encore une ce soir, mais j'irai seul.

— Bon, et merci pour cette matinée. Peux-tu me faire taper mes notes? dit Colin en les lui tendant. C'est demain que le tribunal se réunit, n'est-ce pas? A quelle heure?

— Onze heures.

— Bien. Je serai de retour, je pense.

— Tu t'en vas?

— Je dois aller à Londres... mettre mon rapport à jour.

— Je devine pour qui.

— Je te le défends bien.

Mais Hardcastle souriait.

— Fais-lui mes amitiés.

— Et aussi peut-être voir un spécialiste.

— Un spécialiste? De quoi? Tu es malade?

— Non, mon cerveau mis à part. Mais je ne te parle pas d'un

médecin, mais d'un autre genre de spécialiste, quelqu'un dans ton métier.

— De Scotland Yard?

— Non, un détective privé, un des copains de papa. Une histoire aussi extraordinaire est tout à fait dans ses cordes.

— Comment s'appelle-t-il?

— Hercule Poirot.

— J'en ai entendu parler. Mais je le croyais mort.

— Non, il ne l'est pas, mais j'ai l'impression qu'il s'ennuie, ce qui est pire.

Hardcastle le dévisageait avec curiosité.

— Quel drôle de type tu es, Colin, finit-il par dire, et quels drôles d'amis tu as.

— Toi y compris, dit Colin avec un sourire.

CHAPITRE XII

Une fois Colin parti, Hardcastle relut l'adresse inscrite sur son carnet. Puis, ayant fourré celui-ci dans sa poche, se plongea dans les dossiers qui déjà commençaient à s'accumuler sur son bureau.

Lourde journée pour lui. Il se fit monter des sandwiches et du café, écouta les rapports du sergent Lead, rien d'intéressant d'ailleurs. Personne, ni à la gare ni à l'arrêt d'autobus, n'avait reconnu la photo. Quant au costume, la fiche du laboratoire le notait comme bien coupé, mais on avait enlevé l'étiquette du tailleur. Était-ce Mr. Curry; ou alors l'assassin? On comptait beaucoup sur l'étude des particularités de sa prothèse dentaire, recherches qui en général étaient longues, mais donnaient de bons résultats. A moins que Mr. Curry ne fût étranger, français, par exemple, se dit Hardcastle rêveur. Cependant, ses vêtements ne l'étaient sûrement pas. Et même sur son linge, il n'y avait aucune marque de blanchisserie.

Hardcastle savait être patient. Pour identifier quelqu'un il fallait du temps. Mais en fin de compte il se présentait toujours soit le médecin de famille, un dentiste, le plus souvent la mère ou l'épouse, à moins que ce ne fût la concierge. La photo du mort paraîtrait dans les journaux, serait affichée dans les commissariats. Tôt ou tard, on apprendrait qui était Mr. Curry.

Entre-temps, il y avait du pain sur la planche et pas seulement l'affaire Curry. Jusqu'à cinq heures et demie, il travailla sans dételer. Puis il décida que le moment était venu d'aller faire sa visite.

Selon le rapport du sergent Cray, Sheila Webb avait repris son travail à l'agence Cavendish et, à cinq heures, se trouverait chez le professeur Purdy, à l'hôtel Curlew, d'où elle ne rentrerait pas avant six heures, au plus tôt.

Comment s'appelait donc cette tante de Sheila Webb? Mrs. Lawton, 14 Palmerston Road. Il ne prit pas de voiture, préféra s'y rendre à pied.

Au coin de la rue, une fille venait vers lui sur le trottoir. Une seconde elle parut hésiter, comme si elle allait lui demander son chemin, songea vaguement l'inspecteur, l'esprit ailleurs. Mais déjà elle se ravisait, le dépassait... Des chaussures... pourquoi soudain pensait-il à des chaussures? Non, pas des chaussures, une seulement... Ce visage... il le connaissait. Mais où l'avait-il vu ces jours-ci? Peut-être l'avait-elle reconnu, lui... avait-elle voulu lui parler?

Un instant il s'arrêta, la regarda s'éloigner, très vite maintenant. L'ennui, c'est qu'elle avait une de ces têtes qu'on ne remarque guère; yeux bleus, teint clair, bouche légèrement entrouverte. Sa bouche? Il s'en souvenait de cette bouche, pourquoi? En train de parler... sous le bâton du rouge à lèvres? Non. Hardcastle enrageait. Lui qui se vantait d'être physionomiste, de ne jamais oublier un visage, fût-ce au banc des accusés ou parmi les témoins. Et pourtant on en voyait tant d'autres. Pouvait-on se souvenir de toutes les serveuses de restaurant, des conducteurs d'autobus?

Il était arrivé. Par la porte entrebâillée, il aperçut quatre plaques sous leurs sonnettes respectives. Pour Mrs. Lawton, c'était au rez-de-chaussée. Entrant, il alla sonner à gauche dans le couloir. Quelques instants s'écoulèrent, puis un bruit de pas à l'intérieur. Enfin, une grande femme maigre lui ouvrit. Essoufflée, les cheveux sales, et en tablier. Venant de la cuisine, sans doute, flottait une odeur d'oignons frits.

— Mrs. Lawton, je pense?

— Oui, répondit-elle peu aimable.

D'environ quarante ans, elle avait assez l'air d'une bohémienne.

— Que voulez-vous?

— Pouvez-vous m'accorder quelques instants, s'il vous plaît?

— A quel sujet? Je suis très occupée en ce moment, ajouta-t-elle sèchement. Vous n'êtes pas journaliste, au moins?

— Bien sûr que non, fit Hardcastle d'un ton de chaude sympathie. Ils ont dû vous assiéger, sans doute?

— Ah! pour ça oui. Ils n'ont cessé de frapper à la porte, de sonner, de nous poser des tas de questions idiotes.

— Ils sont odieux, en effet. Si seulement nous pouvions vous épargner ces ennuis, Mrs. Lawton. Au fait, je suis l'inspecteur Hardcastle, chargé de cette enquête qui est source de vos maux. Ah! croyez-moi : si nous le pouvions, nous mettrions un frein à tout ça. Mais nous sommes impuissants. La Presse a tous les droits.

— C'est scandaleux de tourmenter ainsi des particuliers, sous le prétexte qu'ils doivent informer le public. Avec ça que tout ce qu'ils racontent n'est pas un tissu de mensonges, d'un bout à l'autre! Je les crois capables de n'importe quoi, moi. Mais entrez donc.

Et s'effaçant, elle laissa passer l'inspecteur.

Il y avait quelques lettres sur le paillasson. Déjà Mrs. Lawton se penchait, mais devançant son geste, Hardcastle les ramassa et les lui remit non sans avoir jeté un bref coup d'œil dessus.

— Merci bien, dit-elle en les déposant sur la table du hall. Veuillez entrer au salon. Mais, une minute, s'il vous plaît, je crois qu'il y a quelque chose qui brûle...

Elle disparut en courant. Hardcastle en profita pour jeter un coup d'œil indiscret sur les lettres dans l'entrée. L'une d'elles était adressée à Mrs. Lawton, les deux autres à Miss R. S. Webb. Puis pénétrant dans la pièce indiquée, il examina le mobilier modeste, mais avec çà et là un bibelot curieux, une ou deux taches de couleur vive assez inattendues. Entre autres, en verre de Venise et d'une forme abstraite, un objet probablement assez coûteux; deux coussins de velours, et dans une coupe de céramique, d'étranges coquillages. Ou la nièce, ou la tante faisait preuve d'une certaine originalité de goût.

Plus essoufflée que jamais, Mrs. Lawton réapparut.

— Tout ira bien maintenant, je crois, émit-elle sans conviction.

De nouveau l'inspecteur s'excusait.

— Je regrette de vous déranger à cette heure, mais je tenais à vérifier encore quelques points de cette affaire à laquelle malheureusement votre pauvre nièce se trouve mêlée. J'espère qu'elle n'a pas été trop frappée par toute cette histoire. Quel choc terrible pour une jeune fille de son âge.

— Oui, répondit Mrs. Lawton, elle est rentrée complètement bouleversée. Mais ce matin elle était déjà remise et a pu se rendre à son bureau.

— Je sais, fit l'inspecteur. On m'a même dit qu'elle était chez un client et comme je ne tenais pas à la déranger pendant son travail, j'ai préféré venir la trouver ici. Mais elle n'est pas encore rentrée, n'est-ce pas?

— Elle sera sans doute en retard ce soir. Elle est chez le professeur Purdy. Et, comme dit Sheila, il n'a aucune idée de l'heure. Avec lui il n'y en a jamais que pour dix minutes de plus. Et ça dure trois quarts d'heure. Mais il est tellement gentil, poli. Une ou deux fois il a même insisté pour l'inviter à déjeuner, tant il était désolé de l'avoir retenue aussi longtemps sans s'en rendre compte. Malgré tout, à la longue, c'est quand même énervant. Mais peut-être pourrais-je vous être utile, inspecteur, au cas où Sheila tarderait à rentrer?

— Non, je ne crois pas, fit Hardcastle en souriant. Toutefois, l'autre jour, nous ne nous sommes occupés que des grandes lignes.

Ostensiblement, il consultait son calepin.

— Voyons, poursuivit-il, Miss Sheila Webb a-t-elle d'autres prénoms? Nous sommes forcés d'être pointilleux à ce sujet, pour constituer le dossier de l'instruction.

— ... Qui commence après-demain, je crois. Ma nièce a été convoquée.

— Oui, mais surtout qu'elle ne se fasse pas de souci. On lui demandera seulement de raconter comment elle a découvert le corps.

— Et vous ne savez pas encore qui c'est?

— Non, et il s'en faudra de quelques jours encore, je le crains. A cause de la carte qu'on a trouvée dans sa poche, nous l'avons d'abord pris pour un courtier d'assurances. Mais il semble maintenant qu'elle lui ait été remise par quelqu'un d'autre. Qui sait? Peut-être envisageait-il de s'assurer?

— Vraiment? fit Mrs. Lawton avec indifférence.

— Voyons, pour en revenir à nos prénoms, poursuivit-il, Miss Sheila Webb en a-t-elle d'autres? J'ai ici Sheila R. Webb et je n'arrive plus à me rappeler l'autre nom. Était-ce Rosalie?

— Rosemary, rectifia Mrs. Lawton. On l'a baptisée Rosemary Sheila. Mais Rosemary lui paraissait trop romanesque. Elle a choisi de s'appeler Sheila.

— Bon.

Rien dans la voix de Hardcastle ne dénotait combien il était heureux de voir une de ses hypothèses se vérifier. Toutefois, observait-il, ce nom de Rosemary n'avait pas l'air d'émouvoir Mrs. Lawton — pour elle ce n'était apparemment que le second prénom de sa nièce.

— Voilà, dit-il, j'ai complété mes renseignements. Votre nièce vient de Londres, n'est-ce pas? ajouta-t-il en souriant. Il n' y a que dix mois qu'elle est à l'agence Cavendish. Savez-vous depuis quand exactement?

— Je ne m'en souviens plus très bien. Fin novembre, je crois.

— Ah! bon. Ça n'a pas grande importance, d'ailleurs. Et auparavant, elle vivait chez vous?

— Non, à Londres.

— A quelle adresse? Vous la savez?

— Oui, je dois l'avoir quelque part, fit Mrs. Lawton de cet air un peu perdu des gens désordonnés. Mais j'ai la mémoire si courte. A Allingham Grove, il me semble vers Fulham. Elle partageait un appartement avec deux autres filles. Les loyers sont si chers à Londres.

— Vous rappelez-vous où elle travaillait à ce moment-là?

— Oh! oui. Chez *Hopgood and Trent*, une agence immobilière de Fulham Road.

— Parfait. Et Miss Webb est orpheline, je crois?

— Oui, répondit Mrs. Lawton nerveuse, les yeux fixés sur la porte. Un instant, voulez-vous. Mes casseroles me réclament.

Il lui ouvrit la porte, se demandant si oui ou non, sa dernière question avait troublé Mrs. Lawton, qui jusqu'ici avait répondu sans hésiter. Il y réfléchissait encore quand elle revint.

— Je suis désolée, s'excusa-t-elle. Mais la cuisine, vous savez ce que c'est. Avez-vous autre chose à me dire? A propos, ça m'est revenu : ce n'est pas Allingham Grove mais Carrington Grove, au 17.

— Merci, fit l'inspecteur. Voyons, où en étions-nous? Ah! oui, votre nièce est-elle orpheline?

— Oui. Mon beau-frère et ma sœur sont tous deux morts, alors qu'elle n'était qu'une enfant, répondit-elle d'une voix méfiante.

— Et quelle profession exerçait Mr. Webb?

Indécise, Mrs. Lawton se mordillait la lèvre, puis :

— Je n'en sais rien, dit-elle.

— Comment?

— Impossible de me le rappeler. C'est si vieux!

Pressentant qu'elle n'en resterait pas là, Hardcastle attendait. Elle poursuivait :

— Puis-je vous demander quel rapport avec... enfin, pourquoi toutes ces questions sur ses parents, sur la profession de son père?...

— Pour vous, elles peuvent paraître superflues, Mrs. Lawton, mais voyez-vous les circonstances sont tellement exceptionnelles. Rendez-vous compte : on a l'air d'avoir cherché volontairement à faire incriminer votre nièce. Quelqu'un s'est arrangé pour la faire venir dans une maison où l'on venait d'assassiner un homme. Quelqu'un... il hésitait... qui aurait pu lui en vouloir, par exemple.

— En vouloir à Sheila? Impossible. Elle, si douce et si gentille?

— Tout à fait de votre avis, dit Hardcastle aimable.

— Et je n'admets pas qu'on puisse penser le contraire, dit Mrs Lawton agressive.

— Vous avez raison, fit-il avec un sourire conciliant. Mais, Mrs. Lawton, il faut que vous le compreniez, de toute évidence on a essayé de mêler votre nièce à ce crime. En la faisant entrer dans cette maison où il y avait un mort, on l'a fait monter sur le plateau, comme on dit au cinéma. Vous n'appelez pas ça de la malveillance, vous?

— Vous pensez... vous pensez qu'on a voulu faire croire... que c'était Sheila qui l'avait tué? Oh! non, non, pas ça... Ça n'est pas vrai.

— Ça paraît difficile à croire, concéda Hardcastle. Aussi, essayons d'y voir clair, voulez-vous? Votre nièce n'aurait-elle jamais repoussé les avances d'un jeune homme amoureux? Certains sont capables de se venger, surtout s'ils sont un peu déséquilibrés.

— Non, je ne vois rien dans cet ordre d'idées, fit Mrs. Lawton sourcils froncés, l'air réfléchi. Sheila a bien un ou deux amis garçons, mais sans qu'il y ait rien de vraiment sérieux entre eux.

— Et à Londres, émit Hardcastle. Étiez-vous au courant des gens qu'elle fréquentait?

— Non, non sans doute... Eh bien, questionnez-la donc à ce sujet, inspecteur. Moi, en tout cas, elle ne m'a jamais parlé d'un ennui de ce genre.

— Ou peut-être s'agit-il d'une fille. Une de ses compagnes de chambre aurait pu être jalouse d'elle, par exemple.

— A supposer qu'une fille lui en veuille, elle n'aurait pas été jusqu'au crime, il me semble, dit Mrs. Lawton sceptique.

Remarque très pertinente, jugea Hardcastle, qui montrait que Mrs. Lawton était loin d'être bête. Et vite il enchaîna :

— Je sais que ça a l'air invraisemblable. Mais toute cette histoire ne l'est-elle pas?

— Sans doute s'agit-il d'un fou, dit-elle.

— Même un fou a toujours un motif pour ce qu'il fait. C'est pourquoi j'ai tenu à me renseigner sur les parents de Sheila. Que de fois c'est en fouillant dans le passé que nous déterrons les mobiles d'un crime. Ayant perdu ses parents si jeune, Miss Webb naturellement ne pouvait rien m'apprendre sur eux. C'est pourquoi je m'adresse à vous.

— Oui, je vois... mais...

De nouveau elle était troublée, hésitante.

— Sont-ils morts dans un accident tous les deux?

— Non, pas d'un accident.

— Alors, de mort naturelle?

— Je... oui... enfin, je n'en sais rien...

— Moi je suis persuadé que vous en savez un peu plus long que vous ne l'avouez, Mrs. Lawton. Peut-être étaient-ils divorcés? jeta-t-il au hasard.

— Non, ils ne l'étaient pas.

— Allons voyons, Mrs. Lawton, il est impossible que vous ne sachiez pas de quoi est morte votre sœur.

— Je ne vois pas pourquoi... enfin, je ne peux rien dire... tout ça est tellement compliqué. A quoi bon déterrer ces vieilles histoires!

Hardcastle la scrutait attentivement. Puis tout doucement il posa la question :

— Sheila, c'est peut-être une enfant illégitime?

Aussitôt, elle se détendit, à la fois soulagée et honteuse.

— Ce n'est pas ma fille, fit-elle.

— Celle de votre sœur alors?

— Oui, mais Sheila l'ignore. Elle croit qu'elle est orpheline. C'est pourquoi... Vous me comprenez?

— Parfaitement, fit l'inspecteur. Et je vous donne ma parole qu'à moins d'y être forcé au cours de l'enquête, je n'interrogerai pas Miss Webb à ce sujet.

— Il n'y a pas de quoi pavoiser, fit Mrs. Lawton. Quelle épreuve, je vous assure! Ma sœur, voyez-vous, avait toujours été le crack de la famille. Devenue institutrice, elle réussissait fort bien. On n'aurait jamais cru ça d'elle.

— C'est souvent comme ça, dit Hardcastle avec tact. Et ce Webb... comment l'a-t-elle connu?

— Je ne sais pas qui c'est, fit Mrs. Lawton. Je ne l'ai jamais vu. Mais elle est venue tout m'avouer, qu'elle était enceinte, que le père ne voulait pas, ou ne pouvait pas l'épouser. C'était une ambitieuse. Si on l'avait su, elle aurait dû démissionner. Aussi, ai-je... ai-je accepté de l'aider.

— Et maintenant où habite-t-elle?

— Aucune idée, vraiment aucune, insista-t-elle.

— Elle est encore vivante, non?

— Espérons-le.

— Et vous n'avez gardé aucun contact avec elle?

— Non. C'est elle qui ne le désirait pas. Pour le bien de l'enfant, pour elle-même, elle préférait une cassure nette. Et ainsi fut fait. Notre mère nous avait laissé une petite rente à chacune. Anna m'a reversé la sienne pour élever l'enfant. Elle voulait continuer son métier d'institutrice, mais souhaitait changer d'école, partir pour l'étranger, en Australie ou ailleurs. Voilà tout ce que je sais, inspecteur, tout ce que j'ai à vous dire.

Hardcastle la dévisagea pensivement. Était-ce vrai? Difficile d'en être certain. D'ailleurs, elle n'avait aucune intention d'en dire davantage. Si légères qu'aient été ses allusions à cette sœur, Hardcastle se l'imaginait déjà comme une femme dure, aigrie, une femme qui n'admettait pas de voir son existence gâchée pour une faute commise. Après avoir, avec intelligence, d'un cœur sec, tout organisé pour que sa fille soit élevée dans les meilleures conditions possibles, elle s'en était complètement détachée pour aller se refaire une nouvelle vie.

Qu'elle en veuille à l'enfant, ça pouvait se concevoir, mais à sa sœur?... Doucement, il s'étonnait :

— Il semble bizarre qu'elle n'ait jamais cherché à prendre des nouvelles de sa fille.

— Pas quand on connaît Anne. Elle a du caractère, et puis entre elle et moi il n'y a jamais eu la moindre intimité. J'étais de beaucoup sa cadette, de douze ans.

— Et votre mari? Il n'a rien dit de cette adoption?

— J'étais déjà veuve, ayant perdu toute jeune mon mari à la guerre. Je tenais une petite confiserie dans ce temps-là.

— Où donc? Ici? A Crowdean?

— Non, nous vivions dans le Lincolnshire. C'est en vacances que j'ai découvert ce coin; et il m'a tellement plu que j'ai vendu ma boutique pour revenir m'y installer. Plus tard, quand Sheila a été à l'école, je suis entrée chez *Roscoe and West*, les grands marchands de tissu d'ici. Ils sont très gentils et j'y suis toujours.

— Je comprends, fit Hardcastle se levant. Merci beaucoup de votre franchise, Mrs. Lawton.

— Et pas un mot à Sheila surtout.

— Non, à moins d'une nécessité, que le meurtre du 19 soit lié à son passé par exemple. Mais c'est plus qu'improbable.

Et de sa poche il sortit la photo.

— Tenez. Le connaissez-vous?

Elle prit la photo, la scruta.

— Non, je n'ai jamais vu cet homme. En tout cas, ce n'est pas quelqu'un de par ici, car je m'en souviendrais. Mais, ajouta-t-elle, l'examinant de près, quel homme bien, il a l'air distingué, n'est-ce pas? Cette locution un peu vieux jeu, Mrs. Lawton l'employait avec naturel.

« Sans doute a-t-elle été élevée à la campagne », pensa l'inspecteur. Et il contempla la photo, surpris de découvrir l'inconnu sous cet angle nouveau : un homme distingué. Il l'avait toujours jugé autrement, peut-être parce que, dans sa poche, se trouvait une carte de visite avec une fausse identité. L'explication qu'il en avait donnée à Mrs. Lawton était-elle la bonne : qu'elle aurait été remise au mort par un escroc jouant les courtiers d'assurances? Si c'était vrai, que de complication en perspective!

— Bien, dit-il en jetant un coup d'œil à sa montre. Inutile de vous déranger plus longtemps puisque votre nièce n'est pas encore rentrée...

— Oui, en effet, elle a du retard. C'est surprenant. Heureusement qu'Edna ne l'a pas attendue.

Devant l'air interrogateur d'Hardcastle, elle s'expliqua.

— Une de ses collègues de bureau, venue ce soir pour voir Sheila. Après quelques instants, elle m'a dit qu'elle n'avait pas le temps d'attendre plus longtemps.

Brusquement l'inspecteur se souvenait : la jeune fille qu'il avait croisée dans la rue, c'était celle qui l'avait accueilli à l'agence Cavendish, le jour du meurtre, celle qui brandissait une chaussure au talon cassé et se demandait avec anxiété comment elle ferait pour rentrer chez elle. Une fille assez insignifiante, lui semblait-il, en train de suçoter des bonbons. Dans la rue, il ne l'avait pas reconnue, mais elle avait paru hésiter à lui parler. Que pouvait-elle bien avoir à lui dire? Peut-être désirait-elle lui expliquer sa visite à Sheila Webb, ou simple déférence?

— Une amie de votre nièce? fit-il.

— Non, pas exactement. Elles travaillent ensemble, mais ne sont pas tellement liées. A vrai dire, son vif désir de voir ma nièce ce soir m'a surprise. Elle m'a dit qu'il y avait quelque chose qu'elle ne comprenait pas et qu'elle voulait connaître l'avis de Sheila.

— Elle vous a dit de quoi il s'agissait?

— Non, simplement que ça n'était pas important, que ça pouvait attendre.

— Je vois. Eh bien, je dois partir maintenant.

— C'est curieux, poursuivit Mrs. Lawton, que Sheila n'ait pas encore téléphoné. D'habitude, quand elle est en retard elle le fait toujours. Enfin, elle ne va pas tarder sans doute. Mais il y a si souvent la queue pour l'autobus. Et l'hôtel Curlew est tout au bout de l'Esplanade. Je n'ai rien à dire à Sheila de votre part? Aucun message à lui transmettre?

— Non, merci bien.

Sur le point de sortir, l'inspecteur lui demanda encore :

— Et les prénoms de votre nièce, qui donc les a choisis?

— Sheila était le nom de notre mère. C'est ma sœur qui a choisi Rosemary. C'est pourtant romantique et ne lui ressemble pas du tout.

Au tournant de la rue, l'inspecteur se répétait encore : « Rosemary... hum Rosemary... Réminiscence, ou bien alors... »

CHAPITRE XIII

Récit de Colin

Ayant remonté Charing Cross Road, je m'enfonçai dans ce lacis de boyaux qui serpentent entre New Oxford Street et Covent Garden, truffés de commerces insoupçonnés : antiquités, chaussons de danse et cliniques pour poupées.

Malgré l'attrait des paires d'yeux bruns et bleus des poupées, j'arrivai enfin à mon but : une minable petite librairie dans une des ruelles proches du British Museum. Dehors, l'éventaire habituel des livres : vieux romans, manuels, étiquetés 3d, 6d, 1sh, occasions de toutes sortes parmi lesquelles s'alignaient quelques aristocrates, possesseurs de presque toutes leurs pages, parfois même reliés.

Je me glissai de biais par la porte, ce qui était obligatoire car de tous côtés, en équilibre précaire, s'étageaient des livres qui chaque jour mordaient un peu plus sur le passage jusqu'à la rue.

A l'intérieur, c'était évident : ils étaient les seuls maîtres. Ils avaient tout envahi, croissant et se multipliant, sans qu'aucune main un peu énergique n'ait cherché à les discipliner. Entre deux rayons, il était difficile de s'infiltrer, tant le passage était étroit. Pas une table, pas une étagère qui ne fût surchargée de piles de livres. Dans un coin, sur un tabouret cerné par les livres, un petit vieux au visage plat de poisson-chat, sous un chapeau de rapin. A son air, on le devinait, il avait abandonné une lutte inégale. Roi déchu de ce monde livresque, il lâchait pied devant leur marée montante, dans l'impossibilité de les arrêter car ils ne lui obéissaient plus. Tel était Mr. Soloman, le propriétaire du magasin. M'apercevant, son œil de poisson mort s'adoucit et il me salua.

— Vous avez quelque chose d'intéressant pour moi? demandai-je.

— Il vous faut monter, Mr. Lamb. Toujours vos histoires d'algues?

— Toujours.

— Vous connaissez le chemin. Fossiles marins, biologie, Antarctique... tout est au second. J'en ai reçu un paquet avant-hier mais je n'ai pas eu le temps de le défaire. Vous les trouverez là-haut, par terre dans un coin.

Lui faisant un signe de tête, je réussis à me glisser vers un petit escalier branlant et crasseux, tout au fond du magasin.

Le premier était réservé aux livres sur l'Orient, l'art, la médecine et les classiques français. Et dans cette pièce, derrière une tenture, il y avait un coin ignoré du vulgaire et réservé aux seuls initiés où reposaient les ouvrages plus ou moins ésotériques.

Passant outre, je grimpai au second. Là, sans beaucoup de succès, l'on avait tenté un classement par matière des livres d'histoire naturelle, archéologie et autre littérature sérieuse.

Je me pilotai à travers les étudiants, les vieux colonels en retraite et les pasteurs, dépassai le coin d'un rayonnage en franchissant des paquets de livres éventrés, et trouvai soudain ma route barrée par deux étudiants de sexe opposé qui, dans les bras l'un de l'autre, oubliaient ce monde en une étreinte passionnée.

— Pardon, fis-je en les écartant d'une main ferme.

Je soulevai le rideau qui masquait une porte, tirai une clef de ma poche, ouvris et disparus. Pour me retrouver bizarrement dans une sorte de vestibule aux murs vermoulus mais propres, d'où pendaient de vieilles gravures de pâturages écossais. En face de moi, une porte au marteau de cuivre étincelant. Je frappai discrètement. Vint m'ouvrir une femme âgée avec cheveux gris et bésicles de fer, vêtue d'une jupe noire et d'un tricot d'un vert acide assez insolite.

Sans autre préambule :

— Ah! c'est vous, lança-t-elle. Déjà hier il s'inquiétait de ne pas vous voir et n'était pas trop content. (Et hochant la tête de l'air d'une gouvernante grondeuse) Tâchez de ne pas recommencer.

— Oh! Ça va, nounou!

— Et ne m'appelez pas nounou. Quel toupet! Je vous l'ai déjà dit.

— C'est votre faute. Vous n'avez qu'à ne pas me traiter comme un enfant.

— Cessez de l'être alors. Vous feriez mieux d'entrer et d'en finir.

Et ayant appuyé sur un timbre, elle prit son téléphone, annonça :
— Mr. Colin... Oui, tout de suite.
Et elle me fit signe d'entrer.
Je pénétrai alors dans une pièce où l'on n'y voyait guère, tant la fumée de cigare était épaisse. Quand je réussis enfin, les yeux cuisants, à discerner quelque chose, j'entrevis les formes massives de mon chef, carré dans une vieille bergère croulante, devant un antique pupitre à pivot.
Ayant retiré ses lunettes, le colonel Beck repoussa son pupitre sur lequel était posé un gros volume, et me regarda l'œil désapprobateur.
— Alors, vous voilà enfin.
— Oui, monsieur.
— Du nouveau?
— Non, monsieur.
— Ah! ça ne va plus, Colin. M'entendez-vous? Plus du tout. Des croissants! Quelle idée saugrenue!
— J'y pense toujours...
— Parfait, pensez, mon vieux. Mais on n'attendra pas indéfiniment le résultat de vos cogitations.
— Ce n'était qu'une hypothèse, je l'admets...
— Rien à dire à ça.
Il avait décidément l'esprit de contradiction.
— Mes plus grands succès sont dus à des hypothèses. Seulement voilà, la vôtre me paraît boiteuse. Finis vos bistrots?
— Oui, monsieur. J'ai attaqué les croissants : les maisons en demi-lune, j'entends.
— Me doute bien que vous n'êtes pas allé chez le boulanger les chercher, bien que pourquoi pas, après tout? Terminées, vos recherches?
— Presque.
— Vous faut encore du temps, oui?
— Oui. Mais pour l'instant, je tiens à rester là où je suis, car, ou c'est une coïncidence... ou alors... il se peut qu'il y ait quelque chose là-dessous.
— Des faits, ne vous égarez pas, s'il vous plaît.
— Centre des recherches : Wilbraham Crescent.
— Où vous avez fait chou-blanc, ou quoi?
— Je n'en sais rien encore.
— Précisez, mon garçon, précisez.
— La coïncidence, c'est qu'on a assassiné quelqu'un dans Wilbraham Crescent.
— Qui ça?

— Un inconnu, porteur d'une carte de visite avec un faux nom et une fausse adresse.

— Hum. Prometteur. Alors, ça se recoupe?

— Nulle part, monsieur, et pourtant...

— Je vois, je vois... et pourtant!... Le but de votre visite, sans doute : la permission de continuer à fouiner à Wilbraham Crescent, dans ce patelin au nom ridicule. Comment est-ce déjà?

— Crowdean, à dix milles de Portlebury. Il y a là deux ou trois types dont les antécédents m'intéresseraient.

En soupirant, le colonel Beck ramena son pupitre à lui et tirant un stylo-bille de sa poche, souffla dessus et me fixa :

— Alors?

— La maison s'appelle *Diana Lodge*, au 20 Wilbraham Crescent. Y habite une Mrs. Hemming avec au moins dix-huit chats.

— Diana? Hum, fit le colonel. La déesse de la lune, pas vrai? Que fait cette Mrs. Hemming?

— Rien, elle se consacre à ses chats.

— Du tonnerre comme couverture! apprécia Beck. C'est tout?

— Non, un type — un dénommé Ramsay — se dit ingénieur des travaux publics et voyage sans arrêt.

— Oh! que j'aime ça, dit le colonel, que ça me plaît! Vous voulez qu'on se renseigne sur lui? D'accord!

— Marié, continuai-je, une gentille femme et deux enfants assez turbulents, des garçons.

— Et pourquoi pas, après tout, fit le colonel. Il y a des précédents. Vous vous souvenez de Pendleton. Lui aussi avait femme et enfants. La créature la plus bête que j'aie jamais rencontrée! Elle croyait dur comme fer que son mari n'était qu'un brave homme de libraire, spécialiste de littérature orientale. D'ailleurs, ça me revient, ce Pendleton avait aussi une femme en Allemagne, et deux filles; et par-dessus le marché, une autre en Suisse. Camouflage ou riche tempérament, je ne l'ai jamais su. Et après?

— Ensuite, c'est plus aléatoire. Au 63 il y a bien un vieux couple — le professeur McNaughton, un Écossais qui passe son temps à jardiner. Aucune raison de le soupçonner.

— Bien, on vérifiera. Pour plus de sûreté, on les passe tous au crible. Mais au fait, pourquoi ces gens-là?

— Parce que leurs jardins sont tous contigus à celui de la maison du crime.

— On croirait un exercice de grammaire française : où est le corps de mon oncle? Dans le jardin de ma tante. Et ce numéro 19?

— Une aveugle, autrefois institutrice, qui travaille dans une école Braille. Mais la police locale s'est renseignée à fond sur elle.

— Elle vit seule?

— Oui.

— Et quelle idée avez-vous derrière la tête, à propos de ces gens?

— Pour moi, si le meurtre a été commis dans l'une de ces maisons, il aura été très facile, bien qu'un peu audacieux, de transporter le cadavre au 19, en choisissant un moment propice dans la journée. C'est une simple possibilité. Mais j'ai là quelque chose à vous montrer. Tenez.

Beck prit la pièce souillée de terre que je lui tendais.

— Une pièce tchèque? Où avez-vous dégoté ça?

— Ce n'est pas moi. On l'a trouvée dans le jardin qui se trouve derrière le 19.

— Intéressant. Au fond vos idées fixes de croissants et vos rêves lunaires vont peut-être malgré tout aboutir à quelque chose.

Puis, songeur :

— Il y a un bistrot appelé *La Nouvelle Lune* dans la rue, à côté. Allez donc y tenter votre chance.

— J'en viens.

— On n'a rien à vous apprendre, fit le colonel. Un cigare? me proposa-t-il.

— Non, merci, je n'ai pas le temps aujourd'hui.

— Vous retournez à Crowdean?

— Oui, je dois aller au tribunal pour l'ouverture de l'instruction, qu'on va certainement ajourner.

— Sûr qu'il n'y a pas une fille dans le coin?

— Absolument certain, dis-je d'un ton cassant.

Brusquement le colonel se mit à glousser.

— Allons, mon petit, faites gaffe. Une fois de plus, la sexualité relève son front hideux. Depuis quand la connaissez-vous?

— Il n'y a aucune... enfin, c'est-à-dire... C'est une jeune fille qui a découvert le corps.

— Et qu'a-t-elle fait alors?

— Hurlé.

— Parfait, dit le colonel. Elle a couru pleurer sur votre épaule, pour tout vous raconter. Juste?

— Je ne sais pas ce que vous voulez insinuer. Tenez, voyez. Et je lui remis les clichés de l'identité judiciaire.

— Qui est-ce?

— L'homme assassiné.

— Dix contre un que c'est votre mignonne qui l'a tué. Toute cette histoire me paraît louche.

— Vous n'en savez pas le premier mot. Je ne vous ai encore rien raconté.

— Inutile, répliqua le colonel. Allez, filez à votre tribunal, mon petit, et tenez cette fille à l'œil. Porte-t-elle un nom lunaire, par hasard : Diana... Artemis?

— Non, rien à voir.

— Eh bien, croyez-moi, ça lui aurait été comme un gant.

CHAPITRE XIV

Récit de Colin

Il y avait fort longtemps que je n'avais pas mis les pieds dans Whitehaven Mansions. Ayant pris l'ascenseur, j'allai sonner à la porte 203 qui me fut ouverte par un valet de chambre stylé au sourire accueillant :

— Mr. Colin! Il y a des éternités qu'on ne vous a vu ici!

— C'est vrai. Alors, ça va toujours, George?

— Très bien, monsieur, grâce à Dieu.

Je baissai le ton :

— Et lui?

— Je crois, monsieur, qu'il est un peu déprimé, répondit George d'une voix encore plus discrète que la mienne. Si vous voulez me suivre... fit-il, s'emparant de mon chapeau.

— Annoncez Mr. Colin Lamb, voulez-vous.

— Bien, monsieur. Et ouvrant la porte : « Mr. Colin Lamb » prononça-t-il clairement. Et il s'effaça pour me laisser passer.

Je retrouvai mon ami Hercule Poirot assis comme d'habitude dans son fauteuil trapu au coin du feu. Nous n'étions qu'au début de septembre. Mais Poirot craint les premiers froids de l'automne. Par terre, de chaque côté de son fauteuil, s'empilaient des livres. Et sur la table il y en avait encore. A portée de sa main, une tasse fumante. Sans doute une de ces tisanes qu'il aimait tant — sentant mauvais — et qu'il essayait toujours de me faire boire.

— Restez assis, m'écriai-je. Mais déjà debout, Poirot venait à moi, les mains tendues.

— Ah! c'est donc vous, mon ami. Mon jeune ami Colin! Mais pourquoi ce sobriquet de Lamb?

— Étant donné mes activités, il valait mieux ne pas porter le nom de mon père, trop connu. D'où ce nom de Lamb, court, facile à retenir, et qui me va comme un gant, je crois.

— Et votre père, ce vieil ami, comment se porte-t-il?

— Comme un charme. En train de faire pousser des roses trémières, à moins que ce ne soit des chrysanthèmes. Je ne sais jamais. Avec ces saisons qui passent si vite!

— Un passionné d'horticulture, je vois.

— Eh oui. Je crois qu'on finit tous par en arriver là.

— Pas moi, rétorqua Poirot. Je me suis entiché un moment de courges, mais c'est bien fini. Quant aux fleurs, on en trouve de plus belles chez le fleuriste. Mais je croyais notre bon commissaire en train de rédiger ses mémoires?

— Il les a commencées, mais il y avait tant de choses qu'il devait taire, qu'il a préféré abandonner.

— Évidemment, on ne peut pas enfreindre le secret professionnel. Quand même, c'est dommage. Il aurait eu tant de choses intéressantes à nous dire. Vous savez quelle estime j'ai pour votre père, depuis toujours. J'appréciais ses méthodes si directes. Quand il tendait un piège ça paraissait tellement enfantin que les gens ne se méfiaient pas et s'y laissaient prendre.

— De nos jours, dis-je en riant, on n'admire plus son père. Ce qui est à la mode, c'est de noircir du papier en ressassant tous les mauvais souvenirs de son enfance. Mais moi, personnellement, j'ai beaucoup de respect pour papa. J'aimerais être aussi efficace que lui, bien que je n'aie pas le même métier.

— Oui, mais tellement semblable. Ils se complètent l'un l'autre. Sauf que pour vous, tout se passe dans les coulisses. (Il toussota :) A propos, je tiens à vous féliciter, pour votre très beau succès, dernièrement : l'affaire Larkin.

— Oui, jusqu'ici ça n'a pas mal marché. Mais pour moi l'affaire n'est pas terminée — il y a encore des points à éclaircir. Enfin, je ne suis pas ici pour vous parler de ça.

— Bien sûr, fit Poirot me désignant un siège et m'offrant de la tisane que je refusai sans hésiter; déjà George réapparaissait avec whisky et eau de Seltz.

— Et que devenez-vous? demandai-je à Poirot. Puis parcourant du regard les livres autour de nous :

— Vous faites des travaux de recherches?

— Si l'on peut dire! soupira Poirot. Ces temps-ci, j'avais besoin de résoudre une énigme, quelle qu'elle soit. Même s'il avait fallu, comme ce bon Sherlock Holmes, déterminer à quelle profondeur du persil s'est enfoncé dans du beurre. L'important c'est qu'il y ait un problème. Pour moi, ce ne sont pas mes muscles qui ont besoin d'exercice, mais mes cellules grises.

— Pour rester en forme, acquiesçai-je.

— Oui, fit-il tristement. Mais des énigmes à résoudre, ça ne court pas les rues. Pourtant jeudi dernier, trois petites pelures d'orange au fond du porte-parapluies m'ont intrigué. D'où venaient-elles? Je n'en mange jamais, et ce n'est pas George qui aurait pu les déposer là. Enfin, voilà, c'était une petite énigme pour moi.

— Et vous avez éclairci ce mystère?

— Oui, répondit-il d'un ton désabusé. En fait c'était sans grand intérêt : la femme de ménage, en dépit de mes interdictions, avait amené un de ses enfants... Malgré tout, il a fallu une certaine perspicacité pour percer ses mensonges. Enfin...

— C'est plutôt décevant.

— Excusez ma comparaison, fit Poirot, mais prend-on une épée pour tuer une mouche? Par ailleurs, ces temps-ci, je m'amuse à lire certaines énigmes du passé demeurées sans solution. Et je cherche à les résoudre par mes méthodes.

— Vous voulez parler de cas vécus, comme l'affaire Adélaïde Bartlett, ou le procès Bravo?

— Oui, mais c'est presque trop facile. Par exemple moi, je sais sans l'ombre d'un doute qui a assassiné le petit Bravo. Son amie n'est peut-être pas à l'abri de tout soupçon mais ce n'est pas elle qui a combiné toute l'affaire. Et cette malheureuse jeune fille, Constance Kent? Pourquoi a-t-elle étranglé ce petit frère qu'elle aimait tant, voilà ce qu'on n'arrivait pas à comprendre à l'époque. Mais moi si : je n'ai eu qu'à lire l'instruction du procès. Quant à l'affaire Lizzie Borden... si seulement on avait su questionner correctement les témoins! Je crois savoir ce qu'ils m'auraient répondu. Mais hélas! ils sont tous mort maintenant.

Certes, la modestie n'a jamais étouffé Hercule Poirot, pensai-je en mon for intérieur.

— Ensuite, continua Poirot, heureux de pouvoir parler devant un auditoire, après les cas vécus, je me suis tourné vers le roman. Tous ces livres autour de moi sont des policiers. Tenez, fit-il reprenant celui qu'il avait posé à mon entrée et me le tendant, Voici *The Leavenworth Case*.

— Ce n'est pas nouveau, dis-je. Mon père a dû le lire dans sa jeunesse, et moi aussi d'ailleurs, ça doit dater terriblement.

— C'est un chef-d'œuvre, déclara Poirot. On en goûte l'atmosphère, la tension dramatique, sans parler des merveilleuses descriptions de la blonde Éléonore, de la langoureuse Mary.

— Ça me donne envie de le relire, dis-je. J'oubliais qu'on y parlait de jolies filles.

— Mais il y a aussi Hannah, la bonne, et l'assassin, tous deux tellement vrais.

Je compris qu'il allait me faire un cours et me préparai à l'écouter.

— Ensuite, si vous voulez, parlons d'Arsène Lupin. Que d'invraisemblances, de situations rocambolesques, mais compensées par une telle vitalité, un tel élan... c'est même drôle parfois. Et puis, continua-t-il en s'emparant d'un nouveau volume : *Le Mystère de la Chambre jaune*. Un véritable classique qui me satisfait entièrement. Avec quelle logique c'est mené! Je me souviens d'avoir lu des critiques disant qu'on y sentait le procédé. Mais c'est faux, mon cher, tout à fait faux. On le croirait, mais il s'en faut de l'épaisseur d'un cheveu. Non, tout au long de l'intrigue, la vérité est là, sous-jacente, enrobée de mots pertinents. Par exemple, quand les trois hommes se rencontrent à la jonction des trois couloirs, on devrait avoir tout compris. Un véritable chef-d'œuvre, presque oublié de nos jours, je crois.

Puis faisant un bond de vingt ans, il passa à des auteurs plus modernes.

— J'ai lu aussi les premières œuvres de Mrs. Ariadne Oliver, que vous devez connaître d'ailleurs. Ce qu'elle écrit ne m'enthousiasme pas beaucoup. On y sent le procédé et le hasard intervient trop souvent. Dans sa jeunesse, par manque d'expérience, elle a fait de son détective un Finlandais. Or elle ne connaît rien de la Finlande, ni de ses habitants, à part Sibélius peut-être. Pourtant, elle a de l'originalité, un esprit déductif. Peu à peu, elle acquiert des connaissances dans tous les domaines : le droit pénal, les armes à feu. Et, chose essentielle pour se renseigner sur les questions juridiques, elle doit maintenant s'être fait un ami au barreau, avocat ou autre.

Puis, prenant un nouvel auteur :

— Et voici Cyril Quaine, passé maître dans l'art de créer les alibis.

— Oui, mais mortellement ennuyeux, si j'ai bonne mémoire.

— C'est vrai, reconnut-il. Il n'arrive jamais rien dans ses romans. A part, naturellement un ou deux meurtres. Tout repose sur l'alibi : des questions d'horaires de trains, d'autobus, ou alors des histoires de croisements de routes. Je l'avoue, moi c'est ma passion. J'essaie toujours d'anticiper.

— Et vous y réussissez?

— Pas toujours, avoua humblement Poirot. Pourtant on s'aperçoit vite que tous ces alibis se ressemblent. On s'imagine Cyril Quaine assis chez lui, fumant sa pipe, entouré de guides de toutes sortes, d'horaires de bateaux, d'avions... Quoi que vous en pensiez, Colin, cet homme a de la méthode.

Saisissant un autre livre :

— Prenez Garry Gregson, un des écrivains les plus prolifiques du policier : soixante-quatre romans à son actif, si ma mémoire est bonne. Eh bien, il se passe beaucoup trop de choses dans ses livres, c'est un magma confus d'événements incroyables. Du mélodrame à la pelle! Du sang, des cadavres, des indices, en veux-tu, en voilà. Rien à voir avec la réalité.

Poirot soupira et, extirpant un livre de la pile de gauche, poursuivit :

— Tournons-nous maintenant vers les États-Unis. Voici Florence Elks, un auteur gai, vivant, qui sait créer l'incident. Elle a de l'esprit, bien qu'un peu obsédée par l'alcool, comme tous ces Américains. En vins, je suis un connaisseur, vous le savez. Entendre parler d'un bon porto, d'un bourgogne millésimé ne me déplaît pas. Mais cette quantité de bourbon qu'absorbe le détective d'un roman américain me laisse froid. Qu'il en boive un doigt ou un litre, qu'il l'ait pris dans le tiroir de sa commode ou ailleurs, ne change rien à l'action.

— Et le genre *série noire*, qu'en pensez-vous?

— De la bagarre à tout prix? Allez, j'en ai vu trop dans mon métier pour que ça m'intéresse. Cependant, j'apprécie beaucoup cette littérature américaine, pleine d'imagination, de trouvailles, plus que dans la nôtre; avec peut-être moins d'atmosphère que chez les Français, mais on en est parfois sursaturé, de leur atmosphère.

Et plongeant vers un nouveau livre :

— Louise O'Malley, elle, c'est le genre classique, raffiné. Mais quelle appréhension, quelle angoisse elle sait faire naître peu à peu chez le lecteur. Dans ces appartements luxueux de New York, dans ces milieux d'un snobisme éthéré, que de forces criminelles sous-jacentes! Ça pourrait arriver... et ça arrive. Quel écrivain, cette Louise O'Malley.

Puis après une gorgée de tisane et un léger soupir, s'emparant d'un nouveau volume :

— *Les Aventures de Sherlock Holmes*, dit-il amoureusement. Un *maître*, prononça-t-il avec respect.

— Qui ça? Sherlock?

— Oh! non, pas lui, Sir Arthur Conan Doyle, l'auteur. Pourtant que d'invraisemblances, de procédés. Mais compensés par un tel talent littéraire, un tel rythme dans la langue. Et ce merveilleux docteur Watson, quelle création! Ah! vraiment, un succès mérité!

Poirot poussa un nouveau soupir, hocha la tête et par une association d'idées toute naturelle poursuivit :

— *Ce cher* Hastings, cet ami dont je vous ai si souvent parlé, il y a longtemps que je suis sans nouvelles de lui. Quelle idée d'aller s'enterrer dans ces pays d'Amérique du Sud, avec toutes leurs révolutions!

— Il n'y a pas que là qu'il y en ait, mais dans le monde entier, de nos jours.

— Allons, ne commençons pas à parler de la bombe atomique. Elle existe et on n'y peut rien.

— Eh bien, si vous voulez, j'ai à vous parler de tout autre chose.

— Vous allez m'annoncer vos fiançailles, c'est ça? Mes sincères félicitations, *mon cher*.

— A quoi pensez-vous! m'écriai-je. Il n'en est pas question.

— Mais ce sont des choses qui arrivent, fit Poirot.

— Possible, mais pas à moi! Si je suis venu vous voir, c'est que j'ai moi-même un cas assez difficile à résoudre : un joli petit assassinat.

— Vraiment? Un joli petit assassinat? Et pourquoi avez-vous pensé à moi?

— Eh bien... fis-je embarrassé. Je me suis dit que ça vous ferait peut-être plaisir...

Pensif, Poirot caressait sa moustache.

— Et c'est un crime intéressant, à votre avis?

— Oui, et totalement incompréhensible, voilà le hic.

— Impossible, dit Poirot. Tout s'explique, tout.

— Eh bien, comprenez si vous le pouvez, moi je n'y arrive pas. D'ailleurs, ça ne me regarde même pas; je suis tombé dessus par hasard. Et une fois qu'on aura identifié le mort, il se peut que ça devienne clair comme eau de roche.

— Vous embrouillez tout, fit Poirot sévère. Dites-moi seulement les faits. C'est bien un assassinat, oui?

— Sans aucun doute.

Et je lui racontai en détail ce qui s'était passé au 19 Wilbraham Crescent. Du fond de son fauteuil, en tapotant machinalement le bras du bout des doigts, il m'écoutait. Quand je me tus, il ne fit aucun commentaire.

— Eh bien, m'écriai-je impatienté au bout de quelques secondes, qu'avez-vous à dire?

— Que voulez-vous que je dise?

— Donnez-moi la solution. A vous entendre, j'ai toujours compris qu'il suffisait de rester bien tranquillement à réfléchir dans son fauteuil pour trouver une réponse à tout. Qu'il était parfaitement inutile d'aller courir de droite et de gauche en quête d'indices.

— C'est bien ce que j'ai toujours affirmé.

— Bon, alors je vous lance un défi : je vous ai donné les faits, maintenant j'attends votre réponse.

— Je vois...

Puis, après quelques secondes de réflexion :

— Il y a une chose dont je suis sûr : c'est une affaire très simple.

— Simple? fis-je ahuri. Pourquoi?

— Parce qu'autrement, il n'aurait pas été nécessaire de lui donner une apparence aussi complexe. Vous me suivez?

— Je n'en suis pas certain.

— C'est curieux... enchaîna Poirot. Votre histoire... Elle me rappelle quelque chose... Mais où, quand ai-je déjà... Il s'arrêta, puis reprit : chaque crime a son schéma et devant cette affaire j'ai un sentiment de déjà vu.

— Ce sont les pendules, peut-être? suggérai-je. Ou bien le faux courtier d'assurances?

— Non, non.

— L'aveugle?

— Non, ne me troublez pas.

— Poirot, vous me décevez. J'étais persuadé que vous me trouveriez la clef de l'énigme, sur-le-champ.

— Mais mon cher, jusqu'ici vous ne m'avez tracé qu'un schéma. Il y a bien d'autres points à éclairer. On va sans doute rapidement identifier la victime. La police excelle dans ce genre de travail.

— Donc, d'après vous, pour le moment il n'y aurait rien à faire?

— Il y a toujours quelque chose à faire.

— Par exemple?

Brandissant un index énergique sous mon nez :

— Par exemple, bavarder avec les voisins.

— C'est déjà fait. J'accompagnais Hardcastle dans ses interrogatoires. Ils ne savent rien.

— Ah tcha, tcha, c'est votre opinion personnelle, mais c'est faux, je vous le garantis. Si on leur demande s'ils ont vu quelque chose d'anormal, les gens vous répondent non, bien sûr. Et vous prenez cela pour argent comptant. Ce n'est pas ainsi que je l'entends, quand je vous conseille d'aller bavarder avec eux. Bavarder, c'est le mot. Que ce soit eux qui vous parlent. Vous apprendrez toujours quelque chose. Qu'ils parlent de leur jardin, de leurs animaux, du coiffeur ou de leur toilette, n'importe, il y aura toujours un mot révélateur. Vous me dites que leurs conversations ne vous ont rien appris. Permettez-moi d'en douter. Si seulement vous pouviez me les répéter mot à mot.

— Très facile, m'écriai-je. En tant qu'assistant de l'inspecteur, j'ai tout pris en sténo. Tenez, voici.

— Ah! quel brave garçon. Quel brave garçon! Juste ce qu'il fallait faire! Parfait. Je vous remercie infiniment.

Gêné, je lui demandai s'il n'avait pas d'autre conseil à me donner.

— Si, toujours. Cette fille, par exemple. Eh bien, parlez-lui donc. Allez la voir. Vous êtes déjà des amis, non? Ne l'avez-vous pas reçue dans vos bras quand elle s'est sauvée, terrifiée, de cette maison?

— Les mélodrames de Garry Gregson ont dû déteindre sur vous. Vous avez adopté le ton de circonstance.

— Peut-être avez-vous raison, reconnut Poirot. On finit par se laisser contaminer par le genre de romans qu'on lit.

— Quant à la fille... j'aimerais mieux... je préférerais...

— Ah! c'est donc ça! fit Poirot. Malgré tout, dans votre subconscient, vous redoutez qu'elle ne soit impliquée dans ce drame.

— Non pas. Sa présence n'était que pur hasard.

— Non, non, *mon ami*. Le hasard a bon dos. Et vous le savez bien. C'est elle, pas une autre, qu'on a désignée au téléphone.

— Mais elle ignore pourquoi!

— En êtes-vous vraiment persuadé? Plus que probable qu'elle en connaît la raison et ne l'avoue pas.

— Je ne crois pas, répétai-je avec entêtement.

— Et même en admettant qu'elle n'ait pas conscience de la vérité, rien qu'en lui parlant vous pourrez peut-être découvrir celle-ci.

— Je ne vois pas très bien comment... euh... c'est-à-dire, je la connais à peine.

Poirot fermait les yeux.

— Quand deux personnes de sexe opposé se sentent attirées l'une vers l'autre, ce sont choses qui arrivent fréquemment, émit Poirot sentencieux. Joli brin de fille, n'est-ce pas?

— Eh bien, oui.

— Alors, parlez-lui, décréta Poirot avec feu, puisque vous êtes déjà des amis. Et sous n'importe quel prétexte, retournez aussi voir l'aveugle, pour bavarder avec elle. Allez aussi à l'agence — pour une raison quelconque, taper un rapport, par exemple. Là, quoi de plus facile que de faire connaissance avec une des jeunes employées? Et ensuite, revenez me voir pour me raconter tout ça.

— Pitié, m'écriai-je.

— Non, non, fit Poirot, ça va vous distraire.

— Vous ne vous rendez pas compte que j'ai aussi mon travail personnel.

— Un peu de détente vous sera salutaire. Vous travaillerez d'autant mieux après, m'affirma Poirot.

Je me levai en riant.

— Merci, docteur. Pas d'autres conseils de sagesse? Que pensez-vous de cette étrange affaire des montres?

Se rappuyant à son fauteuil, Poirot referma les paupières. Puis, à ma grande stupéfaction, énonça ces stances inattendues :

> *Il est grand temps, a dit le Morse*
> *De discuter divers sujets :*
> *Bateaux, souliers, l'arbre et l'écorce,*
> *Rois, océans ou bien navets,*
> *Pourquoi la mer va-t-elle bouillir,*
> *Aux dos des porcs des ailes frémir ?*

Rouvrant les yeux, il hocha la tête :

— Me suivez-vous?

— Une citation d'*Alice au Pays des Merveilles*, le Charpentier et le Morse?

— Exact. Réfléchissez. Pour l'instant, c'est tout ce que je peux faire pour vous, *mon cher*.

CHAPITRE XV

Au tribunal, il y avait foule. Très excités par cet assassinat dans leur quartier, les gens de Crowdean affluèrent, en quête de révélations sensationnelles. Toutefois, la procédure fut aussi laconique que possible. Sheila Webb avait eu tort de redouter cette épreuve de quelques minutes à peine.

« On avait téléphoné au bureau pour qu'elle se rende au 19 Wilbraham Crescent. C'est en se conformant aux instructions reçues qu'elle était entrée dans le salon où, découvrant le cadavre, elle avait hurlé, s'était enfuie chercher de l'aide. »

Pour Miss Martindale, son interrogatoire fut de plus courte durée encore. On l'avait appelée pour avoir une secrétaire — de préférence Miss Sheila Webb — et cela à treize heures quarante-neuf, heure qu'elle avait notée sur son carnet. On ne lui en demanda pas plus.

Miss Pebmarsh, qui lui succéda à la barre, nia s'être adressée à l'agence Cavendish pour obtenir une dactylo. Puis ce fut la déposition rapide et objective de l'inspecteur Hardcastle. Sur un appel téléphonique, il s'était aussitôt rendu au 19 Wilbraham Crescent, où il avait trouvé l'homme assassiné.

— A-t-on pu identifier la victime? voulut savoir le procureur.

— Non, pas encore. C'est pour cette raison que je propose l'ajournement pour supplément d'enquête.

Ce fut ensuite au tour du médecin légiste qui, après avoir décliné ses titres, résuma son arrivée à la maison du meurtre, les résultats de son examen.

— Avez-vous une idée approximative de l'heure de la mort, docteur?

— Je ne suis arrivé qu'à trois heures un quart; je la situe entre une heure trente et deux heures trente.

— Ne pouvez-vous préciser?

— Non, cela m'est difficile. Au jugé, je dirais à peu près vers deux heures, plutôt avant, même. Mais l'âge, la santé... tant de facteurs jouent.

— Vous avez pratiqué l'autopsie?

— Oui.

— Cause de la mort?

— Poignardé avec une lame mince, très effilée — du genre couteau à découper, par exemple. La pointe a pénétré... Suivaient des détails techniques sur l'endroit exact où elle avait traversé le cœur.

— La mort a-t-elle été instantanée?

— Quelques secondes au plus.

— A-t-il pu crier, se débattre?

— Impossible, vu l'état dans lequel il était.

— Expliquez-vous, docteur.

— Divers examens de laboratoire et tests sur ses viscères m'ont porté à conclure qu'ayant été drogué, il devait être dans un état semi-comateux quand on l'a tué.

— Et le nom de cette drogue, docteur, pouvez-vous nous le dire?

— Oui. De l'hydrate de chloral.

— Selon vous, comment le lui a-t-on administré?

— Dans de l'alcool, sans doute. L'effet est presque instantané.

— On appelle cela un « Mickey Finn », je crois, dans le milieu, fit le procureur à mi-voix.

— Exact, dit le docteur. Il a dû le boire sans le moindre soupçon et quelques instants après s'écrouler, évanoui.

— Et à votre avis, c'est inconscient qu'on l'a poignardé?

— J'en suis persuadé. D'où son masque paisible, et aucun signe d'une lutte quelconque.

— D'après vous, quand on l'a frappé, depuis combien de temps avait-il perdu connaissance?

— Ça m'est difficile à dire. Voyez-vous, tout est fonction du métabolisme de chacun. En tout cas, depuis une demi-heure au moins et peut-être beaucoup plus.

— Merci, docteur. Sauriez-vous nous dire si la victime s'était alimentée?

— Si par là vous voulez savoir s'il avait déjeuné, non certes. Il n'avait rien avalé depuis au moins quatre heures.

— Merci, docteur Riggs. Ça sera tout.

Le procureur parcourut la salle du regard.

— L'audience, prononça-t-il, est ajournée jusqu'au 28 septembre.

Sur ce, les gens s'égrenèrent hors du prétoire. Toutefois, près de la porte, Edna Brent venue avec les autres filles de l'agence Cavendish, hésitait à sortir.

Tout le bureau avait congé pour la matinée. Aussi, Maureen West l'interpella-t-elle.

— Alors, Edna? On va déjeuner au *Bluebird?* On a tout le temps. Toi, en tout cas.

— Pas plus que toi, répondit Edna ulcérée. Le Fauve m'a collée de la première équipe aujourd'hui. C'est moche, hein? Moi qui pensais rabioter une heure pour faire des emplettes et du lèche-vitrines.

— C'est le Fauve tout craché, ça. Pas plus mesquine qu'elle! On rouvre à deux heures et il faut qu'on rapplique toutes. Tu cherches quelqu'un?

— Oui, Sheila. Je ne l'ai pas vu ressortir.

— Elle a filé tout de suite après sa déposition, fit Maureen. Avec un jeune homme, j'ai pas vu qui. Alors, tu t'amènes?

Mais Edna, toujours hésitante, finit par dire :

— Partez... d'ailleurs, j'ai mes courses à faire.

Et Maureen s'éloigna en compagnie d'une autre.

Edna, elle, s'attardait, se décidait enfin à aborder le jeune agent blond de faction.

— Puis-je rentrer? murmura-t-elle d'une voix timide. J'voudrais parler à celui qui est venu au bureau, l'inspecteur j'sais pas qui.

— L'inspecteur Hardcastle?

— C'est ça. Celui qui a fait la déposition ce matin.

Se détournant vers le prétoire, le jeune agent aperçut l'inspecteur en discussion très sérieuse avec le principal et le procureur.

— Il m'a l'air occupé en ce moment, Miss, dit-il. Revenez un peu plus tard, voulez-vous? Ou alors, si vous préférez que je fasse la commission? Est-ce important?

— Oh! non, pas trop, fit Edna. C'est que je m'explique pas comment ça peut être vrai, ce qu'elle a dit. Parce que moi...

Et elle s'éloigna, le sourcil froncé.

Quittant le Cornmarket, elle déambulait dans High Street, le front toujours plissé, s'efforçant de réfléchir. Mais penser n'était pas son fort, plus elle essayait d'y voir clair, plus son esprit s'embrouillait. A haute voix, elle prononça : « Mais c'est impossible... Ça n'a pas pu se passer comme ça. »

Soudain, l'air résolu, elle tourna dans Albany Road en direction de Wilbraham Crescent. Depuis que la presse avait publié la nouvelle du meurtre, nombreux étaient ceux qui tous les jours venaient s'attrouper en face du 19. Étrange fascination qu'en de telles circonstances la brique et le ciment exercent sur les foules. Les deux premiers jours, on avait dû poster là un agent pour forcer les gens à circuler; puis, peu à peu, les curieux se firent plus rares, sans pourtant disparaître tout à fait. Les livreurs ralentissaient en passant. De bonnes mères de famille arrêtaient leurs poussettes sur le trottoir d'en face pour contempler quelques instants la coquette petite villa de Miss Pebmarsh. Et quelle joie pour les commères revenant du marché de pouvoir rester là devant, à papoter avec leurs amies.

— C'est cette maison... celle où...

— Le corps, on l'a trouvé dans le salon... Non, je crois que c'est la fenêtre de gauche.

— Mais le garçon épicier m'a dit que c'était celle de droite.

— Ça se pourrait, mais j'ai été une fois au 10 et là, le salon est à gauche et la salle à manger à droite.

— On ne croirait jamais qu'il y a eu un assassinat là-dedans...

— Paraît que la fille, elle est sortie en hurlant...

— On dit que ça l'a rendue folle. Pas étonnant, après un tel choc.

— On dit qu'il est entré par la fenêtre de derrière et que la fille l'a surpris en train de fourrer l'argenterie dans un sac...

— Et la propriétaire, une pauvre aveugle, qui ne s'est pas rendu compte de ce qui se passait.

— Mais elle n'y était pas!

— Ah? On m'avait dit que si. Qu'elle aurait tout entendu du premier. Oh! mon Dieu, mes commissions! Faut que je me dépêche.

Et ainsi de suite. Les langues allaient leur train. Comme attirés par un aimant, les gens — et des plus inattendus — surgissaient dans Wilbraham Crescent, s'immobilisaient, regardaient, puis ayant satisfait quelque obscur instinct, s'éloignaient.

C'est là, que toujours aussi préoccupée, notre Edna fit son apparition, bousculant sur son passage un petit groupe de badauds en contemplation devant la maison du crime.

L'impressionnable Edna aussitôt les imita. C'était donc ici que ça s'était passé, dans cette si jolie maison. C'est là qu'un homme avait été assassiné. Tué avec un couteau de cuisine, comme tout le monde en a...

Hypnotisée par son entourage, Edna Brent elle aussi regardait, regardait, ne pensait plus à rien... Commençait à oublier pourquoi elle était venue... Quand soudain elle sursauta : une voix lui parlait à l'oreille.

La reconnaissant, elle se retourna, très surprise...

CHAPITRE XVI

Récit de Colin

Je vis Sheila Webb s'esquiver du tribunal. Sa déposition m'avait paru très claire. Dite d'une voix un peu nerveuse, mais quoi de plus naturel. (Comme dirait Beck : « Quel beau talent d'actrice ! » Il me semblait l'entendre.)

J'assistai au coup de théâtre du docteur Rigg — bien qu'il fût sans doute au courant, Hardcastle ne m'avait pas averti — puis, je suivis Sheila.

— Alors, ça n'a pas été aussi terrible que ça? dis-je une fois à sa hauteur.

— Non, très simple au contraire. Le procureur m'a semblé très gentil. (Elle hésita, puis :) Et maintenant qu'est-ce qu'il va se passer?

— On remettra l'audience à plus tard, en attendant d'autres témoignages. A une quinzaine environ, ou jusqu'à ce que le mort soit identifié.

— Croyez-vous qu'on y arrive?

— Oh! oui, il n'y a pas de question.

— Qu'il fait froid aujourd'hui! dit-elle frissonnant.

Ce qui était faux, car il faisait presque chaud.

— Que diriez-vous de déjeuner tout de suite? Vous ne rentrez pas avant deux heures à votre bureau?

— Oui, pas avant.

— Alors, venez. Aimez-vous la cuisine chinoise? Au bout de cette rue il me semble apercevoir un petit restaurant chinois.

— Non, sincèrement. J'ai des courses à faire.

— Eh bien, faites-les après.

— Impossible : beaucoup de magasins ferment entre une heure et deux heures.

— Bon. Rendez-vous là-bas d'ici une demi-heure. D'accord?

Elle accepta.

A l'abri du vent, j'allai m'asseoir au bord de la mer, à moi seul à cette heure.

Je voulais réfléchir. C'est toujours rageant de penser que des gens en savent plus long sur vous que vous-même. Et pourtant Hardcastle, Poirot et le vieux Beck avaient tous vu clairement, ce que moi j'étais bien forcé d'admettre maintenant.

Que cette fille ne m'était pas indifférente; que j'y tenais comme jamais à aucune autre fille, auparavant.

Ce n'était pas pour sa beauté : elle était assez jolie, avait du type, mais sans plus. Ni pour son sex-appeal, je n'étais pas né de la dernière pluie. On m'avait joué toute la gamme.

Mais dès le premier instant, la connaissant à peine, j'avais compris qu'elle, elle était pour moi.

Mais bon Dieu, c'était bien la seule chose que je sache d'elle!

Peu après deux heures, j'entrai au poste de police voir Dick que je trouvai à son bureau en train de feuilleter un tas de paperasses. Levant les yeux, il me demanda ce que j'avais pensé de l'instruction.

— Très bien menée et avec beaucoup de doigté, lui dis-je.

— Nous savons y faire; c'est une de nos spécialités nationales. Qu'as-tu pensé du rapport médical?

— Une véritable bombe. Pourquoi ne m'avoir pas prévenu?

— Tu étais parti. As-tu consulté ton spécialiste?

— Oui, bien sûr.

— Je me souviens vaguement de lui : une grosse moustache, non?

— Un buisson, ai-je reconnu. C'est son orgueil.

— Il doit être vieux?

— Oui, mais pas gaga.

— Pourquoi es-tu allé le voir? Charité chrétienne?

— Quel esprit inquisiteur vous avez, vous autres, policiers! Oui, je l'avoue, c'est en partie pour cela. Mais j'étais aussi curieux de connaître son opinion sur l'affaire. Vois-tu, il prétend qu'assis dans son fauteuil, yeux fermés, mains croisées, il est capable de débrouiller n'importe quelle affaire. Je voulais le mettre à l'épreuve.

— Et il a bien voulu se prêter à l'expérience?

— Oui.

— Alors, qu'en pense-t-il? interrogea Dick avec curiosité.

— Simple comme bonjour, à son avis.

— Simple! fit Hardcastle en sursautant, piqué au vif. Et pourquoi cela?

— Autant que j'aie pu en juger, parce qu'il y a une telle mise en scène.

— Je ne comprends pas. C'est probablement très astucieux, mais ça m'échappe. Et quoi encore?

— Il m'a conseillé d'aller bavarder avec les voisins. Bien que je lui aie raconté que nous l'avions déjà fait.

— Oui, mais tout a changé depuis le rapport médical. Les voisins ont maintenant une importance accrue, puisque la victime a été droguée avant d'être transportée au 19 pour y être tuée.

Ces mots me rappelaient quelque chose.

— N'est-ce pas ce que la femme aux chats nous disait l'autre jour? Ça m'avait frappé, sur l'heure.

— Ah! ces chats, fit Hardcastle avec un frisson. Puis, enchaînant : à propos, nous avons retrouvé hier l'arme du crime.

— Vraiment? Ou donc?

— Dans la fosse aux chats justement. Sans doute jetée là par l'assassin.

— Pas d'empreintes, naturellement?

— Essuyées avec soin. De plus, c'est un couteau très ordinaire — pas très neuf, affûté récemment : le couteau de n'importe qui.

— Tu parles d'un scénario! On l'a drogué, puis transporté au 19... Comment? En voiture?

— Par exemple d'une des maisons voisines qui a un jardin mitoyen.

— Trop de risques, non?

— Faut de l'audace, admit Hardcastle. De plus, il est nécessaire de bien connaître les habitudes de ses voisins. Il semble plus plausible qu'on l'ait amené en voiture.

— C'est dangereux aussi. Une voiture ne passe pas inaperçue.

— Personne ne l'a vue. Mais je reconnais que l'assassin ne pouvait le prévoir. Des passants auraient pu remarquer qu'une voiture s'arrêtait au 19 ce jour-là.

— Je me le demande. A moins d'un modèle exclusif, tape-à-l'œil. Mais il y a peu de chance pour que ce soit le cas.

— Et de plus, c'était l'heure du déjeuner. Te rends-tu compte, Colin, que ça remet Miss Pebmarsh dans la course? On s'imagine mal en train de poignarder un homme valide. Mais s'il était drogué...

— En d'autres termes, s'il était venu là pour se faire tuer, comme dirait notre bonne Mrs. Hemming? On lui fixe un rendez-vous auquel il va, sans méfiance aucune; on lui offre un cocktail ou un sherry — le Mickey Finn agit — et Miss Pebmarsh opère! Puis elle lave le verre, arrange soigneusement le corps, et après avoir jeté son couteau dans le jardin voisin, repart en trottinant comme de coutume.

— Et sur son chemin, téléphone à l'agence Cavendish.

— Et pourquoi cela? Pourquoi préciser qu'elle voulait Sheila Webb?

— Voilà la question, dit Hardcastle en me fixant. Est-ce qu'elle le sait, elle, la fille?

— Elle affirme que non.

— Elle l'affirme... répéta Hardcastle d'une voix neutre. Et toi, ton avis?

Un instant, je restai muet. Mon avis? J'étais au pied du mur. La vérité finirait toujours par éclater. Et si Sheila était celle que je croyais, elle ne risquait rien.

D'un mouvement brusque je tirai la carte de ma poche, la poussai sur la table vers lui.

— Voilà ce que Sheila a reçu par la poste.

Hardcastle l'examinait. C'était une carte représentant la Cour d'assises de Londres, adressée à Miss R. S. Webb, 14 Palmerston Road, Crowdean. Sur la partie gauche, deux mots seulement : « Souviens-toi. » Et au-dessous : 4.13.

— 4.13, observa Hardcastle. L'heure qu'indiquaient toutes ces montres l'autre jour.

Puis, hochant la tête, il poursuivit :

— Cette photo d'Old Bailey, ces mots... tout ça doit correspondre à quelque chose.

— Elle n'y comprend rien, et je la crois.

— Je garde cette carte; elle peut nous servir. On ne sait jamais.

— Espérons.

Silence gêné entre nous deux. Pour le rompre :

— Tu en as des paperasses, fis-je.

— Pas plus que d'habitude. Mais rien d'intéressant. La victime n'avait pas de casier judiciaire, donc aucune empreinte dans notre fichier. Tout ça, ce sont des lettres de gens qui prétendent le reconnaître. Tiens, écoute un peu : « Monsieur, lut-il, je suis sûr d'avoir vu le type de la photographie du journal prendre le train l'autre jour à la gare de Willesden. Il paraissait nerveux, parlait tout seul. J'ai tout de suite compris qu'il avait des ennuis graves... Cher monsieur, cet homme, c'est tout le portrait de John, un cousin de mon mari, autrefois parti en Afrique du Sud. Il a très bien pu en revenir. Dans le temps, il portait une moustache mais il a dû la raser... Monsieur l'inspecteur, hier dans le métro, j'ai vu l'homme du journal. Il m'a tout de suite paru bizarre... etc., etc. » Sans parler de cette kyrielle de bonnes femmes qui croient reconnaître leur mari... Comme si elles ne les avaient jamais regardés! Ou de ces mères qui s'imaginent pouvoir identifier un fils qu'elles n'ont pas revu depuis au moins vingt ans! Voici aussi la liste des disparus : rien pour nous là-dedans. Un certain George Barlow, soixante-cinq ans, ne reparaît plus à son domicile. Sa femme le suppose atteint d'amnésie. Mais d'après la note ci-dessous, il est criblé de dettes; et on l'a vu traîner avec une rouquine... Encore un qui a pris la fuite! Secundo : le professeur Hargraves qui mardi dernier devait faire une conférence. Non seulement il n'est pas venu, mais il n'a envoyé ni télégramme, ni lettre d'excuse. Il a dû croire qu'elle avait lieu la semaine suivante et oublier de dire à sa gouvernante où il allait, ajouta Hardcastle d'un ton détaché. Ce genre de distraits, nous en avons à la pelle...

Le téléphone sonnait. Hardcastle prit l'écouteur.

— Oui. Quoi? Qui l'a trouvée? A-t-elle donné son nom? Allez-y.

Puis il raccrocha, tourna vers moi un visage bouleversé, presque haineux.

— On vient de découvrir une jeune fille morte dans une des cabines téléphoniques de Wilbraham Crescent.

— Morte! dis-je abasourdi. Comment?

— Étranglée, avec sa propre écharpe.

Je me sentais soudain glacé. Hardcastle me fixait d'un œil à la fois critique et spéculatif des plus déplaisants.

— Rassure-toi, Colin : ce n'est pas ta petite amie, mais une de ses camarades de travail, Edna Brent.

— Qui l'a découverte? Un agent?

— Non, la femme du 18, Miss Waterhouse. Son téléphone étant en dérangement, à ce qu'elle raconte, elle est allée à la cabine téléphonique où elle l'a trouvée, recroquevillée dans un coin.

La porte s'ouvrait devant un agent.

— Le docteur Riggs vient de téléphoner qu'il se rend sur les lieux immédiatement. Il vous rejoint à Wilbraham Crescent.

CHAPITRE XVII

Une heure plus tard, un jeune agent très énervé se présentait dans le bureau de Hardcastle.

— Excusez-moi, monsieur l'inspecteur, mais je pensais qu'il valait peut-être mieux vous le dire.

— Oui? Qu'est-ce que c'est?

— C'est après l'instruction, monsieur l'inspecteur. J'étais de faction à la porte. La jeune fille, la victime, quoi — elle... elle m'a parlé. Elle voulait vous voir.

Soudain attentif, Hardcastle se redressa.

— Me voir? A quel sujet, vous l'a-t-elle dit?

— Non, monsieur l'inspecteur. Désolé. J'aurais peut-être dû m'en inquiéter. Je lui ai demandé si elle voulait laisser un message... ou si elle pouvait revenir un peu plus tard, au poste de police. Parce que vous étiez en conférence avec monsieur le principal et monsieur le procureur, et j'ai cru mieux...

— M...! jura Hardcastle à mi-voix. Vous n'auriez pas pu la faire attendre!

— Pardon, monsieur l'inspecteur. (Très rouge, il s'excusait.) Si j'avais su, je n'aurais pas hésité. Mais ça n'avait pas l'air important, elle-même me l'a assuré, elle disait que c'était seulement quelque chose qui la tracassait.

— Qui la tracassait, murmura Hardcastle.

Puis, silencieux, il réfléchit pendant un long moment.

C'était elle, la fille qu'il avait croisée dans la rue en se rendant chez Mrs. Lawton, celle qui désirait tant voir Sheila Webb.

— Écoutez, Pierce, dit-il, racontez-moi tout ce que vous savez, en détail. Vous ne pouviez pas deviner quelle importance ça avait, ajouta-t-il généreusement.

Au fond des prunelles de Pierce brillait sa reconnaissance.

— Eh bien, monsieur l'inspecteur, voilà. Quand tout le monde sortait, après avoir traîné un moment à regarder tout autour d'elle, comme si elle cherchait quelqu'un, elle est venue me trouver. Pour me demander à parler à l'inspecteur, celui qui avait témoigné, qu'elle disait. Vous, vous étiez en discussion avec monsieur le principal et monsieur le procureur. Je lui ai répondu que vous étiez occupé, et de me laisser un message ou bien de revenir plus tard. Il me semble l'avoir entendu murmurer que ça irait. Je lui ai demandé si c'était quelque chose de grave...

— Et alors? interrogea Hardcastle, penché vers lui.

— Non, pas trop, m'a-t-elle répondu. Elle a dit seulement que ça n'était pas possible que ça se soit passé comme elle l'a raconté.

— Pas possible que ça se soit passé comme elle l'a raconté? répéta Hardcastle.

— Tout juste, monsieur l'inspecteur. Je ne me rappelle pas les mots exacts, mais elle avait l'air préoccupé, fronçait les sourcils. Pourtant, quand je lui ai redemandé, elle m'a affirmé que ça n'avait pas grande importance.

Pas grande importance! avait dit la jeune fille qu'on devait retrouver un peu plus tard étranglée dans une cabine téléphonique.

— Quelqu'un aurait-il pu entendre votre conversation?

— Oh! il y avait bien tous les gens qui sortaient. Et ils étaient nombreux, vous savez, à l'audience. Ça a fait du bruit, ce meurtre. Avec tout le battage qu'il y a eu dans les journaux.

— Et vous ne vous souvenez de personne auprès de vous, en particulier? Un des témoins, par exemple?

— Non, monsieur l'inspecteur, je le regrette vivement.

— C'est bon, Pierce, fit Hardcastle. Si par hasard vous vous rappeliez quelque chose d'autre, venez tout de suite me trouver.

Resté seul, il lutta contre sa colère envahissante, en partie tournée contre lui-même. Cette fille à l'air craintif avait su quelque chose — qu'elle l'ait entendu ou vu — qui la tracassait. Et la séance du tribunal n'avait fait qu'accroître son malaise. Était-ce en rapport avec les témoignages? Probablement avec celui de Sheila, ce qui expliquerait qu'elle ait tenté de la voir chez sa tante avant-hier. Avait-elle appris quelque chose d'inquiétant sur Sheila? Peut-être désirait-elle une explication seule à seule, pas devant les autres. Tout portait à le croire, tout.

· · ·

— Et cette fille, pourquoi a-t-elle donc été à Wilbraham Crescent? demanda le sergent Cray.

Il rentrait tout juste, épuisé.

— C'est la question que je me pose, dit Hardcastle. A moins que ce ne soit par simple curiosité, pour voir à quoi ressemblait la maison. Et quoi de plus naturel, la moitié de la population de Crowdean n'en fait-elle pas autant?

— A qui le dites-vous! fit le sergent Cray d'une voix lugubre.

Cray parti, Hardcastle inscrivit trois chiffres sur son buvard, suivis de trois points d'interrogation : le 18? — le 19? — et enfin le 20? En face, il écrivit les noms correspondants : Hemming, Pebmarsh, Waterhouse. Il laissa de côté les trois autres maisons adjacentes, où Edna Brent n'aurait pu se rendre par le chemin qu'elle avait pris.

Alors il se mit à réfléchir.

D'abord au n° 20, où avait été trouvée l'arme du crime. Sans doute lancée depuis le jardin du 19, mais comment le prouver? Qui sait si la propriétaire du 20 ne l'avait pas elle-même fourrée dans sa haie? Interrogée, Mrs. Hemming n'avait su que répondre : « Oh! comme c'est méchant d'avoir jeté ce coutelas sur mes pauvres chats! » Et quel rapport entre Mrs. Hemming et Edna Brent?

Aucun, décréta Hardcastle, se penchant sur le cas Pebmarsh. En se rendant à Wilbraham Crescent, Edna allait-elle rendre visite à Miss Pebmarsh? Quelque chose dans la déposition de cette dernière devant le tribunal avait peut-être paru erroné à la pauvre Edna. Mais c'est avant la séance qu'Edna s'était montrée tourmentée. Savait-elle déjà quelque chose à ce moment-là, par exemple quel lien pouvait exister entre Sheila Webb et Miss Pebmarsh? Ce qui expliquerait ce qu'elle avait dit à Pierce : « Ce n'est pas possible que ça se soit passé comme ça. »

Des hypothèses, rien que des hypothèses! se dit-il, amer.

Et au 18? Instinctivement Hardcastle se méfiait des gens qui découvraient des cadavres. Que de facilités pour le criminel qui trouvait le corps. Plus besoin d'alibi, ni de se soucier d'empreintes oubliées. Une position inattaquable, sans aucun doute, à cela près qu'il ne fallait pas de mobile trop évident. Dans le cas de Miss Waterhouse on ne voyait pas du tout pourquoi elle se serait débarrassée de la pauvre petite Edna Brent. Miss Waterhouse n'avait fait aucune déposition devant le tribunal, mais aurait très bien pu se trouver dans la salle d'audience. Edna soupçonnait-elle Miss Waterhouse d'avoir imité la voix de Miss Pebmarsh au téléphone pour qu'on envoie une dactylo au 19?

Encore, toujours des hypothèses... Et il y avait aussi, bien sûr, Sheila Webb...

Hardcastle avança la main vers le téléphone, appela Colin. Une fois en ligne :

— Ici Hardcastle, dit-il. A quelle heure as-tu déjeuné avec Sheila Webb?

Colin hésita, puis :

— Qui te dit que nous avons déjeuné ensemble?

— J'ai tapé dans le mille, pas vrai?

— Ça te contrarie?

— Non, je te demande simplement à quelle heure. Tout de suite après l'audience?

— Non, elle avait des courses à faire. Nous nous sommes retrouvés au restaurant chinois à une heure.

— C'est bon.

Du regard, Hardcastle parcourait ses notes : c'est entre midi et demi et une heure qu'on avait assassiné Edna Brent.

— Notre menu t'intéresse? fit Colin acerbe.

— Te fatigue pas. Je voulais l'heure exacte, c'est tout, pour mon rapport.

— Ah! bien. Si nous en sommes là...

Silence. Puis, conciliant, Hardcastle proposa :

— Si tu n'as rien de mieux à faire, ce soir...

— Je pars, l'interrompit Colin. J'étais en train de boucler ma valise. En rentrant ici, j'ai trouvé un message. Je dois filer à l'étranger.

— Et tu reviens quand?

— D'ici une semaine — plus longtemps peut-être — ou jamais.

— Quelle tuile pour toi. Ou bien est-ce que je me trompe?

— Sait-on jamais, philosopha Colin en raccrochant.

CHAPITRE XVIII

Hardcastle arriva au 19, juste au moment où Miss Pebmarsh allait sortir.

— Vous êtes au courant? dit-il.

— De quoi donc?

— Je pensais qu'on vous avait prévenue. On a assassiné une jeune fille dans la cabine téléphonique du coin de la rue.

— Assassiné? Mais quand donc?

— Il y a deux heures et demie environ.

— Personne ne m'en a soufflé mot. Personne, dit Miss Pebmarsh d'une voix acrimonieuse, comme si elle prenait soudain cruellement conscience de son infirmité. Une jeune fille assassinée. Et qui ça?

— Edna Brent, une employée de l'agence Cavendish.

— Encore quelqu'un de là-bas. Mais l'avait-on convoquée comme l'autre, cette Sheila Webb?

— Pas à ma connaissance. Elle ne serait pas venue vous rendre visite, par hasard?

— À moi? Non, certes pas.

— Vous étiez chez vous à cette heure-là?

— Peut-être. Quelle heure disiez-vous?

— Vers midi et demi.

— Oui, acquiesça Miss Pebmarsh, oui, je devais être rentrée.

— Après le tribunal, où êtes-vous allée?

— Droit à la maison. (Elle se tut, puis elle ajouta :) Qu'est-ce qui vous fait penser que cette fille aurait pu désirer me voir?

— Elle a assisté à l'audience, ce matin. Elle vous y a aperçue. Pour qu'elle vienne à Wilbraham Crescent, il devait y avoir une raison...

— Mais pourquoi chez moi, seulement pour m'avoir entrevue au tribunal?

— Eh bien... (L'inspecteur eut un sourire affable puis, vite, se rendant compte qu'elle ne pouvait l'apprécier, essaya de l'exprimer par son intonation.) Eh bien, sait-on jamais avec ces jeunes personnes. Peut-être voulait-elle tout simplement un autographe.

— Un autographe, fit Miss Pebmarsh subitement méprisante. Oui, ajouta-t-elle, oui, vous devez avoir raison. Ça se fait souvent. Mais aujourd'hui, monsieur l'inspecteur, il n'en a pas été question. Depuis que je suis rentrée, personne n'est venu.

— Bien, merci, Miss Pebmarsh. Dans notre métier, voyez-vous, nous préférons vérifier toutes les éventualités et toutes les hypothèses.

— Quel âge pouvait-elle bien avoir? interrogea Miss Pebmarsh.

— Dix-neuf ans, je crois.

— Dix-neuf ans? Si jeune. (Sa voix s'altéra légèrement.) Mon Dieu, la pauvre petite! Comment peut-on tuer une enfant de cet âge!

— Ce sont des choses qui arrivent.

— Était-elle jolie, attirante?

— Non, fit Hardcastle. Elle essayait de l'être, mais sans grand succès.

— Alors, nous faisons fausse route, dit Miss Pebmarsh résignée. Je regrette de ne pouvoir vous être utile, inspecteur, plus que vous ne croyez.

Et Hardcastle prit congé, fortement impressionné comme toujours par la personnalité de Miss Pebmarsh.

Miss Waterhouse, elle aussi, était chez elle. Selon son habitude, elle ouvrit grande la porte d'un seul coup, dans son vif désir de surprendre quelqu'un en faute.

— Oh! c'est vous, fit-elle. J'ai déjà raconté à vos hommes tout ce que je savais.

— Je n'en doute pas, dit Hardcastle, mais voyez-vous, il reste toujours d'autres questions à poser, et nous avons besoin de nouveaux détails.

— Bien, entrez alors, dépêchez-vous. Ne restez pas à moisir sur le paillasson. Et asseyez-vous donc. Comme je l'ai déjà dit, je suis sortie pour téléphoner et c'est en ouvrant la porte de la cabine que j'ai vu la fille. De ma vie, je n'ai eu si peur. J'ai couru chercher un agent. Et après, si ça peut vous intéresser, je suis rentrée chez moi et j'ai avalé un verre de cognac pour me remonter. Oui, pour me remonter, inspecteur, aboya Miss Waterhouse.

— Et vous avez bien fait, approuva Hardcastle.

— Et voilà, déclara Miss Waterhouse, d'un ton sans réplique.

— N'aviez-vous jamais vu cette fille avant? C'était une des dactylos de l'agence Cavendish.

— Je n'ai jamais fait appel à aucune sténo-dactylo. A moins qu'elle n'ait travaillé pour mon frère, si c'est là où vous voulez en venir.

— Non pas, dit l'inspecteur. Aucun rapport. Je me demandais seulement si ce matin, avant sa mort, elle n'était pas passée vous voir?

— Me voir? Mais non, quelle idée! Et dans quel but?

— Ça nous l'ignorons. Cependant, si quelqu'un prétendait l'avoir vue devant votre porte ce matin, affirmeriez-vous qu'il s'est trompé? interrogea Hardcastle d'un air détaché.

— Devant ma porte? Quelle sottise! déclara-t-elle, puis hésitant, à moins que...

— Oui? fit Hardcastle attentif.

— A moins que ce ne soit pour glisser un prospectus quelconque. J'en ai reçu ce matin, contre la guerre atomique, il me semble. Presque tous les jours il y en a un nouveau. Peut-être en effet est-elle venue le mettre dans ma boîte aux lettres. Mais quel mal y voyez-vous?

— Aucun, naturellement. Et pour le téléphone? D'après vous, le vôtre était en dérangement. La poste soutient le contraire.

— La poste dit n'importe quoi. Quand j'ai fait mon numéro, ce n'était pas que ça sonnait occupé, mais il y avait un gargouillis bizarre. Bref, je suis partie pour la cabine.

— Excusez-moi du dérangement, Miss Waterhouse. Mais tout nous pousse à croire que cette jeune fille venait rendre visite à quelqu'un du Crescent, dans vos parages immédiats.

— Vous allez donc interroger tous les gens du quartier à la file? fit Miss Waterhouse. Pour moi, elle devait se rendre chez la voisine, Miss Pebmarsh.

— Pourquoi?

— Vous m'avez bien dit que c'était une des dactylos de l'agence Cavendish? Et Miss Pebmarsh n'en avait-elle pas fait venir une le jour du meurtre?

— C'est ce qu'on prétend, mais elle le nie.

— Eh bien, si vous voulez mon opinion — bien qu'on ne m'écoute jamais avant qu'il soit trop tard — elle doit être légèrement gâteuse, téléphoner à des agences pour demander des dactylos puis oublier complètement qu'elle l'a fait.

— Mais la croyez-vous capable de commettre un crime?

— Je n'ai pas dit ça. Je sais qu'on a assassiné quelqu'un chez elle, mais de là à la soupçonner, elle! Non, je me demande seulement si elle n'a pas d'idées fixes. J'ai connu une femme qui téléphonait sans cesse pour se faire livrer des douzaines et des douzaines de meringues. Et quand on les lui livrait, elle affirmait ne les avoir jamais commandées.

— Bien sûr, tout est possible, fit Hardcastle, et il prit congé.

A son avis, les suggestions de Miss Waterhouse étaient bien maladroites, à moins qu'elle n'ait vraiment cru qu'on avait vu la jeune fille à sa porte. Dans ce cas-là, elle s'était montrée très fine.

Après un coup d'œil à sa montre, l'inspecteur vit qu'il avait encore le temps d'aller houspiller un peu le personnel de l'agence Cavendish, Sheila Webb en particulier.

A son entrée, une des employées se leva.

— Monsieur l'inspecteur Hardcastle? Miss Martindale vous attend.

Et elle l'introduisit dans le bureau directorial où, sur-le-champ, Miss Martindale l'attaqua :

— C'est scandaleux, monsieur l'inspecteur, tout à fait scandaleux. Il vous faut tirer cette affaire au clair et que ça ne traîne pas, immédiatement. A quoi sert la police, sinon à nous protéger? Eh bien, faites votre devoir. Moi et mes filles, nous exigeons qu'on nous protège, et je l'obtiendrai.

— Bien entendu, Miss Martindale...

— Deux victimes parmi mes filles, deux, m'entendez-vous? Il n'y a pas l'ombre d'un doute, nous avons affaire à un maniaque, un de ces types — comment appelle-t-on ça, un obsédé des dactylos. C'est à dessein qu'on vise notre agence. D'abord, c'est Sheila Webb qui, à la suite d'un stratagème cruel, se trouve face à un cadavre, de quoi déséquilibrer une jeune fille un peu émotive. Et maintenant, voilà qu'on m'assassine cette brave petite, bien inoffensive, et dans un téléphone public encore! Monsieur l'inspecteur, je vous somme de faire le nécessaire.

— Certes, Miss Martindale, c'est mon vœu le plus ardent. Et si vous me voyez ici, c'est dans l'espoir que vous puissiez m'aider.

— Vous aider, vous aider? Mais, mon pauvre monsieur, si je savais la moindre chose, j'aurais déjà couru vous le dire! Il faut que vous trouviez l'assassin d'Edna, l'individu qui a joué un si sale tour à ma pauvre Sheila! Oui, je suis sévère envers mes employées, je leur demande du travail, de la tenue, et de ne pas être en retard. Mais je ne tolérerai jamais ni qu'on les assassine, ni qu'on les moleste. Non! je saurai les défendre, exiger de ceux que l'État paie pour nous protéger, qu'ils fassent leur devoir.

Elle rugissait presque, l'œil étincelant.

— Laissez-nous le temps, Miss Martindale.

— Le temps! Le temps! Parce qu'on vient de tuer cette pauvre petite malheureuse, vous vous dites que rien ne presse plus maintenant. Ne comprenez-vous donc pas qu'une des autres risque d'être tuée!

— Non, Miss Martindale, on n'en est pas là.

— A votre réveil ce matin, inspecteur, vous attendiez-vous à ce qu'on assassine cette pauvre fille? Non, autrement vous auriez cherché à la protéger. Et si l'on en assassine une autre — ou que d'une manière quelconque on lui attire des ennuis — vous en seriez le premier étonné, naturellement! Tout cela paraît démentiel, avouez-le, surtout, si ce que racontent les journaux est exact, à propos de ces pendules. On n'en a pas parlé au Tribunal ce matin. C'est étonnant.

— On a été, à dessein, très discret, ce n'est qu'une instruction préliminaire, voyez-vous.

— Je ne vois qu'une chose, fit Miss Martindale le mitraillant du regard, c'est que je compte sur vous pour agir.

— Mais dites-moi, est-ce qu'Edna n'avait pas l'air d'avoir des soucis dernièrement? N'est-elle pas venue vous demander conseil?

— Oh! non, et je ne pense pas qu'en aucun cas elle aurait fait appel à moi. Mais quels ennuis aurait-elle bien pu avoir?

C'est précisément la question que se posait l'inspecteur Hardcastle. Comprenant alors qu'il serait sans doute vain d'espérer une réponse de Miss Martindale :

— Pourrais-je parler à vos employées? demanda-t-il. S'il y a peu de chance pour qu'Edna se soit confiée à vous, peut-être l'aurait-elle fait plus volontiers à ses camarades?

— Probablement, fit Miss Martindale. Ces filles passent leur temps à papoter. Dès qu'elles entendent mon pas dans le couloir, aussitôt leurs machines se remettent à cliqueter. Et qu'ont-elles fait jusque-là? Bla-bla-bla-bla, rien que du bavardage. (Puis, retrouvant son calme :) En ce moment, elles sont seulement trois au bureau. Les autres ont toutes des rendez-vous à l'extérieur. Mais si vous le désirez, je peux vous indiquer leur nom et leur domicile.

— Je vous remercie.

— Peut-être vaut-il mieux que vous leur parliez seul, ma présence risquerait de les intimider.

Et se levant, elle ouvrit la porte du bureau.

— Mesdemoiselles, proclama-t-elle. Monsieur l'inspecteur

désire s'entretenir avec vous. Vous pouvez donc arrêter de travailler. Dites-lui tout ce qui serait capable de l'aider à découvrir l'assassin d'Edna Brent.

Trois visages juvéniles, surpris, se tournèrent alors vers l'inspecteur. D'un coup d'œil, il les inventoria superficiellement, mais quand même assez pour savoir à quel matériel humain il allait avoir affaire.

Cette grosse blonde à lunettes, brave mais bête, cette petite brune piquante qui, à en juger par sa coiffure, avait dû traverser une bourrasque : des yeux fureteurs, mais probablement desservis par une mémoire trop fantaisiste. Quant à la troisième, écervelée du type jovial, elle devait être toujours de l'avis du dernier qui avait parlé.

D'un ton calme, bienveillant, il leur expliqua :

— Je pense que vous savez toutes ce qui est arrivé à votre malheureuse compagne, Edna Brent?

Hochement très affirmatif des trois têtes.

— Et, à propos, comment l'avez-vous appris?

Du regard, elles se concertèrent et ce fut Janet, la blonde, qui parut désignée.

— Edna n'a pas repris son travail à deux heures, comme d'habitude, expliqua-t-elle.

— Et le Fauve était d'une humeur massacrante, commença Maureen, la brune, puis se reprit : Miss Martindale, je veux dire.

— C'est son surnom, gloussa la troisième fille.

— Une vraie harpie, par moments, dit Maureen. Elle vous saute presque à la gorge. Après nous avoir demandé si Edna ne nous avait pas averties, elle a grogné qu'elle aurait au moins pu se faire excuser.

— Moi, dit la blonde, je lui ai répondu qu'elle était avec nous à l'audience, mais qu'après elle avait disparu sans qu'on sache où.

— Je lui avais proposé de venir déjeuner avec nous, dit Maureen, mais elle paraissait soucieuse, nous a dit qu'elle n'en prendrait peut-être pas le temps, s'achèterait juste un sandwich pour manger au bureau.

— Donc, elle avait l'intention de revenir travailler?

— Oh! bien sûr! Nous n'avons pas le choix, nous autres.

— Et à aucune d'entre vous elle n'a paru changée, ces jours-ci? Troublée, comme si elle avait un ennui, par exemple? Ne vous a-t-elle rien confié? Je vous en prie, si vous savez la moindre chose, n'hésitez pas à le dire.

— Oh! s'écria Maureen, elle se tracassait à propos de tout et de rien. Elle avait l'esprit brouillon, faisait des bêtises. Lente à piger, quoi!

— Il lui arrivait toujours des tas d'aventures, dit la fille tête en l'air. Rappelez-vous le talon aiguille qu'elle a cassé, le jour du crime.

— Oui, en effet, dit Hardcastle, qui revoyait Edna contemplant avec tristesse le soulier qu'elle tenait à la main.

Très grave, Janet déclarait :

— Cet après-midi, à deux heures, quand j'ai vu qu'Edna ne rentrait pas, j'ai tout de suite eu le pressentiment qu'il lui était arrivé quelque chose.

Coup d'œil désagréable de Hardcastle qui n'appréciait pas les gens qui veulent se faire valoir après coup. Il était persuadé qu'elle se vantait. Il était infiniment plus probable qu'elle se soit écriée : « Oh! Edna va se faire écharper par le Fauve, à son retour! »

— Quand avez-vous appris la nouvelle? dit-il.

Elles se regardèrent, puis après une grimace coupable à l'adresse de la porte directoriale, la joviale créature toute rouge, déclara :

— Eh bien... euh... je me suis sauvée deux minutes chez le pâtissier, chercher des gâteaux pour rapporter à la maison. A l'heure où l'on sort du bureau ils sont tous vendus. Quand je suis entrée dans le magasin, la commerçante m'a interpellée : « C'est chez vous qu'elle travaillait, pas vrai, mon lapin? — Qui ça? ai-je demandé. — La fille qu'on vient de trouver assassinée dans la cabine téléphonique. » Ce fut un drôle de choc! J'ai couru le dire aux autres. Et nous étions enfin d'accord pour aller trouver Miss Martindale, quand elle a jailli de son bureau. « Mesdemoiselles, que se passe-t-il? Je n'entends plus vos machines. »

La blonde enchaînait :

— C'est pas notre faute, Miss Martindale, lui ai-je dit. Mais il vient d'arriver un terrible malheur à Edna.

— Et qu'a-t-elle répondu?

— Tout d'abord, elle n'arrivait pas à le croire, fit la brune. Elle répétait : « C'est absurde, ce sont des racontars. De là à conclure que c'est Edna... » Puis, disparaissant dans son bureau, elle a appelé la police qui le lui a confirmé.

— Mais, dit Janet rêveuse, je ne m'explique pas, mais pas du tout, pourquoi on a tué Edna.

— Ce n'est pas comme si elle avait un petit ami, fit la brune.

Et toutes fixaient Hardcastle avec espoir, comme s'il détenait la solution.

Navré, il se dit qu'il n'y avait rien à en tirer. Pourvu qu'une des autres filles en sache davantage! Sans compter Sheila Webb.

— Sheila et Edna étaient-elles bonnes amies?

Échange de regards vagues, puis :

— Non, pas très.

— Et Miss Webb, où est-elle à propos?

— Au *Curlew Hôtel*. Elle travaille avec le professeur Purdy.

CHAPITRE XIX

Au téléphone, voix irritée du professeur Purdy qu'on dérangeait au milieu de sa dictée.

— Qui? Quoi? Il est en bas, dites-vous. Ne peut-il pas repasser demain? Ah! bon, entendu. Faites-le monter.

« On est sans cesse interrompu, continua-t-il agacé. Comment travailler dans ces conditions! (Et jetant un regard aigre-doux à Sheila :) Où en sommes-nous, Miss Webb? fit-il.

Sheila allait répondre quand on frappa à la porte. Non sans peine, le professeur s'arracha à des méandres chronologiques datant d'environ trois mille ans.

— Oui, dit-il avec humeur. Oui, entrez! Qu'est-ce que c'est?

— Je regrette vivement, monsieur, d'avoir été forcé de vous déranger. Bonsoir, Miss Webb.

Déjà Sheila, son bloc posé, s'était levée avec dans les yeux, aurait-on dit, une lueur d'angoisse, ou bien Hardcastle se l'était-il imaginé?

— Eh bien, de quoi s'agit-il? demanda vertement le professeur.

— Je suis l'inspecteur Hardcastle, comme Miss Webb peut vous le confirmer.

— D'accord, d'accord, fit le professeur.

— Et je désirerais avoir un entretien avec elle.

— Est-ce si pressé? Ça ne peut pas tomber plus mal. Nous en étions à un point particulièrement critique. Je rends sa liberté à Miss Webb dans un quart d'heure, enfin, disons une demi-heure à peu près. Oh! mon Dieu, déjà six heures!

— Je regrette infiniment, professeur Purdy, répéta Hardcastle d'un ton ferme.

— Ah! bien, très bien. Qu'est-ce que c'est? Une contravention, sans doute? Que ces contractuels sont donc tyranniques.

— Un peu plus grave que ça.

— Ah! bon, bon. D'ailleurs vous n'avez pas de voiture, mon enfant, dit-il, regardant Sheila l'air absent. C'est vrai, ça me revient maintenant : pour venir ici vous prenez l'autobus. Alors, qu'est-ce donc, inspecteur?

— C'est au sujet d'une jeune fille, Edna Brent, dit-il en se retournant vers Sheila. Vous êtes au courant, je suppose?

Elle le fixait de ses prunelles pervenche, si belles, qui lui rappelaient quelqu'un. Et plissant le front, elle lui dit :

— Oh! oui, je la connais très bien. Pourquoi?

— Vous ne savez encore rien, je vois. Où avez-vous déjeuné, Miss Webb?

Elle rougissait.

— Vous êtes vraiment curieux, avec un ami au restaurant chinois.

— Et après, vous n'êtes pas retournée au bureau?

— A l'agence? Si, j'y suis passée, et l'on m'a dit que le professeur Purdy m'attendait à deux heures et demie.

— Exact, acquiesça le professeur d'un hochement de tête. Nous travaillons depuis deux heures et demie. Mon Dieu, j'ai complètement oublié l'heure du thé. Je suis désolé, Miss Webb. Vous en mouriez d'envie, j'en suis sûr. Vous auriez dû me le rappeler.

— Oh! aucune importance, monsieur le professeur, aucune vraiment.

— Si. Je suis d'une distraction impardonnable, impardonnable. Mais chut, l'inspecteur a des questions à vous poser.

— Ainsi vous ignorez ce qu'il est arrivé à Edna Brent?

— Quelque chose lui est arrivé? questionna nerveusement Sheila. Que voulez-vous dire? A-t-elle eu un accident... été écrasée ?

— Oui, dit Hardcastle, il lui est en effet arrivé quelque chose. (Puis, très brutal, délibérément, il lâcha :) Vers midi et demi, elle a été étranglée dans une cabine téléphonique.

— Une cabine téléphonique! s'exclama le professeur enfin intéressé.

Sheila Webb ne parlait plus, la bouche ouverte, ses prunelles agrandies fixées sur l'inspecteur.

« Ou tu viens de l'apprendre, pensait Hardcastle, ou alors, quel talent d'actrice! »

— Mon Dieu, mon Dieu, répétait le professeur, étranglée dans une cabine téléphonique... Mais ça me semble incroyable, incroyable vraiment. Quel endroit pour commettre un crime, ça ne me serait jamais venu à l'idée, dans un cas semblable, bien sûr. Enfin, la pauvre fille, quel terrible malheur!

— Edna, assassinée. Mais pourquoi?

— Saviez-vous, Miss Webb, qu'avant-hier Edna désirait vivement vous voir? Qu'elle est passée chez votre tante, vous y a attendue tout un moment?

— C'est encore ma faute, toujours ma faute, fit le professeur contrit. Je m'en souviens : avant-hier, j'ai gardé Miss Webb très tard. J'en suis désolé. Rappelez-moi toujours l'heure, mon enfant. Sincèrement.

— Ma tante me l'avait dit, fit Sheila. Mais je n'y avais attribué aucune importance. Le fallait-il? Edna avait-elle de gros ennuis?

— Nous l'ignorons, fit l'inspecteur, et nous ne le saurons sans doute jamais, à moins que vous ne puissiez nous éclairer là-dessus.

— Moi? Et comment le pourrais-je?

— Peut-être avez-vous une idée de ce qu'Edna Brent tenait à vous confier?

— Pas le moins du monde, fit-elle.

— Ne vous en a-t-elle pas touché un mot, au bureau, fait une allusion quelconque à ses préoccupations?

— Non, non, pas du tout. Elle n'aurait pas pu, d'ailleurs... J'étais absente du bureau hier. On m'a envoyée toute la journée chez un de nos auteurs, à Landis Bay.

— Vous a-t-elle paru avoir des ennuis dernièrement?

— Edna? Oh! elle avait toujours l'air soucieux. Voyez-vous, elle avait un caractère — comment dirais-je? — timide, hésitant. Elle n'était jamais sûre d'elle. Tenez, l'autre jour, par exemple, elle a omis de taper deux pages d'un manuscrit de Sam Levine. Et comme elle le lui avait envoyé avant de s'en apercevoir, elle se faisait un souci monstre!

— Ah oui? Et c'est à vous qu'elle a demandé conseil?

— Oui. Et je lui ai dit d'envoyer tout de suite un mot à cet auteur, avant qu'il ne corrige les épreuves, pour le prier de bien vouloir l'excuser et de ne pas se plaindre à Miss Pebmarsh. Mais impossible de la convaincre.

— C'est à vous en général qu'elle demandait de la tirer d'affaire?

— Oui, presque toujours. Mais malheureusement, elle ne m'écoutait guère, retombait dans les mêmes hésitations.

— Donc, pour résoudre ses problèmes, il était naturel qu'elle se tournât vers vous?

— Oui.

— Et cette fois-ci, ne pensez-vous pas qu'elle avait des raisons sérieuses d'avoir recours à vous?

— Je ne vois pas. Quelles raisons sérieuses?

Tranquillité apparente, ou réelle, s'interrogeait l'inspecteur, dévisageant Sheila.

— Je n'ai pas la moindre idée de ce qu'elle avait à me confier, reprit celle-ci d'une voix brève, saccadée, et je me demande surtout pourquoi elle est venue jusque chez ma tante.

— Il semblerait qu'elle n'ait rien voulu dire devant les autres, mais seulement en tête-à-tête avec vous, confidentiellement. C'est votre avis?

— Non, ça me paraît improbable. Du moins je n'en ai pas l'impression, ajouta-t-elle fébrilement.

— Donc, Miss Webb, vous ne pouvez pas nous aider?

— Non. J'en suis désolée. Et tellement triste pour cette pauvre Edna. Mais sincèrement, je n'ai rien d'intéressant à vous dire.

— Rien qui puisse avoir un rapport quelconque avec ce qui s'est passé le 9 septembre?

— Vous voulez parler de... de l'homme assassiné à Wilbraham Crescent?

— Oui, en effet.

— Mais c'est impossible. Comment Edna aurait-elle su quelque chose?

— Oh! peut-être pas grand-chose. Mais quelque chose, si insignifiant que ce soit. Dieu sait si nous en avons besoin! Puis, après un silence, l'inspecteur reprit : C'est dans une des cabines de Wilbraham Crescent qu'elle a été tuée. Qu'en pensez-vous, Miss Webb?

— Mais, rien.

— Étiez-vous là-bas aujourd'hui?

— Non, certainement, s'écria-t-elle vivement. J'évite cet endroit qui me semble de plus en plus affreux. Si seulement j'avais pu ne jamais y mettre les pieds. Pourquoi est-ce moi et pas une autre qu'on a convoquée ce jour-là. Pourquoi est-ce là qu'on a choisi d'assassiner la malheureuse Edna? Oh! monsieur l'inspecteur, découvrez ce qui s'est passé, je vous en supplie, découvrez-le.

— C'est bien notre intention, Miss Webb. Et d'une voix légèrement menaçante, Hardcastle conclut : Et nous y réussirons.

— Vous frissonnez, mon enfant, fit le professeur. Oh! je crois vraiment qu'un verre de sherry s'impose.

CHAPITRE XX

Récit de Colin

Dès mon arrivée à Londres, j'allai droit chez Beck. Brandissant son cigare vers moi :

— Pas si bête, après tout, votre histoire de croissants, concéda-t-il.

— J'ai enfin levé un lièvre, non?

— Sans aller jusque-là, je reconnais que notre ingénieur du 62 Wilbraham Crescent n'est pas aussi blanc qu'il le paraît. Ses derniers déplacements me paraissent curieux. Il se rend dans des affaires qui existent réellement, mais dont les origines sont toujours très récentes et les activités indéfinissables. Il y a cinq semaines, il est parti brusquement en voyage. Pour la Roumanie.

— Ce n'est pas ce qu'il a dit à sa femme.

— Possible, mais c'est là-bas qu'il est allé et qu'il est encore à l'heure actuelle. Nous aimerions en savoir un peu plus long sur lui. Aussi mon ami, vous pouvez vous activer. J'ai obtenu pour vous tous les visas nécessaires et un joli petit passeport tout neuf. Au nom de Nigel Trent cette fois-ci. A propos vous devenez un botaniste. Étudiez donc des noms de plantes rares aux Balkans.

— Pas de recommandation particulière?

— Non. En vous remettant vos papiers, nous vous indiquerons le nom de votre correspondant. Allez, documentez-vous à fond sur ce Mr. Ramsay. Ça n'a pas l'air de vous faire plaisir? ajouta-t-il en m'épiant au travers d'un nuage de fumée.

— Ça fait toujours plaisir de voir ses intuitions se justifier, dis-je évasivement.

— C'est le bon croissant mais le mauvais numéro. Au 61 vit un paisible entrepreneur sans aucun intérêt pour nous. Ce pauvre Hanbury s'est trompé de quelques numéros, seulement.

— Mais en dehors de Ramsay, vous vous êtes renseigné sur les autres?

— Oui, Diana Lodge me semble aussi pure que Diane chasseresse elle-même, rien que des histoires félines. MacNaughton nous intriguait davantage. C'est un ex-professeur de mathématiques — un cerveau, paraît-il — qui, soudain, pour des raisons soit-disant de santé, s'est mis brusquement à la retraite. Ce qui paraît étrange c'est qu'il ait rompu avec tous ses anciens amis.

— Le drame pour nous, fis-je, c'est que tout finit par nous paraître suspect, tout ce qu'on dit, tout ce qu'on fait.

— Même vous, Colin. Il m'arrive de vous soupçonner d'avoir changé de camp. Et le pire c'est que moi aussi, quelquefois, j'ai l'impression d'en avoir fait autant. Quelle salade!

L'avion partait à dix heures du soir. J'allai tout d'abord rendre visite à Hercule Poirot qui, cette fois-ci, dégustait du sirop de cassis qu'il m'offrit et que naturellement je refusai. Et George m'apporta mon whisky. Rien n'avait changé dans nos habitudes.

— Vous avez l'air déprimé, fit Poirot.

— Non pas. Je pars en voyage.

Sous son regard interrogateur, je hochai la tête affirmativement.

— Alors, fit-il, c'est décidé.

— Oui, répondis-je.

— Je vous souhaite de réussir.

— Merci. Et vous, comment marchent vos travaux littéraires?

— Pardon?

— Eh bien, que devient le mystère de Crowdean Clocks? Du fond de votre fauteuil, les paupières closes, avez-vous trouvé la solution?

— J'ai lu les notes que vous m'aviez laissées avec beaucoup d'intérêt, fit Poirot.

— Pas grand-chose, à vrai dire. Tous ces bavardages de voisins, c'était du vent!

— Erreur foncière! En tout cas deux des personnes que vous avez interrogées ont dit des choses lumineuses.

— Lesquelles? Et qui donc?

Poirot me renvoya d'une façon assez vexante à mes notes.

— Relisez-les soigneusement, ça vous sautera aux yeux. Et la marche à suivre, c'est de continuer à aller bavarder avec de nouveaux voisins.

— Il n'y en a pas d'autres!

— Si. Il y a toujours quelqu'un qui a vu quelque chose. C'est ma théorie.

— Mais aberrante dans cette affaire. D'ailleurs, j'ai des nouvelles à vous donner : un autre meurtre.

— Vraiment? Si vite? C'est passionnant.

Je lui racontai tout. Il me bombarda de questions; exigea tous les détails. Je lui parlai de la carte postale que j'avais remise à Hardcastle.

— « Souviens-toi. 413 ou 4 h 13 », répétait-il. Oui, c'est bien de la même veine.

Je le regardai, étonné.

— Que voulez-vous dire?

Les paupières de Poirot s'abaissèrent.

— Ce qui manque sur cette carte, proféra-t-il, c'est l'empreinte d'un doigt sanglant.

— Quel est le fond de votre pensée? demandai-je inquiet.

— Tout se clarifie. Comme toujours l'assassin ne peut laisser courir les événements.

— Qui est l'assassin?

Mais Poirot était bien trop malin pour répondre à cette question-là.

— Pendant votre absence, m'autorisez-vous à faire ma petite enquête?

— C'est-à-dire?

— Écrire à l'un de mes vieux amis avocat, maître Enderby, pour qu'il se plonge dans les actes de mariage de Somerset House. Et aussi expédier quelques télégrammes à l'étranger.

— Je me demande si c'est dans nos conventions. Vous deviez uniquement rester assis ici, à réfléchir.

— C'est tout ce que je fais. Mais je préfère quand même contrôler les résultats que j'ai obtenus. Ce ne sont pas des renseignements que je veux, mais une simple vérification.

— Poirot, vous bluffez! Je ne pense pas que vous ayez découvert quoi que ce soit. Voyons, personne ne sait encore qui est la victime.

— Moi, si.

— Son nom?

— Je l'ignore. C'est sans importance. Comprenez-moi : je ne sais pas *qui* il est mais *ce* qu'il est.

— Un maître-chanteur?

Les paupières de Poirot se refermaient.

— Un détective privé?

Poirot rouvrait les yeux.

— Comme la dernière fois, je me permets seulement une petite citation avant de me taire.

Et avec le plus grand sérieux, il me récita :

— *Petit, petit, petit... venez vous faire tuer.*

CHAPITRE XXI

Sur le calendrier de son bureau, l'inspecteur Hardcastle lut :
20 septembre. Déjà dix jours d'écoulés depuis le meurtre. Il
n'avait pas progressé autant qu'il l'espérait parce que l'on se
heurtait toujours à cette difficulté initiale : l'identification du
cadavre. C'était beaucoup plus long qu'il ne l'aurait cru. Toutes
leurs pistes aboutissaient à des impasses. Au laboratoire, l'examen
des vêtements ne leur avait rien appris d'utile. Ceux-ci paraissaient
d'origine étrangère, pas neufs, mais bien entretenus. Dentistes,
blanchisseurs et teinturiers ne leur avaient été d'aucun secours.
L'homme mort demeurait l'homme mystérieux. Non qu'il eût
rien d'extraordinaire ou d'inquiétant. Simplement personne ne
s'était présenté pour l'identifier. Voilà tout, pensait Hardcastle.
Et pourtant quel flot d'appels téléphoniques, de lettres s'était
déversé dans leurs bureaux, à la suite de la publication d'une
photo dans la presse, sous-titrée : Connaissez-vous cet homme?
Hardcastle en soupirait encore. Innombrables étaient les épouses,
les sœurs, ainsi que tous ceux qui avaient cru l'apercevoir dans le
Lincolnshire, le Devon, à Londres, sur l'autobus, ou dans l'ombre
d'une jetée, au coin d'une rue, inquiétante silhouette, ou à la
sortie d'un cinéma cherchant à se dissimuler. Que de pistes
suivies, et les plus prometteuses tellement attentivement, mais
toutes en vain.

Pourtant ce jour-là l'inspecteur se sentait nettement plus
optimiste, en contemplant une fois de plus la lettre posée sur son
bureau. D'une certaine Merlina Rival. Le prénom ne lui plaisait
guère. Quel fou avait pu choisir un tel prénom pour son enfant?
A moins que ce ne fût un pseudonyme. La lettre qui n'était ni
délirante, ni trop affirmative, l'informait simplement que son
auteur, Mrs. Rival, pensait qu'il était possible que l'inconnu
fût son mari, dont elle était séparée depuis des années. Elle avait
rendez-vous ce matin-là. Il sonna. Le sergent Craig apparut.

— Mrs. Rival est-elle arrivée?

— A l'instant. J'allais vous l'annoncer.

— A quoi ressemble-t-elle?

— Genre tape-à-l'œil, dit Craig. Trop maquillée, vulgaire,
mais brave femme, je crois.

— L'air nerveux?

— Non, apparemment pas.

— Bon, fit Hardcastle. Faites-la entrer.

Craig disparut, puis revint et annonça :

— Mrs. Rival, chef.

La voyant entrer, l'inspecteur se leva pour lui serrer la main. La cinquantaine, estima-t-il, mais de loin, de très, très loin, on pourrait lui en donner trente. Maquillée à la va-vite, les cheveux foncés sous leur henné. De taille moyenne, sans chapeau, en blouse blanche et jupe, sous son manteau sombre. Elle portait des bracelets clinquants, ses doigts, couverts de bagues, tenaient un grand sac en madras. « Elle doit avoir une bonne nature », jugea-t-il, se fiant à son expérience de la valeur morale des gens. « Sans doute pas étouffée par les scrupules, mais facile à vivre, assez généreuse, gentille au fond. Honnête? Sait-on jamais! » De toute façon, il ne lui était pas permis de miser là-dessus.

— Très heureux de vous voir, Mrs. Rival, dit-il. Vous allez pouvoir nous aider, j'espère.

— Je ne peux rien affirmer. En voyant les photos sur les journaux, j'ai trouvé qu'elles ressemblaient à Harry de façon frappante. Mais naturellement je peux fort bien me tromper. En tout cas je serais désolée de vous avoir dérangé pour rien.

— Ne vous faites pas de souci, répondit Hardcastle. Nous sommes tellement à court de renseignements dans cette affaire!

— Ah bon! J'aimerais tant pouvoir vérifier cette ressemblance. Il y a si longtemps que je ne l'ai vu!

— Précisons quelques faits, voulez-vous? Voyons : quand avez-vous vu votre mari pour la dernière fois?

— En venant ici, pendant tout le trajet, j'ai essayé de me le rappeler. Mais c'est fou ce qu'on oublie! J'ai dû vous dire neuf ans dans ma lettre, mais c'est bien plus que ça, quinze ans, au moins. Le temps passe si vite, il finit par vous sembler moins long et ça vous donne l'illusion d'être plus jeune, ajouta-t-elle finement. Vous trouvez pas?

— Possible, répondit Hardcastle. En somme, il y a environ quinze ans que vous ne l'avez pas revu? Quand vous étiez-vous mariés?

— Trois ans avant, il me semble.

— Et à ce moment-là, où habitiez-vous?

— A Shipton Bois, dans le Suffolk, — un petit centre pas très commerçant, — un bled, quoi!

— La profession de votre mari, Mrs. Rival?

— Courtier d'assurances. (Elle s'interrompit.) Du moins à ce qu'il racontait.

Regard aigu de l'inspecteur.

— Et vous avez découvert que c'était faux?

— Non... pas exactement.... Pas dans ce temps-là. C'est seulement plus tard que je me le suis demandé. Pour un mari, c'est un prétexte tellement facile pour s'absenter.

— Ainsi votre mari n'était pas souvent chez lui, Mrs. Rival?

— Non. Mais au début je ne m'en faisais pas...

— Et plus tard?

Elle ne lui répondit pas, puis :

— Est-ce la peine de poursuivre? Après tout, si ce n'était pas Harry...

On sentait sa voix anxieuse, peut-être même émue. Que pensait-elle vraiment? se demandait-il.

— C'est bon, fit-il. En effet, le plus vite sera le mieux. Allons-y, voulez-vous?

Et il la conduisit à la voiture qui les attendait dehors. Nerveuse, elle l'était, bien sûr, mais ni plus, ni moins que tous ceux qu'il avait emmenés là avant elle. Il lui dit les quelques phrases rassurantes d'usage.

— Ne vous en faites pas. Ça n'a rien d'affreux. Il y en a pour deux minutes au plus.

On tira le tiroir, l'employé souleva le drap. Quelques minutes, elle resta là, le souffle court, puis avec un soupir convulsif se tourna brusquement vers l'inspecteur.

— C'est Harry. Oui, c'est bien lui. Vieilli, changé, mais c'est Harry.

D'un signe Hardcastle remercia l'employé. Puis, prenant Mrs. Rival par le bras, la reconduisit à la voiture. Tout le long du trajet jusqu'au commissariat il garda le silence pour qu'elle puisse se remettre de son émotion. Et une fois dans son bureau, se fit apporter du thé par l'agent de service.

— Tenez, madame, buvez donc ça. Ça vous remontera.

— Merci.

Elle sucra abondamment son thé, l'avala d'un trait.

— Ça va mieux, dit-elle. C'est pas que je tenais encore à lui. Mais... mais ça vous fait quand même un drôle d'effet!

— Vous pouvez donc nous certifier que cet homme est bien votre mari?

— Oh! j'en suis sûre. Il a vieilli, naturellement, mais pas tellement changé au fond. Toujours son air... soigné. Il était bel homme, vous savez, distingué.

« Oui, pensa Hardcastle, voilà qui le définit bien : l'air distingué. Plus que moi, sans doute. Il y a des hommes comme ça et ça leur sert. »

— Il était assez coquet, poursuivait Mrs. Rival. C'est pourquoi elles s'y laissaient prendre, sans le moindre soupçon.

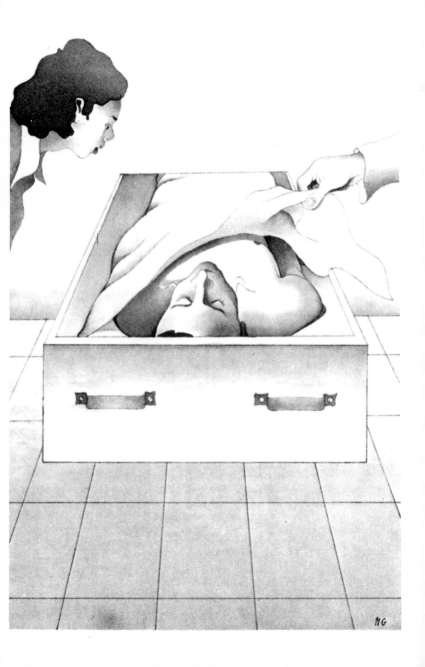

— Qui s'y laissait prendre, Mrs. Rival? interrogea Hardcastle d'une voix douce, compatissante.

— Les femmes, déclara-t-elle. Toujours les femmes. C'est avec elles qu'il passait le plus clair de son temps.

— Ah! oui? Et vous étiez au courant?

— Oh! je... je m'en doutais. Vous savez, ses absences étaient si fréquentes. Je connais les hommes, allez! Je pensais bien qu'il y avait des femmes là-dessous. Mais à quoi bon le lui demander? Pour qu'il me mente? Mais je n'aurais jamais, jamais imaginé qu'il les considérait comme un gagne-pain!

— Et c'était ça?

— Je crois que oui, fit-elle.

— Comment vous en êtes-vous aperçue?

Elle haussa les épaules.

— Un jour, dit-elle, en rentrant d'un de ses déplacements de Newcastle, d'après lui — enfin, n'importe! —, il m'a annoncé qu'il devait déguerpir au plus vite, que c'était fini, que l'affaire était dans l'eau. A cause d'une femme qu'il avait mise dans le pétrin, une institutrice, m'a-t-il dit. Ça commençait à sentir le roussi... C'est alors que je lui ai posé des questions. Il s'est expliqué sans difficulté, croyant sans doute que j'en savais assez long. Elles lui tombaient toutes dans les bras, comme moi. Il leur offrait une bague, on se fiançait. Et c'est alors qu'il leur proposait de placer leurs économies. D'habitude elles les lui confiaient sans hésiter.

— Et avec vous, il a essayé.

— Ma foi oui. Mais moi, je ne me suis pas laissé faire.

— Pourquoi? Vous n'aviez pas confiance en lui?

— Je ne suis pas du genre confiant, moi. Je connaissais déjà pas mal les hommes et la vie, qui n'est pas toujours belle. C'est pour ça que je n'ai pas voulu lui donner mes économies. Le peu que j'avais, j'étais assez grande pour m'en occuper toute seule. Question argent, faut se fier qu'à soi-même. J'en ai trop vu de femmes ou de jeunes filles se faire rouler!

— Et quand vous a-t-il proposé de prendre en main vos intérêts? Avant ou après votre mariage?

— S'il m'en a parlé avant, j'ai dû faire la sourde oreille et sans doute n'a-t-il pas insisté. Une fois marié, il a bien fait allusion à un placement du tonnerre. J'ai rien voulu savoir. Pas que je me méfiais, mais il y a tant d'hommes qui, croyant faire une affaire d'or, se font posséder!

— Et votre mari n'avait jamais eu d'histoires avec la police?

— Aucun danger, fit Mrs. Rival. Les femmes n'aiment pas

passer pour des gourdes, voyez-vous. Mais cette fois-là apparemment, les choses se déroulaient autrement. Il s'agissait d'une femme ou d'une jeune fille ayant de l'instruction, et elle refusait de se laisser mener en barque comme les autres.

— Attendait-elle un enfant?

— Oui.

— C'était déjà arrivé?

D'un ton amer :

— Oui, je pense, dit-elle.

— Vous l'aimiez, Mrs. Rival? poursuivit l'inspecteur d'une voix plus douce.

— Est-ce que je sais? Probable, sans ça je ne l'aurais pas épousé.

— Ainsi, Mrs. Rival, je m'excuse à l'avance de ma question, vous étiez donc mariés?

— Comment en être sûre? fit-elle avec franchise. Oui, nous nous sommes mariés. Et même à l'église. Mais comment savoir s'il en n'a pas fait autant ailleurs, sous un nom d'emprunt. Pour moi, il s'appelait Castleton. Mais je doute que ce soit son vrai nom.

— Harry Castleton, c'est bien ça?

— Oui.

— Et vous avez habité Shipton Place longtemps, tous les deux?

— A peu près deux ans. Avant nous vivions à Doncaster. Vous dire que j'ai été vraiment étonnée, le jour où il est venu me raconter tout ça, non. Il y avait longtemps que je ne me faisais plus d'illusions sur lui! Et pourtant on n'arrivait pas à le croire : un homme si bien, si distingué!

— Que s'est-il passé ensuite?

— Il m'a expliqué qu'il devait disparaître au plus vite. Bon débarras, lui ai-je répondu, moi je marche pas dans ces combines! Puis l'air soucieux, elle ajouta : Je n'ai pu lui donner que dix livres, c'est tout ce que j'avais à la maison. Il m'a dit qu'il était fauché... et je n'ai plus jamais entendu parler de lui... jusqu'à ce que je voie sa photo dans le journal.

— Avait-il quelque signe distinctif, quelque chose comme une cicatrice par exemple.

De la tête, elle fit non.

— S'est-il jamais fait appeler Curry?

— Non, pas que je sache en tout cas.

Hardcastle lui tendit la carte de visite.

— Tenez, on l'a trouvée dans sa poche.

— Ah! je vois! Toujours à jouer les agents d'assurances, observat-elle. Sans doute le fait-il... pardon, le faisait-il sous différents pseudonymes.

— Vous dites qu'il ne vous a donné aucune nouvelle, depuis au moins quinze ans?

— Non, il ne m'a pas envoyé de carte de vœux à Noël, répondit-elle, avec une pointe d'humour soudaine. Il ne devait même plus savoir où j'habite. Après sa disparition, je suis remontée sur les planches, quelque temps. Surtout pour des tournées. C'était une vie assez bohème. J'ai aussi changé de nom, laissé tomber Castleton pour redevenir Merlina Rival.

— Merlina... euh... est-ce réellement votre prénom?

Un léger sourire passa sur ses lèvres.

— C'est moi qui l'ai inventé. Original, hein? Mon vrai nom, c'est Florence Gapp, mais tout le monde dit Flossie ou Flo. Flossie Gapp. Ça manque de romanesque, pas vrai?

— Et que faites-vous maintenant, Mrs. Rival, toujours du théâtre?

— De temps à autre, répondit-elle sans chaleur. Quand ça se présente, quoi!

— Ah bon! fit Hardcastle, avec tact.

— A l'occasion, je fais des remplacements. J'aide à recevoir, dans les soirées, par exemple. Ça a son bon côté : on y fait des connaissances. Et puis, c'est pas si facile que ça de gagner sa croûte, vous savez!

— Ainsi, vous ne savez rien d'Harry Castleton, depuis qu'il vous a quittée?

— Rien. Je le croyais à l'étranger... ou mort.

— Et, à votre avis, qu'est-ce qui pouvait l'attirer par ici?

— Aucune idée. J'ignorais totalement ce qu'il était devenu pendant toutes ces années.

— Le croyez-vous capable d'avoir vendu de faux contrats d'assurances?

— Comment le savoir? Mais ça me paraît peu probable. Harry était tellement prudent. Il n'aurait jamais pris un tel risque! Je le vois plutôt mêlé à des histoires de femmes!

— Peut-être s'agit-il de chantage, Mrs. Rival?

— Oh! ça m'étonnerait... et pourtant, tout dépend des circonstances. Par exemple sur une femme qui aurait quelque chose à cacher dans son passé, je ne dis pas... Du moment qu'il n'y aurait pas eu trop de risques! Minute! Je ne vous dis pas qu'il l'ait fait, mais que c'est possible. Je ne crois pas qu'il ait eu de grands besoins d'argent, voyez-vous. Il n'aurait jamais tenté quelque chose de dangereux; il se contentait de grappiller, çà et là. Voilà tout, fit-elle avec conviction.

— Il avait du succès auprès des femmes?

— Oui, très faciles. Il paraissait d'un si bon milieu, tellement distingué. Elles étaient fières de faire sa conquête. Elles se disaient qu'auprès de lui elles mèneraient une existence heureuse, tranquille. Du moins je le suppose, car je me l'étais imaginé moi aussi, conclut Mrs. Rival, avec franchise.

— Encore un petit détail à vérifier, dit Hardcastle. Et faisant signe au planton : veuillez m'apporter les montres, dit-il.

Elles arrivèrent sur un plateau recouvert d'une étoffe. D'un geste sec, Hardcastle les découvrit aux yeux de Mrs. Rival, qui, très naturelle, les examina avec intérêt et plaisir.

— Qu'elles sont jolies! Celle-ci me plaît beaucoup, s'écria-t-elle, un doigt sur la montre de vermeil.

— En reconnaissez-vous au moins une? Ne vous rappellent-elles rien?

— Difficile à dire. Pourquoi ?

— Voyez-vous un rapport entre une certaine Rosemary et votre mari?

— Rosemary? Il y avait bien cette fille aux cheveux carotte, mais elle s'appelait Rosalie. Non, je n'en vois pas, je le crains. Mais c'est normal, pas vrai? Harry était tellement renfermé!

— Et si les aiguilles de ces montres indiquaient 4 h 13?...

Mrs. Rival eut un rire frais :

— Je me dirais que l'heure du thé approche!

Hardcastle se sentait las.

— Bien, Mrs. Rival. Nous vous sommes reconnaissants. Dès après-demain le tribunal reprend l'instruction. Cela ne vous ennuierait-il pas de venir témoigner de l'identité de votre mari?

— Non, non, pas du tout. Je n'aurai seulement qu'à dire qui il était, c'est tout n'est-ce pas? Sans donner de détails sur sa manière de vivre... ni sur autre chose?

— C'est inutile maintenant. Vous devrez simplement jurer qu'il était votre mari sous le nom d'Harry Castleton. On trouvera la date exacte dans le registre de Somerset House. Où vous êtes-vous mariés, à propos? Vous en souvenez-vous?

— A Donbrook, dans une église appelée St. Michael's, je crois. Il n'y a pas plus de vingt ans de ça, j'espère; autrement j'aurais l'impression d'avoir un pied dans la tombe!

Et se levant, elle lui fit ses adieux. Une fois seul, Hardcastle se rassit à son bureau, resta là immobile, à jouer avec son crayon. Tout de suite après, arriva le sergent Craig.

— Intéressant? dit-il.

— On dirait, fit l'inspecteur. L'homme se nommerait Harry

Castleton, un faux nom probablement. Il semble que plus d'une femme ait à se venger de lui.

— Pourtant il avait l'air tellement distingué, fit Craig.

— C'est ce qui lui a servi de fonds de commerce, répondit Hardcastle.

Et il se remit à penser à la montre sur laquelle était gravé le nom de Rosemary.

Rosemary qui signifie : Réminiscences...

CHAPITRE XXII

Récit de Colin

— Alors vous voilà de retour? fit Poirot, glissant soigneusement un signet entre les pages de son livre. Cette fois-ci, posée sur la table où il était accoudé, une tasse de chocolat. Quel goût il avait, en matière de boissons! Mais, Dieu merci, il ne m'en offrit pas.

— Comment allez-vous?

— Oh! j'ai de gros ennuis, des tas. On est en train de remettre à neuf tout l'immeuble, tous nos appartements.

— Et alors, ils n'en seront que mieux.

— Eux oui... mais pas moi! Pour moi c'est très désagréable : ça bouleverse toutes mes habitudes! Ça va sentir la peinture partout! dit-il en me décochant un regard noir.

Puis, d'un geste, chassant tous ses soucis, il enchaîna :

— Et vous avez réussi, oui?

— Je n'en sais encore rien, prononçai-je lentement.

— Ah! vous en êtes là!

— J'ai accompli ma mission, mais sans retrouver l'homme. Moi-même, je ne sais pas au juste ce qu'il fallait chercher. Des renseignements ou un cadavre?

— A propos de cadavres, fit-il, j'ai parcouru le compte rendu de l'instruction de Crowdean. Meurtre avec préméditation par une ou plusieurs personnes inconnues. Et on a enfin baptisé votre cadavre.

J'acquiesçai :

— Oui. Harry Castleton.

— Identifié par sa femme. Vous avez été à Crowdean?

— Pas encore. Je pensais m'y rendre demain.

— Vous êtes en vacances?

— Non, pas encore. Je suis toujours en service commandé.
C'est mon travail qui me ramène là-bas... Un instant silencieux,
je le dévisageai, puis : A propos, je ne suis pas au courant de ce
qu'il s'est passé pendant mon absence, à part l'identification du
cadavre... Qu'en pensez-vous, dites-moi?

— Fallait s'y attendre, répondit Poirot.

— C'est vrai... notre police est si bien faite...

— Et il y a tant d'épouses de bonne volonté!

— Cette Mrs. Merlina Rival? Quel nom!

— C'est curieux, ça me rappelle quelque chose, je me demande
quoi!

Il me regarda pensivement mais j'étais incapable de l'aider.
C'était bien de Poirot, ça : tout lui rappelait quelque chose!

— Une journée à la campagne, chez un ami... je crois. Puis,
après réflexion : pourtant non, fit-il. Il y a trop longtemps de
ça!

— Écoutez, à mon retour, je vous raconterai tout ce que
Hardcastle m'aura dit de cette Mrs. Merlina Rival. Promis.

Du geste, Poirot refusait :

— Inutile.

— Ma parole! Vous savez déjà tout sans qu'on vous ait rien
dit!

— Non, mais elle ne m'intéresse pas.

— Comment? Mais pourquoi? Je ne vous suis plus.

— Il ne faut s'occuper que des points essentiels. Tenez, par
contre, parlez-moi plutôt de cette Edna, assassinée dans la cabine
téléphonique.

— Je vous ai déjà tout raconté sur cette fille!

— Alors, me reprocha Poirot, véhément, vous n'en savez
pas plus long sur elle? Simplement que c'était un pauvre petit
chou qui avait cassé son talon aiguille dans une grille d'égout!
A propos, cette grille, où était-elle donc placée?

— Voyons, Poirot, comment le devinerais-je?

— Tout simplement en le demandant. Pour s'informer, voyez-
vous, il n'y a qu'un moyen : poser des questions, et que ce soient
les bonnes.

— Mais quelle importance peut avoir l'endroit où elle a perdu
son talon!

— Peut-être aucune, en effet. Mais ça peut aussi nous permettre
de savoir où elle a été exactement, qui elle a pu rencontrer là
— ou ce qu'il a pu s'y passer, par exemple.

— Vous ne laissez rien au hasard, je vois. Ça ne doit pas être loin du bureau, elle nous l'a d'ailleurs dit; elle nous a même expliqué qu'elle s'était acheté une brioche et qu'elle était ensuite revenue à cloche-pied, et se demandait avec effroi comment elle ferait pour rentrer le soir chez elle.

— Ah oui? Et comment a-t-elle fait? questionna Poirot avec intérêt.

— Je n'en sais rien, dis-je.

— Vraiment... quel dommage que vous ne sachiez jamais poser de questions utiles! Résultat : vous n'apprenez jamais rien d'intéressant!

— Dans ce cas, peut-être vaudrait-il mieux que vous veniez à Crowdean les poser vous-même, répliquai-je, froissé.

— Impossible en ce moment. La semaine prochaine, il y a une vente de manuscrits particulièrement intéressants.

— Toujours votre marotte de collectionneur?

— Oui, plus que jamais. Prenons par exemple les ouvrages de John Dickson Carr, ou Carter Dickson comme il aime souvent à s'appeler...

Sans lui laisser le temps d'enfourcher son dada, je m'éclipsai sous le prétexte d'un rendez-vous urgent. Je n'étais pas d'humeur à l'entendre discourir sur les anciens maîtres du roman policier.

Assis sur les marches de l'escalier de Hardcastle, en le voyant arriver je me dressai dans l'obscurité.

— Salut, Colin, te voilà enfin? Tombé des nues une fois de plus!

— Oui, mais d'un ciel rouge serait plus exact!

— Il y a longtemps que tu m'attends, assis devant cette porte?

— Oh! une demi-heure environ.

— Désolé que tu n'aies pas pu entrer.

— Oh! si j'avais voulu, tu sais, ç'aurait été facile, répondis-je agressivement. Nous avons un drôle d'entraînement.

— Alors pourquoi es-tu resté dehors?

— Pour ne pas risquer de te faire perdre la face. Tu vois d'ici quelle atteinte à ta dignité : « on est entré par simple effraction dans la maison d'un inspecteur de police... » Mais Hardcastle prenait ses clefs et m'ouvrait. Il me fit entrer dans son salon où il m'offrit aussitôt à boire.

— Ça bouge enfin, dit Hardcastle. On a identifié le cadavre.

— Je sais : j'ai parcouru les journaux. Qui est ce Harry Castleton?

— Sous les dehors d'un homme parfaitement respectable, un individu qui gagnait sa croûte en faisant semblant d'épouser, ou en se fiançant tout simplement à des femmes riches et trop crédules. Celles-ci, impressionnées par ses connaissances boursières, lui confiaient leurs économies et, peu après, il disparaissait dans la nature.

— Il n'avait pas le physique de l'emploi, dis-je.

— C'était là son principal atout.

— Et il n'a jamais été inculpé?

— Non, nous avons bien fait des recherches, mais c'était difficile. Il changeait de nom si souvent! Et, bien qu'à Scotland Yard, on se doute qu'Harry Castleton, Raymond Blair, Lawrence Dalton, Roger Byron ne font qu'une seule et même personne, jusqu'ici on n'en a aucune preuve. Plutôt que de s'avouer dupes, les femmes préfèrent perdre leur argent. Quant à l'homme lui-même, çà et là escroquant ce qu'il pouvait, toujours de la même manière insaisissable, que connaît-on de lui sinon un nom, par-ci, par-là? Un Roger Byron disparaissait à Southend, tandis qu'à Newcastle-on-Tyne, un Lawrence Dalton commençait son petit manège. Il ne se laissait jamais photographier, même pour faire plaisir à ces dames. Et tout ça se passait il y a quinze ou vingt ans, époque où il semble avoir disparu pour de bon. Certains le croyaient mort, d'autres à l'étranger...

— Jusqu'au jour où on l'a retrouvé assassiné sur le tapis du salon de Miss Pebmarsh...

— En effet.

— Et toutes les hypothèses sont permises...

— Comme tu dis!

— Une femme délaissée, à la haine tenace...

— Ça existe. Il y a des femmes qui ont de la mémoire.

— Et, si par-dessus le marché, elle devenait aveugle, un malheur après l'autre...

— Tu inventes là! Aucune preuve à l'appui!

— Et sa femme, Mrs... euh... Merlina Rival. Ce n'est pas un nom ça? Ce n'est pas possible que ce soit le sien!

— En réalité, elle s'appelle Flossie Gapp. L'autre, c'était son nom de guerre.

— Qu'est-ce qu'elle fait? Le trottoir?

— Pas en professionnelle.

— Ce qu'on dénomme poliment une femme facile, alors?

— Disons plutôt une femme au grand cœur, toujours prête à rendre service à des amis. Elle se dit une ex-actrice. Prétend travailler comme hôtesse d'accueil, de temps en temps. Possible, après tout.

— Honnête?

— Ni plus, ni moins que d'autres. Ce qui est certain c'est qu'elle a reconnu son mari sans aucune hésitation.

— Quelle chance!

— Oui, je commençais à perdre courage. Quand on pense au nombre d'épouses qui ont défilé ici! Je finissais par me dire qu'il y a peu de femmes qui savent quelle tête à leur mari! Seule restriction : je pense que Mrs. Rival en sait beaucoup plus long sur son époux qu'elle ne nous en dit.

— N'a-t-elle rien à se reprocher?

— Non, rien sur son casier judiciaire, en tout cas. Mais elle a des amis d'un genre assez douteux. Rien de méchant, mais très bohèmes.

— Et les montres, il y a du nouveau?

— Pour Mrs. Rival, elles ne signifiaient rien, et je la crois sincère. Mais nous savons maintenant d'où elles proviennent : du marché Portobello. Tu sais à quoi ça ressemble, les samedis. Achetées par une Américaine au dire du brocanteur, mais à mon avis, il en sait autant que moi.

— Et celle avec « Rosemary »? Celle qui a disparu?

— Aucune déclaration à ce sujet, fit Hardcastle.

Et, pour moi, je compris exactement ce qu'il entendait par là.

CHAPITRE XXIII

Récit de Colin

J'étais descendu dans un hôtel assez minable et tout proche de la gare. Son seul avantage, c'était la nourriture à peu près convenable. Et aussi bien sûr, d'être bon marché!

Le lendemain, à dix heures, j'appelai l'agence Cavendish, pour leur demander de m'envoyer une sténodactylo, sous prétexte de quelques lettres à taper. Miss Sheila Webb était-elle disponible? Un de mes amis me l'avait recommandée, comme très capable. Mon nom : Mr. Weatherby, à l'adresse du *Clarendon Hôtel* (à remarquer que plus les hôtels sont miteux, plus ils portent des noms grandiloquents).

Par chance, Sheila était libre immédiatement.

Devant les portes à tambour de l'hôtel, j'attendais et, dès que je la vis, m'avançai au-devant d'elle :

— Votre serviteur, Mr. Douglas Weatherby, annonçai-je.

— C'est vous qui m'avez téléphoné?

— Moi-même.

— Mais, voyons, comment avez-vous osé?

Elle avait l'air passablement choquée.

— Et qu'est-ce qui m'en empêcherait? Je suis prêt à régler vos services à l'agence. Que leur importe où vous passez vos précieuses heures, tarifées si chères, que ce soit pour prendre d'ennuyeuses missives sous ma dictée, de celles qui débutent toujours par : « Monsieur, suite à votre honorée du... » ou bien que nous traversions la rue pour aller nous asseoir au *Bar du Bouton d'or*. Allons, venez boire un café, insipide, dans ce cadre tranquille.

Comme pour justifier son nom, *Au Bouton d'or*, tout était d'un jaune agressif, la devanture, comme aussi le formica des tables, les coussins recouverts de matière plastique, ainsi que les tasses et leurs soucoupes. Il était encore tôt et nous avions la chance d'être seuls. Une fois la servante partie avec notre commande, assis l'un en face de l'autre, à une table, nous nous sommes enfin regardés.

— Tout va bien, Sheila? demandai-je.

— Que voulez-vous dire : tout va bien?

Sous ses yeux, des cernes noirs à force d'être bleus.

— Vous avez traversé de sales moments?

— Oui... non... enfin, peut-être. Je vous croyais en voyage, Colin?

— C'est vrai; j'en reviens.

— Pourquoi?

— Vous le savez bien.

Elle baissa les yeux, une longue minute resta silencieuse. Puis :

— Il me fait peur, dit-elle.

— Qui ça?

— Votre ami ... l'inspecteur. Il... il croit que c'est moi qui ai tué cet homme et aussi Edna...

— Oh! c'est son air habituel, dis-je d'un ton rassurant. On croirait toujours qu'il soupçonne tout le monde.

— Non, Colin, ce n'est pas vrai. Inutile de chercher à m'en convaincre. Depuis le premier jour, il est persuadé que je joue un rôle dans cette histoire.

— Mais, ma chère enfant, nous n'avons aucune preuve contre vous. Ce n'est pas simplement parce que vous étiez sur les lieux ce jour-là, parce qu'on vous y avait convoquée que...

Elle m'interrompit :

— Il pense, lui, que je me suis moi-même fait envoyer là-bas exprès, et qu'Edna s'en doutait, qu'elle avait reconnu ma voix à l'appareil, disant que j'étais Miss Pebmarsh.

— Et c'était la vôtre?

— Mais non, voyons! Ce n'est pas moi qui ai téléphoné.

— Écoutez, Sheila, quoi que vous racontiez aux autres, à moi vous devez dire la vérité.

— Alors, vous ne me croyez pas?

— Mais si, voyons. Si vous avez téléphoné, ce jour-là, c'est peut-être sans aucune mauvaise intention. On a pu vous prier de donner ce coup de téléphone, sous prétexte d'une blague à faire, par exemple. Et ensuite vous vous êtes affolée... et un mensonge en entraîne un autre... c'est ça, dites?

— Non, non, non. Je ne cesse de vous dire que non!

— Tout ça est très joli, Sheila, mais vous m'avez caché quelque chose. J'aimerais que vous me fassiez confiance. Si Hardcastle vous soupçonne de quelque chose, quelque chose dont il ne m'a rien dit...

De nouveau, elle m'interrompait :

— Et vous croyez qu'il va tout vous dire?

— Pourquoi pas? Nous avons le même métier, à peu de chose près.

A cet instant, la servante revint avec un café d'une pâleur de vison argenté.

— J'ignorais que vous étiez de la police, fit Sheila, remuant son sucre avec application.

— Ce n'est pas exactement la police. C'est très différent. Mais j'en reviens à ce que je voulais vous démontrer : si Dick ne me dit pas tout ce qu'il sait, c'est qu'il a des raisons pour ça. Il croit que je m'intéresse beaucoup à vous. Eh bien, c'est vrai. Et non seulement ça, Sheila, mais quoi que vous ayez fait, je suis avec vous, moi. L'autre jour, quand vous vous êtes précipitée hors de cette maison, vous étiez malade de peur. Vous ne jouiez pas la comédie, non, vous n'auriez pas pu la jouer aussi bien!

— Mais bien sûr que j'étais effrayée, terrifiée même!

— Est-ce la vue du cadavre qui vous a terrorisée à ce point ou autre chose?

— Quoi d'autre?

Courageusement, je lançai : Pourquoi avoir chipé le petit réveil, Rosemary!

— Quoi? Mais pour quelle raison?

— C'est bien ce que je vous demande.

— Je ne l'ai jamais touché.

— Sous prétexte d'avoir oublié vos gants, vous êtes repartie dans la pièce. Eh bien, par cette chaude journée de septembre, des gants, vous n'en portiez pas, je le sais. Allons, d'accord? Vous êtes rentrée empocher la montre? Assez de mensonges. C'est bien ça, n'est-ce pas?

Elle gardait le silence, émiettant sa brioche.

— Bon, murmura-t-elle, d'une voix éteinte. D'accord, c'est moi. J'ai fourré la montre dans mon sac et suis ressortie.

— Et pour quel motif?

— A cause du nom : Rosemary. C'est aussi le mien.

— Vous vous appelez Rosemary, pas Sheila?

— Rosemary, Sheila, les deux.

— Et c'est pour cette seule raison que votre prénom est inscrit sur cette montre?

Elle me voyait incrédule, mais n'en démordait pas.

— Je vous l'ai dit : j'étais affolée.

Ainsi telle était celle que j'avais choisie, celle que je désirais pour toujours auprès de moi, ma Sheila. Aucune illusion à se faire : c'était une menteuse et sans doute le serait-elle toujours. C'était sa manière de lutter dans la vie, de mentir comme on respire. Arme d'enfant dont elle se servait encore. Nous avons tous nos défauts, moi, j'en avais d'autres et de solides aussi.

Je me décidai à l'attaque, seule tactique possible.

— Elle était à vous cette montre? Elle vous appartenait?

Elle s'étranglait :

— Qui vous l'a dit?

— Allons, videz votre sac.

Alors, en un récit confus, elle me dévida son histoire. Un matin, une semaine environ avant le crime, elle avait pris son réveil pour le porter à réparer chez un horloger voisin du bureau. Mais elle avait dû l'oublier, dans l'autobus peut-être ou au milk-bar où elle était allée déjeuner d'un sandwich. Elle ne s'en était pas beaucoup souciée : ce n'était pas une grande perte : le réveil étant vieux et ne marchant plus très bien. Mieux valait s'en procurer un autre.

— Et puis, juste comme je venais de découvrir ce cadavre, là, planté devant moi, sur une table, près de la cheminée... que vois-je : mon réveil; et j'avais les doigts pleins de sang... et puis la voilà qui arrive... J'ai perdu la tête... j'avais tellement peur qu'elle ne lui marche dessus. Oubliant tout, je me suis enfuie. Et, un peu plus tard, réfléchissant à tout cela, je me suis rappelé que Miss Pebmarsh avait dit que ce n'était pas elle qui m'avait demandée au téléphone... Alors, qui? Qui m'avait fait venir? Qui avait déposé ma montre là-bas?... J'ai donc inventé cette histoire de gants... et je l'ai glissée dans mon sac. C'était idiot, n'est-ce pas?

— Complètement idiot, Sheila. Pour certaines choses, vous manquez totalement de bon sens.

— Mais on essaie d'attirer sur moi les soupçons. Tenez, cette carte postale. Celui qui me l'a envoyée doit savoir que c'est moi qui ai pris la montre. Voyez ce qu'elle représente : Old Bailey. Au fond, mon père était peut-être un assassin?

— Que savez-vous de vos parents?

— Qu'ils sont morts tous les deux accidentellement. Du moins, ma tante me l'a toujours répété, mais sans jamais me raconter quoi que ce soit sur eux. Une ou deux fois, même, elle s'est contredite dans ses souvenirs. C'est pourquoi j'ai toujours compris qu'il y avait quelque chose de trouble.

— Et, là-dessus, votre imagination s'est emballée? Mais ça pourrait être beaucoup plus simple que ça : vous pourriez être une enfant naturelle, par exemple.

— J'y ai également pensé. Tant de gens tiennent à le dissimuler à leurs enfants. Absurde! Ils feraient mieux de leur avouer la vérité. De nos jours ça a moins d'importance. Mais le drame, voyez-vous, c'est de ne pas comprendre le pourquoi de tout cela. Pourquoi est-ce que je m'appelle Rosemary? Ça veut dire « réminiscence », je crois?

— Ce qui pourrait être fort sympathique.

— Oui, mais je n'en ai pas l'impression. De toute façon, après les questions que m'a posées l'inspecteur l'autre jour, j'ai commencé à réfléchir. Pourquoi m'avait-on convoquée là-bas le jour du crime? Se pourrait-il que ce soit le mort qui m'ait fixé ce rendez-vous? Qui sait? Peut-être était-ce... mon père qui m'appelait à son aide? Et voilà qu'au lieu de cela, son assassin est venu le tuer. Ou, depuis le début, a-t-on essayé de faire croire que c'était moi, la coupable? Oh oui! j'étais désemparée, j'avais peur. On aurait cru que tout ça avait été combiné pour me désigner, moi. Le fait d'avoir été envoyée, là-bas, pour y trouver ce cadavre, et y retrouver ma pendule aussi, avec mon nom dessus : Rosemary! Il y avait de quoi m'affoler et j'ai fait l'idiote, comme vous dites si bien.

— Écoutez, vous avez trop lu ou trop tapé de romans policiers. Mais Edna? Vous ne savez vraiment pas ce qu'elle voulait? Pourquoi est-elle allée chez vous pour vous voir, alors que vous travailliez tous les jours ensemble, dans le même bureau?

— Je n'en sais rien. Que diable pouvait-elle avoir à me confier ? Ce n'est pas possible qu'elle ait cru que j'avais participé à ce crime !

— Pouvait-elle avoir entendu quelque chose qu'elle ait mal compris ?

— Mais non, rien. C'est impensable !

Et pourtant j'avais mes doutes ; oui, malgré tout ce que Sheila venait de m'avouer, je ne pouvais me retenir d'en avoir... et de craindre qu'elle n'ait pas dit toute la vérité.

Ainsi, nous en étions donc là. Son histoire de montre était tellement fantastique ! Et ces chiffres curieux 4. 13 — transcrits sur une carte postale avec ces mots : « Souviens-toi ! » Inexplicables, à moins qu'ils ne signifient quelque chose pour le destinataire.

Je payai l'addition, me levai tristement.

— Ne vous démoralisez pas trop, lui dis-je. Le « Service Secret Colin Lamb » est à votre entière disposition. Tout finira bien par s'arranger : nous serons vite mariés et vivrons heureux sans le sou. Mais à propos, la montre, qu'en avez-vous fait ?

— Jetée dans la poubelle du voisin !

Si simple et tellement astucieux ! Le tout était d'y penser. J'avais vraiment sous-estimé les facultés de Sheila.

CHAPITRE XXIV

I

Ayant quitté Sheila, je bouclai ma valise, la confiai au concierge de mon hôtel. Puis j'allai au poste de police où je demandai à voir Dick. Je le trouvai une lettre à la main, le front soucieux.

— Je repars pour Londres, ce soir, Dick.

Il leva vers moi un visage pensif.

— Veux-tu un bon conseil ?

— Non, répondis-je sur-le-champ.

Mais il me le donna quand même, comme toujours dans ce cas-là.

— Si j'étais toi, je partirais — et pour de bon — si. C'est dans ton intérêt, crois-moi.

— Sait-on jamais quel est l'intérêt de l'autre ?

— Oh ! pas de boniment !

— Écoute Dick, entre nous, dès que j'aurais terminé cette affaire, je démissionne... J'en ai l'intention, du moins.

— Pourquoi?

— Parce que je suis comme un prêtre qui aurait perdu la foi.

— Réfléchis un peu.

Qu'entendait-il par là au juste? Je n'en sais rien. Je lui demandai pourquoi il avait l'air tellement préoccupé.

— Tiens, lis ça, mon vieux.

Et il me passa sa lettre, que je lus :

Cher monsieur,

J'ai quelque chose à vous dire. Quand, l'autre jour, vous m'avez demandé si mon mari n'avait aucun signe distinctif, je vous ai répondu non. Mais je me trompais. Il me revient qu'il avait une cicatrice derrière l'oreille gauche : une coupure de rasoir qu'il s'était faite, si petite et insignifiante que je l'avais oubliée.

Avec mes sentiments distingués,

Merlina Rival.

— Excellente preuve à l'appui, m'écriai-je. Pourquoi te ronges-tu les sangs?

— Cette affaire est infernale, fit Hardcastle, très sombre.

II

Midi un quart sonnait à une horloge voisine au moment où j'appuyai sur la sonnette du 62 Wilbraham Crescent. La porte me fut ouverte par Mrs. Ramsay qui, les yeux fuyants, me dit :

— Qu'est-ce que c'est?

— J'aimerais vous voir quelques instants.

Elle me conduisit au salon, d'un geste nerveux m'invita à m'asseoir, s'installa en face de moi. Dans sa voix, une pointe d'amertume, mais elle prit vite un air distrait que je ne lui avais pas remarqué la dernière fois.

— Alors, tout est calme maintenant, dis-je. Vos fils sont sans doute rentrés au collège?

— Oui, et ça se voit. Puis elle enchaîna : vous venez sans doute enquêter au sujet du meurtre de cette pauvre fille dans la cabine téléphonique?

— Non, non, pas sur ça. Je n'appartiens pas exactement à la police, vous savez.

— Mais... mais je croyais que vous étiez un agent, l'agent Lamb, s'écria-t-elle, surprise.

—Lamb est bien mon nom, en effet; mais je travaille dans un tout autre service.

Brusquement Mrs. Ramsay perdit son air indifférent, me lança un coup d'œil dur, perçant :

— Ah! fit-elle. De quoi s'agit-il donc?

— Votre mari est-il toujours en voyage? demandai-je.

— Oui.

— Parti depuis longtemps, il me semble? Loin d'ici, sans doute?

— Qu'en savez-vous?

— N'est-il pas derrière le rideau de fer?

Un instant, elle se tut, puis, d'une voix creuse, me dit :

— Oui, c'est exact.

— Vous saviez où il allait?

— Plus ou moins. (Il y eut un silence.) Il voulait que je le rejoigne là-bas, ajouta-t-elle.

— Il y a longtemps qu'il mijotait ça?

— Je le pense; mais il ne me l'a avoué que dernièrement.

— Vous partagez ses opinions?

— Dans le temps, oui. Mais... je ne vous apprends rien, sans doute.

— Vous allez pouvoir nous renseigner très utilement.

— Non, impossible. Pas par mauvaise volonté, mais je ne sais rien de précis. Je n'y tenais pas. J'en avais par-dessus la tête de toutes ces histoires. Aussi, quand Michaël m'a annoncé qu'il devait tout liquider, quitter le pays pour aller à Moscou, je m'y attendais presque. Pour moi, l'heure était venue de faire un choix.

— Vous n'aviez pas tout à fait les mêmes opinions que votre mari?

— Non, ça n'est pas là la question. Pour moi, j'ai obéi à des motifs entièrement personnels, je suppose qu'il en est ainsi pour la plupart des femmes, à part quelques militantes enragées. Il y en a; mais ce n'est pas mon cas; j'ai des idées de gauche, mais avec tiédeur.

— Votre mari a-t-il trempé dans cette affaire Larkin?

— Je l'ignore. Il ne m'a jamais rien dit; je ne voulais rien savoir. (Puis, soudain frémissante :) autant vous parler franchement, Mr. Lamb. J'adore mon mari. Pour ou contre politiquement, je l'aurais quand même accompagné à Moscou, tant je l'aimais. Mais il tenait à ce qu'on y emmène les garçons. Et moi, non. C'est tout. J'ai dû rester avec eux. Je ne sais si je reverrai jamais mon mari. Chacun de nous suit la route qu'il s'est choisie. Mais il y a une chose à laquelle, moi, je suis attachée par-dessus tout : je veux que mes fils soient élevés ici, dans leur patrie; je veux qu'ils soient élevés en bons petits Anglais, comme les autres.

— Je comprends.

— Et voilà, c'est tout, fit Mrs. Ramsay, en se levant, l'air maintenant très décidé.

— Votre choix n'a pas dû être facile, fis-je avec compassion. Je vous plains de tout cœur.

Et c'était vrai. Elle dut le percevoir à mon ton, eut un faible sourire.

— Vous me paraissez sincère. Sans doute, dans votre métier, prend-on l'habitude de deviner ce que les gens pensent et éprouvent. Bien sûr, ç'a été un coup terrible pour moi, mais le plus dur est passé... Maintenant j'ai de nouvelles dispositions à prendre : dois-je rester ici? Ou bien aller ailleurs? Il faut que je recommence à travailler. Dans le temps, j'étais secrétaire, je vais probablement suivre quelques cours pour rafraîchir mes connaissances en sténo et dactylo.

— Un bon conseil : n'entrez surtout pas à l'agence Cavendish.

— Pourquoi donc?

— Parce qu'il arrive des tas de malheurs à ses employées.

— Si vous croyez que je suis au courant de ces histoires, vous vous trompez. Non, je ne sais rien.

Après lui avoir souhaité bonne chance, je pris congé. Comme je l'avais prévu, elle ne m'avait rien appris d'utile. Seulement, il vaut toujours mieux ne rien laisser au hasard.

III

En sortant, je faillis bousculer Mrs. McNaughton qui s'avançait d'un pas vacillant, un filet de provisions à la main.

— Laissez-moi vous aider, lui dis-je, en prenant le filet. Tout d'abord elle s'y agrippa, puis me l'abandonna.

— Ah! c'est vous le jeune agent de l'autre jour? Je ne vous avais pas reconnu.

Elle trottinant derrière moi, je lui portai son filet jusqu'à sa grille. Que c'était donc lourd! Sans doute contenait-il plusieurs kilos de pommes de terre.

— Ne sonnez pas! s'écria-t-elle. C'est ouvert.

Ce qui était bien caractéristique de Wilbraham Crescent, où jamais rien n'était fermé.

— Alors, quoi de nouveau, fit-elle. Sa femme me paraît d'un milieu très ordinaire.

De qui pouvait-elle bien parler?

— Qui ça?... je reviens de voyage, vous savez.

— Ah bon! Encore en train de faire une filature, sans doute? Il s'agit de Mrs. Rival. J'ai assisté à l'instruction. Quelle femme vulgaire. Et elle n'avait pas l'air du tout frappée par la mort de son mari.

— Il y avait quinze ans qu'elle ne l'avait pas revu! expliquai-je.

— Ça fait plus de vingt ans qu'Angus et moi sommes mariés, soupira-t-elle. Un vrai bail! Et le voilà toujours absorbé par son jardinage depuis qu'il a quitté l'Université... je me sens bien seule.

A cet instant, bêche en main, Mr. McNaughton apparut à l'angle de la maison.

— Ah! te voilà, ma chérie. Laisse-moi t'aider...

— Déposez-le à la cuisine, fit Mrs. McNaughton, en m'expédiant d'un léger coup de coude. Rien que des cornflakes, des œufs et du melon, fit-elle en souriant à son mari.

Quand je déposai le filet sur la table de cuisine, il y eut un tintement clair. Des cornflakes? Mon œil! Mes instincts de détective reprirent le dessus. Dissimulées sous une toile plastifiée trois bouteilles de whisky reposaient.

Je compris alors pourquoi Mrs. McNaughton paraissait si souvent bavarde, excitée, pourquoi elle avait parfois la démarche hésitante. Peut-être aussi la raison de la démission de son mari de sa chaire de professeur.

Décidément ce matin-là était favorable aux rencontres. Contournant le Crescent, vers Albany Road, je rencontrai Mr. Bland, tout guilleret, qui me reconnut tout de suite.

— Alors, comment va? Comment se portent les assassins? J'ai su que vous aviez enfin identifié votre cadavre. Il a mené la vie dure à sa femme, paraît-il. Mais — pardonnez mon indiscrétion — vous n'êtes pas du quartier?

Je répondis d'une manière assez vague que j'arrivais de Londres.

— Ah! ça intéressait donc Scotland Yard?

— Enfin... répondis-je d'un ton ambigu.

— Bon, bon, mon garçon. Faut savoir tenir sa langue, je vois. Vous n'êtes pas venu à l'instruction, l'autre jour?

— Non, j'étais à l'étranger.

— Moi aussi, mon garçon, moi aussi, dit-il, clignant de l'œil. A Boulogne, pour un jour. Et sans ma femme, bien entendu. Avec une jolie petite blonde atomique.

— Ah! les affaires! m'écriai-je.

Et, tous deux, en bons copains, nous avons éclaté de rire.

Puis, tandis que je partais en direction d'Albany Road, il s'éloigna vers le 61.

J'étais mécontent de moi : Poirot me l'avait assez répété : je n'avais pas su tirer profit des voisins. Il était anormal que personne n'ait rien vu. Peut-être Hardcastle n'avait-il pas su poser les questions qu'il fallait. Mais moi, étais-je plus fort? Entrant dans Albany Road, j'établis en pensée le questionnaire suivant :

> *On a drogué Mr. Curry (Castleton)   Quand?*
> *On a assassiné Mr. Curry (Castleton)   Qui?*
> *Mr. Curry (Castleton) a été transporté au n⁰ 19   par Qui?*
> *Quelqu'un a dû voir quelque chose   mais Qui?*
> *Quelqu'un a dû voir quelque chose   mais Quoi?*

Encore une fois, je pris à gauche, comme en ce jour du 9 septembre, je remontai Wilbraham Crescent. Allai-je rendre visite à Miss Pebmarsh? Sonner et lui dire... mais quoi donc? Ou passer voir Miss Waterhouse? Mais mon Dieu, pour quoi faire?

Mrs. Hemming alors? Avec elle, pas besoin de faire la conversation : elle ne vous écoutait pas et dans ses propos à elle, qui n'avaient ni queue ni tête, qui sait s'il n'y avait pas quelque chose d'intéressant à glaner?

Je marchai, notant tout en passant les numéros. Comme avait dû le faire feu Mr. Curry jusqu'à celui auquel il se rendait.

Jamais Wilbraham Crescent n'avait eu un air plus austère. Soudain, je me surpris prêt à m'écrier, comme si j'avais vécu au siècle de la reine Victoria :

— Oh! si seulement les pierres pouvaient parler!... Sans qu'elles puissent me répondre, ni elles, ni les briques, ni le stuc. Vieillot et hautain, Wilbraham Crescent se drapait dans son silence, méprisant les promeneurs comme moi, qui ne savaient pas ce qu'ils cherchaient.

Je croisai quelques passants, deux garçons à bicyclette, deux femmes portant leurs sacs à provisions. Pas un signe de vie dans ces maisons. Pourquoi? Je le savais bien. Il était presque une heure, heure sacrée où tout bon Anglais ingurgite son déjeuner. De loin en loin, derrière une fenêtre, j'apercevais deux ou trois personnes assises à une table de salle à manger. Mais c'était l'exception. La plupart des fenêtres étaient voilées de nylon, là où autrefois il y aurait eu des rideaux en dentelle de Nottingham ou, alors, comme c'est à la mode de nos jours, les gens devaient prendre leur repas dans leur « cuisine moderne ».

C'était vraiment l'heure rêvée pour commettre un crime.

L'assassin le savait, lui aussi. Était-ce pour cela qu'il l'avait choisie? J'étais enfin à hauteur du 19.

Comme les autres badauds du voisinage, je m'arrêtai pour le contempler. Personne en vue. « Aucun voisin, me dis-je tristement, aucun curieux intelligent. »

Mais une vive douleur à l'épaule me fit comprendre mon erreur. Il y avait un voisin, qui, s'il avait pu parler, aurait été d'un grand secours. Je m'étais adossé au pilier de la grille du 20 sur lequel était assis ce chat orange que j'avais déjà remarqué la veille. Ayant au préalable dégagé ma manche de ses griffes, j'engageai la conversation :

— Si les chats pouvaient parler...

Il ouvrit la bouche, émit un miaulement mélodieux.

— Oui, je sais bien que tu parles tout comme moi. Seulement voilà : pas la même langue. Étais-tu là l'autre jour? As-tu vu qui a pu entrer ici ou en sortir? Sais-tu ce qu'il s'est passé? Tu en serais bien capable, minet?

L'avais-je vexé? Remuant la queue, il me tourna le dos.

— Pardon, Votre Majesté, dis-je.

Il me jeta un regard froid par-dessus son épaule, et se mit à se laver avec application. Je pensais avec amertume que les voisins sont rares dans Wilbraham Crescent! Ce qu'il nous aurait fallu, à Hardcastle et moi, c'est quelque bonne vieille dame, curieuse et bavarde qui n'aurait rien eu de mieux à faire qu'à cancaner, toujours à l'affût d'un scandale. Mais de nos jours, hélas! leur race est en voie de disparition! Finie l'époque où les vieux, les aveugles ou les paralytiques pouvaient rester chez eux, soignés par une fidèle servante ou quelque parente pauvre, trop heureuse de trouver un toit. Ah! pour les policiers, les enquêtes devenaient difficiles!

Je regardai de l'autre côté de la rue. N'y avait-il vraiment personne? Plût au ciel qu'au lieu de ces monstrueux blocs de ciment, devant moi s'alignassent de gentilles petites maisons. Quelle ruche humaine où vivaient sans doute des abeilles ouvrières, toute la journée dehors à travailler, rentrant seulement le soir pour se laver ou se maquiller et sortir avec leurs flirts. Devant ces alvéoles, dans ces blocs inhumains, je commençais à me sentir une vague sympathie pour l'aristocratique et un peu désuet Wilbraham Crescent.

Tout à coup, à mi-hauteur du building, un rai de lumière. Curieux, je fixai l'endroit. Oui, de nouveau ce rai. Par une fenêtre ouverte, quelqu'un me regardait. Visage à moitié caché par un objet que l'on tient devant soi. Ma main fouilla dans ma poche, où j'ai toujours un arsenal de petits objets à ma disposition. On ne sait jamais ce dont on peut avoir besoin. Un bout de sparadrap. Deux ou trois petits instruments, apparemment inoffensifs, capables de forcer n'importe quelle serrure. Une boîte de poudre grise dont l'étiquette indique un faux nom, un vaporisateur pour la répandre, des petits gadgets dont on se demande à quoi ils peuvent servir. Parmi lesquels se trouvait une longue-vue de poche pas très forte mais suffisante pour mes besoins. Je la pris, l'ajustai à ma vue.

A la fenêtre, il y avait une enfant, sa longue natte sur l'épaule, qui, à l'aide de jumelles, m'observait avec attention. J'aurais pu me sentir flatté si je n'avais pas été tout seul dans Wilbraham Crescent, à ce moment-là. Mais un autre centre d'intérêt se précisait : sur la route s'avançait une antique Rolls-Royce avec, à son volant, un très vieux chauffeur, l'air digne mais désenchanté. Il me dépassa à une allure de cortège. Et, tout aussitôt, je vis ma petite curieuse braquer ses jumelles sur lui. Je restai là songeur.

Je me suis toujours dit que si l'on se montre patient, la chance finit par vous sourire à un moment donné. Tout à coup, sans aucune raison, il se passe quelque chose d'imprévisible. Était-ce ce qui venait de m'arriver? Très soigneusement, je repérai l'emplacement exact de la fenêtre, comptant les autres depuis le sol et aussi celles qui l'encadraient. C'était au troisième. Alors je marchai le long du trottoir jusqu'à l'entrée de l'immeuble en question. Autour de celui-ci s'enroulait une grande allée, bordée de gazon, orné de massifs de fleurs, soigneusement répartis.

On ne doit jamais négliger aucun détail, pensai-je. Aussi, quittant l'allée, pour aller vers le bloc, après avoir levé la tête d'un air étonné, je me suis penché vers l'herbe où j'ai fait semblant de chercher quelque chose, puis me redressant, de le fourrer dans ma poche. Ensuite, contournant l'immeuble, je me suis dirigé vers l'entrée.

Sans doute y avait-il un concierge dans la journée, mais à cette heure sacro-sainte — entre deux et trois — personne. Il y avait bien une sonnette, avec concierge au-dessus; mais je ne m'en servis pas. J'entrai dans l'ascenseur, appuyai sur le bouton du 3e, et là je fis le point.

Vu de l'extérieur, rien ne paraît plus simple que de situer la position d'une pièce dans un immeuble. Mais une fois entré, on se trouve perdu. Heureusement, grâce à mon expérience de ce genre de chose, arrivé devant la porte no 77, je me sentis à peu près sûr de ne pas m'être trompé. Ayant appuyé sur la sonnette, je reculai d'un pas, prêt à tout.

CHAPITRE XXV

Récit de Colin

Au bout d'une minute, l'on vint m'ouvrir. Devant moi, une grosse Nordique blonde aux pommettes rouges, vêtue de couleurs vives, qui me regardait d'un air interrogateur.

— Pardon, dis-je. Il y a ici une petite fille, n'est-ce pas? Elle a dû laisser tomber quelque chose par la fenêtre.

L'anglais n'étant pas son fort, elle me répondit d'un sourire. Puis :

— Je regrette. Quoi vous dites?

— L'enfant, la petite fille.

— Oui, oui, fit-elle.

— Laissé tomber quelque chose par la fenêtre.

Je joignis le geste à la parole.

Ouvrant la main, je lui montrai un petit canif d'argent qu'elle contempla d'un œil bovin.

— Je crois pas. J'ai jamais vu.

— Vous êtes en train de faire la cuisine? dis-je aimablement.

— Oui, oui, c'est moi. A la cuisine.

Elle secouait la tête vigoureusement.

— Je ne veux pas vous déranger. Permettez-moi seulement de le lui remettre.

— Pardon?

Une lueur de compréhension jaillit en elle. Traversant le hall, elle m'ouvrit la porte d'un salon accueillant. Près de la fenêtre, on avait tiré un divan sur lequel était l'enfant, étendue, une jambe dans le plâtre.

— Ce monsieur, il dit... vous avez laissé tomber...

Par chance, à ce moment-là, de la cuisine, monta une forte odeur de roussi. Mon guide poussa un petit cri de détresse.

— Oh! excusez... excusez!

— Allez-y, dis-je, je me débrouillerai seul.

Sans se faire prier, elle s'enfuit. Tandis que j'entrai dans la pièce et, refermant la porte derrière moi, m'avançai jusqu'au divan.

— Bonjour, ai-je dit.

— Bonjour, répondit l'enfant, m'évaluant d'un long regard perspicace, qui faillit me faire perdre mon aplomb.

Avec ses petites couettes de rat, son front bombé, son menton fin, elle n'était guère jolie; mais quels yeux, pétillants d'intelligence!

— Je m'appelle Colin Lamb. Et toi?

— Géraldine Mary Alexandra Brown.

— Mon Dieu, un nom à courant d'air. Et lequel doit-on choisir?

— Géraldine, quelquefois Gerry, mais je préfère pas. D'ailleurs papa n'aime pas les diminutifs.

Un des avantages dans nos rapports avec les enfants, c'est qu'ils ne sont pas conventionnels. N'importe quel adulte m'aurait immédiatement demandé ce que je venais faire. Géraldine, au contraire, s'ennuyant dans sa solitude, était toute prête à bavarder avec moi, sans s'embarrasser de questions inutiles.

— Ton papa n'est pas là? dis-je.

Avec toujours la même vivacité et sa même passion du détail, elle me répondit :

— Cartinghaven Enginneering Works, Reaverbridge. A exactement dix-huit kilomètres cinq cents d'ici.

— Et ta maman?

— Maman est morte, m'apprit Géraldine de sa voix enjouée. Quand j'avais deux mois. En revenant de France, son avion s'est écrasé au sol et tout le monde est mort.

Elle disait cela avec une espèce de contentement; et je compris qu'à mourir dans une grande catastrophe, on s'auréole d'une certaine gloire.

— Je vois. Donc, tu...

Je tournai la tête vers la porte.

— C'est Ingrid, une Norvégienne. Elle n'est là que depuis quinze jours. Elle ne sait pas encore assez bien l'anglais pour le parler. C'est moi qui lui donne des leçons.

— Et elle t'apprend le norvégien?

— Non, très peu, fit Géraldine.

— Tu l'aimes?

— Comme ça. Elle nous fait une si drôle de cuisine! Vous savez, elle adore le poisson cru.

— J'en ai mangé en Norvège. C'est parfois bon.

Géraldine n'avait pas l'air du tout convaincue.

— Aujourd'hui, elle nous confectionne des tartelettes à la mélasse.

— Ça me paraît succulent.

— Ummm... si, j'aime assez ça, ajouta-t-elle gentiment. Vous déjeunez ici?

— Non pas. En fait, je passais sous ta fenêtre, et n'est-ce pas toi qui as laissé tomber ça?

— Moi?

— Oui, lui dis-je en lui présentant le canif d'argent.

Géraldine l'examina d'un air d'abord critique, puis approbateur.

— Il est joli. Qu'est-ce que c'est?

— Un couteau pour peler des fruits.

— Oh! je vois. Pour peler des pommes et d'autres choses?

— Oui.

— Ce n'est pas à moi, dit-elle avec un gros soupir. C'est pas moi qui l'ai laissé tomber. Qu'est-ce qui vous fait croire ça?

— Parce que tu étais à ta fenêtre et...

— Je suis toujours à ma fenêtre. Voyez, je me suis cassé la jambe, en tombant.

— Quelle déveine!

— N'est-ce pas?

— Tu dois t'ennuyer ici?

— Beaucoup. Heureusement, papa m'apporte des tas de cadeaux : des crayons, des patiences. Et aussi, quand j'en ai assez de faire des choses, je regarde par la fenêtre avec ça.

Et, très fière, elle exhiba de petites jumelles de théâtre.

— Tu permets? demandai-je.

Les prenant, je les ajustai à ma vue, regardais au-dehors.

— Elles sont très bonnes.

Elles étaient en fait excellentes et l'on apercevait avec une netteté étonnante, le 19 Wilbraham Crescent et les maisons avoisinantes.

— Ce sont de vraies jumelles, pas pour les petits enfants, ni pour faire semblant, dit-elle.

— En effet, je vois bien.

— J'ai aussi un petit livre là (et elle me le montra) où je note ce qui se passe et à quelle heure. Comme quand on joue à compter les trains. Mon cousin Dick, il adore ça. Nous le faisons aussi pour les voitures. On commence à un et on voit jusqu'où on peut monter.

— Très amusant.

— Oui, c'est juste. Malheureusement, peu de voitures passent dans cette rue. Aussi j'ai abandonné depuis quelque temps.

— Je pense que tu connais toutes ces maisons autour de vous et tes voisins également.

J'avais pris un ton détaché, mais Géraldine saisit la balle au bond.

— Oh! mais oui. Je ne connais pas leurs vrais noms mais je les ai tous baptisés.

— Fort drôle, appréciai-je.

Géraldine pointait du doigt.

— Là-bas, c'est la marquise de Carabas, cette maison avec

ces arbres abandonnés, vous savez bien : comme dans le Chat botté. C'est fou ce qu'elle peut avoir de chats, des centaines!

— Je viens justement de parler à l'un d'eux, le chat fauve.

— Je vous ai vu, fit Géraldine.

— Tu es vraiment observatrice. Peu de choses t'échappent.

Flattée, Géraldine sourit. La porte se rouvrit devant une Ingrid très essoufflée.

— Tout va bien, oui?

— Très bien, répondit Géraldine d'un ton incisif. N'ayez crainte, Ingrid.

Et, de la tête, elle lui fit un oui énergique, avec les mains lui expliquant :

— Retournez à votre cuisine. Allez, laissez-moi.

— Bon, j'y vais. C'est bien pour vous, une visite.

— Elle s'énerve quand elle fait la cuisine, dit Géraldine surtout pour un plat nouveau. Et c'est pour ça qu'elle nous sert si tard parfois. Oh! je suis bien contente que vous soyez là, j'en oublie ma faim!

— Parle-moi encore de tes voisins. De ce que tu vois. Qui vit dans la maison d'à côté, la plus soignée?

— Oh! une aveugle. A la voir marcher, on ne le croirait jamais, d'ailleurs. C'est Harry, le portier, qui m'a dit ça. Il me parle de tout. C'est lui qui m'a raconté l'assassinat.

— L'assassinat?

Je manifestai une surprise hypocrite.

— Oui. C'est la première fois que je vois un meurtre.

— C'est palpitant. Euh... qu'as-tu vu?

— Eh bien, c'était l'heure creuse de la journée. Quand, tout à coup, la fille est sortie en hurlant. Alors, c'est devenu passionnant. J'ai tout de suite compris qu'il était arrivé quelque chose.

— Qui hurlait?

— Une fille. Toute jeune et très jolie. Elle a couru et s'est mise à hurler, à hurler. Il y avait un jeune homme qui marchait dans la rue. Elle est sortie par là grille, s'est agrippée à lui, comme ça, dit-elle, mimant la scène des deux bras.

Puis, soudain me fixant :

— Vous lui ressemblez beaucoup, dites-moi.

— Je dois avoir un sosie, plaisantai-je. Et alors, qu'est-il arrivé?

— Eh bien, il l'a pour ainsi dire flanquée par terre et il est entré dans la maison.

— Mais, avant voyons — que s'est-il passé? Cet homme — celui qu'on a assassiné, l'as-tu vu entrer dans la maison?

— Non. Il y était déjà, je crois.

— Tu veux dire qu'il habitait là?

— Oh non! Miss Pebmarsh y vit seule!

— Tu vois que tu connais son vrai nom!

— Oh oui! c'était dans les journaux, tout l'assassinat. La fille qui hurlait s'appelle Sheila Webb. Et l'homme, Mr. Curry, il me semble. C'est Harry qui me l'a dit. C'est un drôle de nom, pas? Comme ce qu'on mange. Et puis, y a eu encore un assassinat. Pas le même jour, après, dans la cabine téléphonique, au bout de la rue. Si je sors ma tête par la fenêtre, je peux la voir d'ici. Bien sûr, je ne l'ai pas vue pour de vrai. Si j'avais su, j'aurais regardé! Mais je savais rien. Et pourtant il y avait beaucoup de gens ce matin-là qui étaient là à regarder la maison d'en face. C'est bête, non?

— Si complètement, idiot.

Une fois de plus Ingrid réapparut.

— Je reviens, dit-elle, je reviens de suite maintenant.

A peine était-elle partie que Géraldine me confiait :

— On n'en a pas vraiment besoin. Elle se donne un mal fou pour la cuisine. Et pourtant elle n'a que le petit déjeuner et le déjeuner à préparer. Le soir papa mange au restaurant et il me fait monter un plat de poisson ou autre chose. Pas un vrai repas, fit-elle, nostalgique.

— A quelle heure déjeunes-tu d'habitude, Géraldine?

— Oh! je n'ai pas d'heure fixe. A l'heure d'Ingrid. Elle a ses idées à elle là-dessus. Le matin, bien sûr, elle nous sert le petit déjeuner ponctuellement, autrement papa se fâcherait. Mais le déjeuner, c'est quand ça lui plaît. Quelquefois à midi, ou bien pas avant deux heures. Elle dit qu'on doit manger quand c'est prêt, voilà tout.

— C'est commode. Et le jour de l'assassinat, vous avez déjeuné tôt?

— Oh oui! C'était son jour de sortie. Elle va toujours au cinéma ou chez le coiffeur et c'est Mrs. Perry qui vient me garder. Elle est horrible, celle-là. Elle me tapote.

— Elle te tapote? dis-je, intrigué.

— Oui, les cheveux. Elle m'appelle : « son petit chou ». Avec elle on ne peut pas avoir de vraie conversation. Mais elle m'apporte des bonbons.

— Quel âge as-tu Géraldine?

— Dix ans. Dix ans et trois mois.

— Eh bien toi, tu as une conversation très intéressante.

— C'est parce que papa et moi, nous parlons beaucoup ensemble, tous les deux, me dit Géraldine gravement.

— Et le jour du meurtre, vous avez déjeuné tôt?

— Oui, pour qu'Ingrid puisse partir à une heure.

— Donc ce matin-là, tu regardais passer les gens par ta fenêtre?

— Oui, la plupart du temps. A dix heures je faisais des mots croisés.

— Je me demandais si tu avais vu venir Mr. Curry?

— Non. C'est bizarre, hein?

— Peut-être qu'il était arrivé plus tôt.

— Il n'a pas sonné à la porte d'entrée — je l'aurais aperçu.

— A moins qu'il ne soit entré par le jardin derrière la maison.

— Oh non! protesta Géraldine. C'est derrière les autres maisons aussi. Les gens n'aimeraient pas qu'on passe par là.

— C'est vrai, tu as raison.

— J'aurais aimé savoir à quoi il ressemblait, fit Géraldine.

— Oh, c'était un homme assez âgé — d'une soixantaine d'années. Très bien rasé, et vêtu d'un costume gris sombre.

— Il ressemble à n'importe qui alors, fit Géraldine d'un ton réprobateur.

— De toute façon, couchée comme tu l'es, il doit t'être difficile de distinguer un jour d'un autre.

— Pas du tout, fit-elle, piquée au vif. Je puis tout vous raconter quand Mrs. Crabe est entrée et quand elle est repartie.

— C'est la femme de ménage dont tu parles?

— Oui, elle marche de travers, comme un crabe. Elle a un petit garçon. Elle l'amène souvent avec elle, mais pas ce jour-là. Ensuite à dix heures, Miss Pebmarsh sort. Pour aller faire la classe aux petits aveugles. A midi, Mrs. Crabe s'en va.

Géraldine se mit à rire d'un air malicieux, et ce ne fut qu'au bout d'un moment qu'elle put articuler :

— Je lui ai appris à dire « Fous le camp ». Et quand elle l'a répété à notre voisine Miss Bulstrode, celle-ci était furieuse. Ingrid alors s'est renseigné et elle était très fâchée contre moi jusqu'au goûter, le lendemain.

J'appréciai l'incident.

— Alors, ce jour-là, armée de tes jumelles, tu étais là, à regarder?

— Oui, fit Géraldine. Voilà pourquoi je suis sûre que Mr. Curry n'est pas entré par la grille du devant. Il a dû arriver pendant la nuit et se cacher dans le grenier. Vous ne croyez pas?

— Tout est possible, répondis-je, mais ça me paraît peu probable.

— Oui, fit Géraldine, il aurait eu faim. S'il se cachait de Miss Pebmarsh, il ne pouvait pas lui réclamer son petit déjeuner.

— Et tu n'as vu personne s'arrêter devant cette maison.

Personne? Ni une voiture ni un commerçant, pas de visites?

— L'épicier passe les lundis et jeudis; et quant au lait, on le dépose à huit heures et demie du matin.

Quelle enfant : un véritable agenda!

Elle continuait :

— Non, personne n'est venu à part le blanchisseur. Pas le même, d'ailleurs, ajouta-t-elle.

— Pas le même?

— Non, d'habitude, c'est le *Southern Laundry* qui vient pour presque tout le monde, ici. Mais ce jour-là, c'était un autre : le *Snowflake Laundry*. C'était la première fois que je le voyais.

— Un nouveau, sans doute?

De mon mieux j'évitai de laisser percer la moindre curiosité dans ma voix. Inutile d'exciter son imagination!

— Ont-ils livré ou pris du linge?

— Ils en ont livré, dit Géraldine. Dans un grand panier. Beaucoup plus grand que d'habitude.

— Et c'est Miss Pebmarsh qui l'a reçu?

— Non, voyons! Elle était ressortie!

— A quelle heure, Géraldine?

— Une heure trente-cinq exactement. Je l'ai noté, dit-elle, très fière.

Et d'un doigt pas trop propre, elle me désigna une note sur son petit calepin : 1 h 35 au 19, le blanchisseur.

— Tu aurais dû être détective à Scotland Yard, dis-je.

— Ont-ils des femmes détectives? J'adorerais ce métier — pas d'être une femme agent — non, elles sont toutes idiotes.

— Raconte-moi donc comment ça s'est passé.

— Il ne s'est rien passé, fit Géraldine. Le livreur est descendu. Il a ouvert sa camionnette, sorti son panier qu'il a transporté, tout chancelant, à la porte de derrière la maison. Je ne pense pas qu'il ait pu entrer; Miss Pebmarsh avait dû la verrouiller. Il a dû laisser ça devant.

— Quelle tête avait-il?

— Quelconque, fit Géraldine.

— Comme moi?

— Oh! non, plus âgé, mais je l'ai mal vu, parce qu'il arrivait par là, fit Géraldine, montrant sa droite. Il s'est arrêté au 19. Pas du bon côté. Mais dans une rue comme la nôtre, ça n'a pas d'importance. Et il est entré par la grille, courbé sur son panier. Je ne le voyais que de dos et il est ressorti en s'essuyant le visage. Il devait avoir chaud et se sentir fatigué d'avoir porté tout ça.

— Et, ensuite, il est reparti?

— Oui. Pourquoi. Ça vous intéresse-t-il tant?

— Je n'en sais rien. Comme ça.

La porte s'ouvrit brusquement devant Ingrid et sa table roulante.

— Faut manger le déjeuner, fit-elle, l'œil brillant.

— Oh! chance! fit Géraldine. Je meurs de faim.

— Il est temps que je parte, dis-je. Au revoir, Géraldine.

— Au revoir, me répondit-elle. Et le canif? Quel dommage qu'il ne soit pas à moi!

— Je ne sais pas à qui il peut bien appartenir. Tu ferais mieux de le garder.

— Est-ce comme quand on trouve un trésor?

— Oui, un peu. Allons, garde-le. Jusqu'à ce qu'on vienne te le réclamer; mais ça m'étonnerait bien, dis-je, enfin sincère.

— Donne-moi une pomme, Ingrid.

— Pomme?

— Oui, une pomme — apfel —.

Elle faisait appel à toutes ses ressources linguistiques. Je les laissai se débrouiller toutes deux.

CHAPITRE XXVI

Mrs. Rival poussa la porte du Peacock Bar et, d'un pas chancelant, se dirigea vers le comptoir tout en se parlant à elle-même. Elle était connue et le barman l'accueillit chaleureusement.

— Alors, Flo, ça va? Ça marche, les affaires?

— C'est pas juste. C'est pas correct. Non, Fred, je t'assure, c'est pas correct.

— Mais oui, c'est pas correct, dit Fred conciliant. Qu'est-ce que c'est encore, je me l'demande? J'vous sers toujours la même chose?

Mrs. Rival fit signe que oui, paya et se mit à siroter son verre. Fred, lui, s'occupait d'un nouveau client. Un peu rassérénée par la boisson, Mrs. Rival continuait à grommeler, mais sur un mode plus détendu :

— Tout de même, je vais pas me laisser faire, poursuivait-elle. S'il y a quelque chose que je peux pas encaisser, c'est le mensonge. De toute ma vie, je l'ai jamais pu.

— Bien sûr que non, acquiesça Fred.

Et l'examinant d'un œil critique : « Elle doit déjà avoir quelques verres dans le nez, se dit-il. Mais bah, on peut lui en donner encore un ou deux. Elle a l'air toute retournée. »

— Le mensonge, continuait Mrs. Rival. L'hypo — l'hypocri — enfin, vous savez bien ce que je veux dire.

— Mais oui, fit Fred.

Et il se tourna vers un nouvel arrivant, avec qui il entama une discussion sur les lévriers de course. On entendait toujours Mrs. Rival murmurer :

— Ça ne me plaît pas, je ne me laisserai pas faire. Et je ne vais pas me gêner pour le dire. Non mais, qu'est-ce qu'ils croient! On ne m'aura pas comme ça. Faut savoir se défendre. Un autre, s'il vous plaît, mon chou, ajouta-t-elle d'une voix plus forte.

Fred s'exécuta.

— Encore celui-là et vous feriez mieux de rentrer vous coucher, lui conseilla-t-il, se demandant ce qui avait pu bouleverser la pauvre fille. Elle était de bonne humeur d'habitude, toujours prête à plaisanter.

— Je vais me retrouver dans le pétrin, un de ces jours, Fred. Quand on vous demande un service, on devrait rien vous cacher, on devrait vous prévenir. Des mensonges! Rien que des mensonges! Mais je ne marche pas!

— A votre place, je me dépêcherais de rentrer chez moi, dit Fred, voyant une larme prête à couler sur l'épaisse couche de maquillage. Il va pleuvoir et fort. Vous risquez d'abîmer votre joli chapeau.

Mrs. Rival lui adressa un sourire reconnaissant.

— J'ai toujours aimé les épis de blé, fit-elle. Oh! mon Dieu, mon Dieu. Que faire?

— Rentrez à la maison et faites un bon somme, dit le barman gentiment.

— Au fond, peut-être, mais...

— Allons, allons, ce beau chapeau qui va être abîmé!

— C'est juste, tout à fait juste. Fred, vous êtes un homme de bon... bon... soir. Non, ce n'est pas ce que je veux dire. Mais qu'est-ce que je veux dire? Fred, vous êtes un homme de bon sens. Merci beaucoup.

— De rien, fit Fred.

Glissant à bas du tabouret où elle était perchée, elle s'aventura d'un pas hésitant vers la porte.

— Elle a l'air toute bouleversée, notre pauvre Flo, ce soir, fit l'un des hommes.

— Elle qui est si gaie d'habitude. Enfin, on a tous des hauts et des bas, dit un autre, d'aspect mélancolique.

— Si on m'avait dit que Jerry Grainger arriverait cinquième derrière Queen Caroline, je l'aurais pas cru, fit celui qui avait parlé en premier. Pour moi, il y a eu du tripatouillage. De nos jours, les courses c'est trafiqué. On drogue les chevaux. Tous.

Une fois dehors, Mrs. Rival examina le ciel. La pluie menaçait, en effet. Elle se hâta le long de la rue, tourna à gauche, puis à droite et s'arrêta enfin devant une maison assez sale. Sortant sa clef, elle s'engageait sur le perron, quand du sous-sol une voix monta vers elle.

— Il y a un monsieur qui vous attend là-haut.

— Moi? fit Mrs. Rival étonnée.

— Oui. Enfin, un monsieur si on veut. Convenable mais pas de la haute.

Après quelques difficultés pour introduire sa clef dans la serrure, Mrs. Rival réussit enfin à pénétrer à l'intérieur de la maison où se mêlaient des odeurs de chou, de poisson et d'eucalyptus, cette dernière odeur entretenue par la propriétaire qui soignait ses poumons. S'aidant de la rampe, Mrs. Rival gravit les marches, poussa la porte du premier, s'arrêta pile et recula d'un pas.

— C'est vous! fit-elle.

— Bonsoir, Mrs. Rival, dit l'inspecteur Hardcastle en se levant.

— Qu'est-ce que vous voulez? lui demanda Mrs. Rival avec moins de tact que d'habitude.

— Eh bien, j'ai une ou deux petites choses à éclaircir avec vous. Et comme j'étais à Londres, en service, j'ai décidé de tenter ma chance. La vieille en bas m'a dit que vous ne tarderiez sans doute pas à rentrer.

— Ah? fit Mrs. Rival. Mais je ne vois pas bien... pas bien...

— Asseyez-vous donc, fit Hardcastle en lui avançant poliment un siège, comme s'il était l'hôte et Mrs. Rival l'invitée.

Assise, elle le regarda fixement.

— Qu'entendez-vous par une ou deux choses?

— Des petits détails, dit Hardcastle, des petits détails, c'est tout.

— C'est-à-dire... à propos d'Harry?

— Oui, c'est ça.

— Écoutez, fit Mrs. Rival, plus agressive que d'ordinaire et exhalant une légère odeur d'alcool sous les narines de l'inspecteur. Harry, c'est une vieille histoire. Je veux l'oublier maintenant. C'est moi qui suis venue vous trouver, non? quand j'ai vu sa photo dans le journal. Tout ça c'est le passé. Je vous ai tout dit et je ne veux plus en entendre parler.

— Il s'agit seulement d'un point de détail, expliqua l'inspecteur d'un ton patelin, s'excusant presque.

— Bon, bon, fit Mrs. Rival peu aimable. Alors, qu'est-ce qu'il y a? Parlez.

— Vous avez reconnu en cet homme votre mari — ou enfin, l'homme qui a fait semblant de vous épouser, il y a environ quinze ans? C'est juste?

— Comme si vous ne vous étiez pas renseigné, depuis le temps!

« Plus fine qu'on ne croirait », se dit l'inspecteur. Puis :

— Vous avez raison. Nous avons fait des recherches. Vous vous êtes mariée le 15 mai 1946.

— Se marier en mai, ça porte malheur, d'après le dicton. Autant pour moi.

— Et après toutes ces années, vous avez pourtant reconnu votre mari!

Gênée, Mrs. Rival s'agitait.

— Il n'avait pas beaucoup vieilli. Il se surveillait tellement, Harry.

— Et vous avez même pu nous fournir un renseignement supplémentaire. Vous nous avez écrit, je crois, au sujet d'une cicatrice.

— Oui, derrière son oreille gauche, fit Mrs. Rival désignant la sienne du geste.

— Son oreille gauche? insista Hardcastle.

Mrs. Rival parut légèrement démontée.

— Eh bien... oui, je crois. Oui, c'est ça. Quelquefois, on confond la droite et la gauche. Mais c'était bien là, sur le côté gauche de son cou.

Et elle remit le doigt au même endroit.

— C'est en se rasant que ça lui est arrivé, m'avez-vous dit?

— C'est exact. Le chien lui a sauté dessus. Nous avions un chien très turbulent, à l'époque, mais très affectueux. Harry avait le rasoir à la main et le chien s'est précipité sur lui. La blessure a beaucoup saigné, elle était profonde et la cicatrice ne s'est jamais effacée.

Maintenant, elle avait repris toute son assurance.

— C'est très intéressant, Mrs. Rival, dit l'inspecteur. Car il n'y aurait rien d'extraordinaire à prendre un homme pour un autre, après tant d'années. Mais si cet homme ressemble à votre mari et, de plus, a une cicatrice au même endroit, alors nous avons une identification sûre et certaine. Nous pouvons aller de l'avant.

— Tant mieux si vous êtes satisfait.

— Dites-moi, quand s'est-il fait cette coupure de rasoir?

Mrs. Rival réfléchissait.

— Oh!... six mois, je crois... six mois après notre mariage. Oui, c'est ça. Nous avons acheté le chien en été, je m'en souviens.

— A peu près en octobre ou novembre 1946, c'est cela?

— Tout juste.

— Et après que votre mari vous a quittée, en 1950....

— Ce n'est pas lui qui m'a quittée, c'est plutôt moi qui l'ai flanqué à la porte, l'interrompit Mrs. Rival avec beaucoup de dignité.

— Bon, bon, comme vous voudrez. Donc, après que vous avez mis votre mari à la porte, en 1950, vous ne l'avez plus jamais revu, avant la publication de sa photo dans le journal?

— Non, je vous l'ai dit.

— Vous en êtes certaine, Mrs. Rival?

— Naturellement que j'en suis certaine. Je ne l'ai revu que mort.

— Curieux, très curieux, fit Hardcastle.

— Pourquoi. Que voulez-vous dire?

— Eh bien, c'est très bizarre, une cicatrice. Pour vous, pour moi, une cicatrice est une cicatrice, c'est tout. Pour un médecin, c'est différent. En l'examinant, il peut vous dire, approximative-ment, de quand date une cicatrice.

— Je ne vois pas du tout où vous voulez en venir.

— A ceci tout simplement : selon notre médecin légiste et un chirurgien que nous avons consulté, le tissu cicatriciel tendrait à prouver que cette blessure date de cinq à six ans au plus.

— Quelle idiotie! Je n'en crois rien, moi... Personne ne peut le savoir. Et puis de toute façon...

— Alors, vous comprenez, poursuivit Hardcastle d'une voix douce, si cette cicatrice n'a que cinq ans et si cet homme est bien votre mari, il ne pouvait pas l'avoir quand il vous a quittée en 1950.

— Peut-être, c'est possible. Mais en tout cas c'est bien Harry.

— Et vous ne l'avez pas revu depuis 1950, n'est-ce pas? Alors, comment pouviez-vous être au courant de cette cicatrice, beaucoup plus récente?

— Vous m'embrouillez complètement, fit Mrs. Rival. Je m'y perds dans tout ça. Ça ne fait peut-être pas si longtemps. J'ai dû oublier. Peut-être l'ai-je rencontré un ou deux ans après. C'est sûrement ça. Mais Harry avait cette cicatrice, je le sais, moi.

L'inspecteur se levait.

— Je crois, Mrs. Rival, que vous feriez mieux de réfléchir très sérieusement à votre déposition. Vous ne voulez pas vous attirer des ennuis, n'est-ce pas?

— Des ennuis? Quels ennuis?

— Eh bien, fit l'inspecteur d'un ton navré, un faux témoi-gnage...!

— Un faux témoignage, moi?

— Mais oui. Aux yeux de la loi, c'est très grave. Vous risquez la prison. Bien sûr, vous n'avez pas témoigné sous serment, mais vous pourriez être amenée à le faire devant un tribunal. Et alors... Réfléchissez bien, Mrs. Rival. Peut-être est-ce quelqu'un qui vous a suggéré cette histoire de cicatrice?

— C'est la première fois que j'entends de telles imbécillités, fit Mrs. Rival se redressant, les yeux fulgurants, puis ajouta : j'essaie de faire mon devoir, de vous aider. Je vous raconte tout ce que je me rappelle, si j'ai fait une erreur, quoi de plus naturel? Depuis toutes ces années. Avec le nombre de... bons amis masculins que j'ai eus, il y a de quoi faire une drôle de salade. Mais je ne crois pas m'être trompée. C'était bien Harry, et Harry avait une cicatrice derrière son oreille gauche, j'en suis tout à fait sûre. Et maintenant, inspecteur, vous feriez mieux de cesser vos insinuations et de partir.

— Bonsoir, Mrs. Rival, dit l'inspecteur. Un bon conseil : réfléchissez, c'est tout.

Mrs. Rival lui fit un signe d'adieu. A peine eut-il tourné les talons qu'elle changea d'attitude et perdit toute son assurance. Terrifiée, elle était terrifiée.

« Me fourrer dans ce pétrin, murmura-t-elle, dans ce pétrin... Non... non, je vais tout laisser tomber. Je vais pas me laisser faire, moi. Toutes ces histoires, ces mensonges. C'est abominable, oui, abominable. Et je répéterai tout, là. »

Elle arpenta la pièce d'un pas vacillant puis, enfin décidée, saisit son parapluie dans un coin et sortit. Elle remonta la rue, hésita un instant devant la cabine publique, puis continua jusqu'au bureau de poste.

Après avoir pris un jeton, elle entra dans une des cabines, appela l'interurbain et demanda un numéro. Puis, elle attendit qu'on lui réponde.

— Parlez, madame, votre correspondant est en ligne.

— Allô, dit-elle alors. Ah! c'est vous? Ici Flo. Oui, je sais bien que vous m'avez dit de ne pas vous appeler. Mais il le fallait. Vous n'avez pas joué franc jeu avec moi. Vous ne m'avez pas dit dans quoi je m'embarquais. Seulement que ça vous gênerait qu'on identifie ce type. Pas un instant je ne me suis doutée que j'allais tremper dans une histoire de meurtre!... Bien sûr, je m'attendais à cette réponse, mais vous ne m'aviez pas dit ça, l'autre jour... Si, je le pense, que vous y êtes mêlé d'une façon ou d'une autre... non, je ne marche pas... Je veux bien servir d'instrument, mais pas de complice. Je suis affolée, je vous le répète... Il paraît que cette cicatrice, il ne l'a que depuis un ou deux ans, et moi qui étais là à affirmer qu'il se l'était faite avant qu'on se quitte... Et ça, c'est un faux témoignage, et c'est puni de prison. Non, inutile d'essayer de m'embobiner!... Non!... Rendre service c'est autre chose... Oui, je sais... je sais bien que vous m'avez payée. Très peu d'ailleurs... Bon, je vous obéirai, mais je ne veux pas... Bon, bon, je me tairai... Quoi?... Combien?... Ah, ça c'est une somme! Êtes-vous sûr de l'avoir... Évidemment, ça changerait tout. Vous me jurez que vous n'y êtes pour rien, que vous n'êtes pas responsable de cette mort?... Non, je sais bien que vous ne l'êtes pas... Oui, je m'en rends compte, naturellement... On est entraîné malgré soi par des gens, bien plus loin qu'on ne voudrait aller... Vous avez vraiment le chic pour arranger les choses... Vous l'avez toujours eu... Bien, j'y réfléchirai, mais faites vite... Demain? A quelle heure?... Oui... Oui... Je viendrai, mais pas de chèque. Je ne veux pas que ça se sache... Je me demande vraiment si je devrais continuer à me mêler à ces histoires, même... Bien. Si vous le pensez... Ne prenez pas ça mal!... Entendu.

Elle ressortit du bureau de poste, souriant et vacillant.

Pour une pareille somme, ça valait la peine de risquer quelques petits ennuis avec la police. Ça la remettrait à flot. Et après tout, les risques n'étaient pas si grands... Elle n'aurait qu'à dire qu'elle avait oublié, qu'elle ne se souvenait pas très bien... Cela arrive à des tas de femmes d'oublier ce qui s'est passé un an plus tôt. Elle dirait qu'elle avait confondu Harry avec un autre homme. Oh! elle trouverait bien une explication...

Mrs. Rival allait d'un extrême à l'autre. Autant elle était déprimée l'instant d'avant, autant maintenant elle était optimiste. Elle commençait déjà à se demander très sérieusement à quoi elle emploierait son argent...

CHAPITRE XXVII

Récit de Colin

— Vous n'avez pas tiré grand-chose de la femme Ramsay.
— Il n'y avait rien à en tirer.
— Vous en êtes sûr?
— Oui.
— Alors... satisfait?
— Pas trop.
— Vous espériez mieux?
— Ça ne comble aucune de nos lacunes.
— Cherchons ailleurs... Assez de croissants, pas vrai?
— Oui.
— Vous n'êtes pas bavard... Vous avez la gueule de bois?
— Je ne suis pas fait pour ce métier.
— Quoi! Vous voulez que je vous prenne sur mes genoux pour vous consoler?

Je ne pus m'empêcher de rire.

— Allons, voilà qui est mieux, approuva Beck. Qu'est-ce qu'il y a? Des histoires de femmes?
— Non, répondis-je. Mais ça fait un moment que je sens que ce métier ne me convient pas.
— Je m'en suis rendu compte, dit Beck à mon étonnement. Voyez-vous, nous vivons une époque assez trouble. De nos jours, on ne sait plus bien dans quelle voie s'engager. Et le découragement, c'est comme de la pourriture sèche, comme ces myriades de champignons qui s'infiltrent dans nos murs, puis ressurgissent en surface. Si vous en êtes atteint, vous ne pouvez plus nous être utile. Vous nous avez rendu de grands services. Restons-en là et retournez à vos sacrées algues... vous les aimez, hein, ces horreurs?
— Leur étude est passionnante.
— Moi, je trouverais ça répugnant. Heureusement que tous les goûts sont dans la nature! A propos, où en êtes-vous de votre superbe assassinat? Je parie que c'est la fille qui l'a fait.
— Vous vous trompez.
— Ouvrez l'œil, fit Beck brandissant un doigt paternel. Et ce n'est pas un conseil pour boy-scout que je vous donne là!

Quand j'ai téléphoné à Hardcastle, il m'a confirmé la nouvelle.

— C'est exact, m'a-t-il dit d'un ton désenchanté. Je suis allé la voir hier au soir, lui démontrer que son histoire de cicatrice ne collait pas, que le tissu cicatriciel était bien trop récent. Bizarre, hein? C'est en voulant trop bien faire que les gens se cassent la figure. On arrose cette femme pour qu'elle identifie un cadavre comme étant celui de son mari; elle s'en tire à merveille; je marche comme un seul homme. Et hop! à ce moment-là, le type qui la téléguidait veut se montrer trop malin. Une petite cicatrice insignifiante, dont elle se souvient après coup, quoi de plus édifiant? Après ça, il n'y aurait plus qu'à classer l'histoire. Si dès le premier jour, elle nous l'avait servie toute chaude, ça aurait pu nous mettre la puce à l'oreille.

— Donc cette Merlina Rival y était fourrée jusqu'au cou?

— Eh bien, j'en doute. Qui sait si un vieil ami n'est pas allé la trouver, lui disant :

« Écoute, je suis drôlement compromis. J'étais en affaire avec un type qu'on a assassiné. Si par hasard on a vent de toutes nos combines, pour moi, c'est la ruine. Ne pourrais-tu pas aller témoigner, prétendre que cet homme était ton mari — Harry Castleton, que tu n'aurais pas revu depuis des années? L'affaire serait classée. »

— Mais ne se serait-elle pas regimbée? Il y avait des risques sérieux.

— Mais l'autre lui aurait répliqué : « Des risques? Lesquels? Au pire tu peux t'être trompée, après quinze ans! » Et à ce moment-là, pour emporter sa décision, on a dû lui proposer une somme rondelette. A quoi elle a répondu : « Bon, j'accepte. Je serai chic. Je le ferai. »

— Sans aucune méfiance?

— Pourquoi? Bon Dieu, Colin, mais les meurtriers que nous bouclons, ils ont des amis et qui ne les croiraient jamais capables de commettre un crime!

— Et ensuite, que s'est-il passé quand vous l'avez vue?

— Je lui ai flanqué la frousse. Et tout de suite, après mon départ, elle a réagi comme prévu : pris contact avec celui ou celle qui l'avait embarquée là-dedans. On l'a prise en filature, naturellement. Elle est allée téléphoner à la poste, dans une cabine automatique. J'aurais préféré qu'elle utilisât celle qui est au bout de la rue; mais elle n'avait pas de monnaie. Elle est ressortie, la mine satisfaite. Puis rien d'intéressant, jusqu'à hier au soir, où, partie à Victoria Station, elle s'est acheté un billet pour Crowdean. Il était six heures, l'heure d'affluence. S'imaginant sans doute que le rendez-vous était à Crowdean, elle était sans méfiance. Mais l'autre salaud l'avait astucieusement précédée. Facile dans une foule de se glisser derrière elle, d'enfoncer le couteau... Elle n'a même pas dû s'en apercevoir! C'est toujours comme ça. Rappelle-toi l'affaire Barton, dans le hold-up de la bande Levitti. Il a marché jusqu'au bout de la rue, avant de tomber mort. On sent une douleur vive, on croit que c'est rien, erreur, on est un mort vivant, sans le savoir.

— Est-ce que tu as... déjà... vérifié... les alibis? demandai-je, malgré moi.

Réponse instantanée :

— La Pebmarsh, elle, était hier à Londres pour des questions scolaires. Elle n'est rentrée à Crowdean que par le train de sept heures quarante. (Un instant de silence, puis il reprit :) Quant à Sheila Webb, elle avait rendez-vous avec un auteur étranger de passage à Londres, pour la correction d'un manuscrit. A cinq heures et demie, après l'avoir quitté, elle est allée seule au cinéma, avant de prendre le chemin du retour.

— Dis donc, Hardcastle, fis-je, j'ai un tuyau intéressant pour toi. Garanti : quelqu'un qui a vu, le jour du premier meurtre, à une heure trente-cinq, une camionnette de blanchisseur qui s'est arrêtée au 19 Wilbraham Crescent. Le chauffeur est venu livrer un grand panier de linge à la porte de service, un panier énorme. C'était un homme qui conduisait, un homme qui est allé porter le panier dans la maison.

— Ce n'est pas une de tes inventions Colin? demanda Hardcastle subitement méfiant.

— Non, je t'ai dit que j'avais un témoin. Tu n'as qu'à vérifier, Dick, vas-y.

Et sans lui laisser le temps de me cuisiner encore, je raccrochai.

Quittant la cabine, je consultai ma montre. J'avais du pain sur la planche et je tenais à me trouver hors de portée de Hardcastle. Tout mon avenir en dépendait.

CHAPITRE XXVIII

Récit de Colin

Cinq jours plus tard, revenu à Crowdean à onze heures du soir, je descendis comme d'habitude au *Clarendon Hôtel*.

Le lendemain, avec le café, les toasts et le journal que j'avais commandés, on m'apporta une longue enveloppe.

Dedans une seule feuille, sur laquelle, en caractères d'imprimerie, était écrit :

CURLEW HOTEL 11 H 30.
CHAMBRE 413.
FRAPPEZ TROIS COUPS.

Après l'avoir retournée, je la relus encore. A quoi rimait ce message? Et ce numéro de chambre 413, chiffres identiques à ceux qu'indiquaient les montres. Était-ce une coïncidence, ou alors?

Je me sentais d'attaque maintenant. Une fois rasé, lavé, habillé, à l'heure dite, je me suis retrouvé au *Curlew Hôtel*.

Devant la porte du 413, j'hésitai un instant; puis me jugeant complètement idiot, je frappai trois coups.

— Entrez, me dit une voix.

Je tournai le bouton; le verrou n'était pas mis. J'entrai et m'arrêtai pile.

Là, devant moi, la personne à laquelle je m'attendais le moins : Hercule Poirot, hilare, me contemplait!

— Une belle petite surprise, n'est-ce pas? me dit-il. Agréable, j'espère?

— Poirot, vieux roublard! m'écriai-je. Comment se fait-il que vous soyez ici?

— Je viens d'arriver dans une Daimler des plus confortables.

— Mais pourquoi êtes-vous venu?

— Eh bien, on a entrepris, contre mon gré, la remise à neuf de mon appartement. C'est odieux. Alors, que faire? Où aller?

— Vous aviez le choix, pourtant.

— Peut-être, mais mon docteur me recommandait l'air marin.

— Encore un de ces médecins complaisants qui établissent leur ordonnance d'après les désirs du client. Est-ce vous qui m'avez envoyé ça?

Et je brandis le message sous ses yeux.

— Naturellement. Qui voulez-vous que ce soit?

— Et la chambre 413, est-ce une coïncidence?

— Non pas, je l'ai demandée tout exprès.

— Pourquoi ça?

Poirot me fit un clin d'œil.

— Ça s'imposait, non?

— Et frapper trois fois?

— C'était plus fort que moi. Vous envoyer un bouton de rose n'aurait pas fait mal non plus — à cause de Rosemary. J'ai même pensé à me couper le doigt pour laisser une empreinte sanglante sur ma porte... Mais il ne faut jamais exagérer. Pas besoin de risquer une infection.

— On dirait que vous retombez en enfance, lançai-je froidement. Cet après-midi même, je vous achèterai sans faute un lapin en peluche et un ballon.

— Alors, vous ne goûtez pas ma petite surprise? Vous n'avez pas l'air content de me voir.

— A ma place, le seriez-vous?

— Pourquoi pas? Enfin, trêve de plaisanterie; revenons-en aux choses sérieuses. Je pense pouvoir vous aider. J'ai déjà été voir l'inspecteur principal; et à l'heure qu'il est, j'attends votre ami, l'inspecteur Hardcastle.

— Pour lui dire quoi?

— Eh bien, pour discuter tous les trois ensemble.

Je le regardai en riant. Il appelait ça discuter lui. Je savais bien, moi, qui tiendrait le crachoir.

Hardcastle arriva enfin. Présentations, salutations; puis, dans une ambiance très cordiale, nous nous installâmes. De temps à autre, Dick regardait discrètement Poirot comme si c'était un spécimen rare du zoo. C'était sûrement la première fois qu'il rencontrait ce genre d'oiseau.

Après quelques politesses, Hardcastle s'éclaircit la voix et, s'aventurant prudemment :

— J'imagine, monsieur Poirot, que vous aimeriez tout voir par vous-même; ça ne sera pas facile, mais...

« L'inspecteur principal m'a dit de me mettre à votre entière disposition. Cependant, vous devez bien savoir les difficultés, les objections qu'on peut soulever... Mais puisque vous êtes venu ici tout exprès...

Assez sec, Poirot lui coupa la parole :

— Si je suis ici, c'est parce qu'on fait des travaux dans mon appartement de Londres.

Malgré moi, je ricanai. Poirot me fusilla du regard.

— M. Poirot n'a besoin de rien voir, fis-je. D'après lui, sans quitter son fauteuil, on peut résoudre n'importe quel problème. Pas vrai, Poirot?

D'un ton digne, Poirot répliqua :

— Je n'ai pas besoin de faire le chien courant, qui suit la piste en reniflant, voilà ce que j'ai dit. Mais pour chasser, il faut quand même un chien, je l'admets. Un chien qui rapporte, mon ami, voilà tout.

D'une main retroussant sa moustache, il se tourna vers l'inspecteur :

— Moi, je ne suis pas comme les Anglais, dit-il. Je peux très bien me passer de chiens. Mais je comprends votre passion. Pour eux, vous avez de l'estime, des attentions. Vous voulez leur faire plaisir. Vous vantez leur intelligence auprès de vos amis. Mais attention! La réciproque est peut-être vraie. Le chien aussi aime son maître. Il en est fier, il est fier de sa lucidité. Et, comme le maître s'oblige à sortir, même sans en avoir besoin, pour promener son chien, le chien, de son côté, s'efforce de contenter son maître.

« Notre jeune ami Colin a agi de même envers moi. S'il est venu me trouver, ce n'est pas pour me demander de résoudre ses problèmes personnels. Non, il me sentait solitaire, désœuvré, et pour me tirer de l'ennui, m'a donné du travail : un problème à résoudre. Il m'a même mis au défi : de mon fauteuil, serais-je capable de résoudre une énigme comme je le prétendais? Peut-être a-t-il agi un peu par taquinerie. Il voulait sans doute me prouver que c'était plus difficile que je ne le croyais. *Mais oui, mon ami,* ne le niez pas! Vous vouliez vous moquer de moi, un tout petit peu! Je ne vous en veux pas le moins du monde. Mais voyez-vous, vous connaissez mal Hercule Poirot.

Tout en frisant sa moustache du bout des doigts, Poirot se rengorgeait.

— C'est bon, dis-je, lui souriant amicalement. Donnez-la-nous, votre solution. A condition de la connaître, bien entendu!

— Bien sûr que je la connais!

Hardcastle n'en croyait pas ses oreilles.

— Donc, vous savez qui est l'assassin du 19 Wilbraham Crescent?

— Oui.

— Et qui a tué Edna Brent?

— Naturellement.

— Et le mort, vous savez qui c'est?

— Je sais qui ça peut être, oui.

Hardcastle paraissait assez sceptique. Il restait poli, par égard pour l'inspecteur principal, mais le doute perçait dans sa voix.

— Je vous demande, monsieur Poirot, si vous prétendez savoir qui a tué les trois victimes? Et pour quelle raison?

— Certainement.

— Alors, l'enquête est terminée?

— Ça, non.

— Vous avez une théorie, c'est ça que vous voulez dire? fis-je peu charitablement.

— Je ne vais pas me quereller avec vous pour un mot, *mon cher* Colin. *Je sais*, et c'est tout.

Hardcastle poussa un soupir.

— Mais, monsieur Poirot, moi, il me faut des preuves.

— Bien sûr. Mais avec les moyens dont vous disposez, il ne sera pas difficile de les obtenir, ces preuves.

— Je n'en suis pas si certain.

— Allons, inspecteur. *Savoir*, n'est-ce pas l'essentiel? En partant de là, on réussit toujours.

— Non, pas toujours, fit Hardcastle en soupirant. Les rues sont pleines de gens qui devraient être en prison. Nous le savons bien, allez!

— Mais c'est l'infime proportion, n'est-ce pas...

Je lui coupai la parole :

— Bon, bon, *vous savez*... Et maintenant, nous aussi, nous aimerions savoir!

— Vous êtes sceptiques, je le vois bien. Laissez-moi vous expliquer : quand on a trouvé la bonne solution, tous les éléments prennent leur place. Aucun doute n'est permis. Les choses n'auraient pas pu se passer autrement.

— Pour l'amour du ciel! fis-je. Allez-y! Vous avez parfaitement raison, je l'admets.

Se carrant confortablement dans son fauteuil, Poirot fit signe à Hardcastle de se servir à boire.

— Une chose est certaine, mes amis. Pour résoudre un problème, il faut avoir les faits. Pour ça, on a besoin du chien, le chien qui rapporte tous les éléments un à un et les dépose...

— ... aux pieds de son maître, enchaînai-je. D'accord.

— Il ne suffit pas de lire les journaux. Car les faits doivent être exacts et les journaux nous les donnent rarement ainsi. Quand un événement a lieu à quatre heures un quart, ils vous disent quatre heures, ils vous racontent qu'un homme a une sœur nommée Elisabeth, quand il s'agit de sa belle-sœur Alexandra. Et ainsi de suite. Mais Colin a été pour moi un chien remarquable.

Il a une mémoire exceptionnelle. Plusieurs jours après, il peut vous répéter une conversation. La répéter mot pour mot, et pas seulement traduire, comme nous faisons tous, l'impression qu'elle nous a laissée. Par exemple, il ne dira pas : « Le courrier est arrivé à onze heures trente », au lieu de rapporter ce qui s'est passé exactement, c'est-à-dire : un coup à la porte, puis quelqu'un qui entre avec des lettres à la main. Ces détails ont leur importance.

— Mais ce malheureux chien a été incapable de tirer aucune déduction, n'est-ce pas?

— Moi, par contre, j'ai les faits. J'ai « le tableau sous les yeux ». C'est ainsi qu'on dit, n'est-ce-pas? Ce qui m'a frappé dans l'histoire que vous m'avez contée Colin, enchaîna Poirot, c'est son caractère rocambolesque. Quatre montres — toutes quatre en avance d'une heure — sont placées dans une maison, à l'insu de sa propriétaire, du moins à ce qu'elle prétend. Mais on ne doit jamais croire ce qu'on nous dit avant de l'avoir vérifié.

« Par terre, un cadavre, vieux monsieur d'allure respectable; que personne ne connaît, à ce qu'on nous affirme une fois de plus. Dans sa poche, une carte de visite au nom de Mr. R. H. Curry, de la Compagnie d'assurances *Métropolis*, compagnie qui n'existe pas, pas plus d'ailleurs que Mr. Curry. A deux heures moins dix, paraît-il, on téléphone à l'agence : une Miss Pebmarsh demande qu'on lui envoie une secrétaire à trois heures, au 19, Wilbraham Crescent. Miss Sheila Webb de préférence.

« Celle-ci se présente avec quelques minutes d'avance, entre comme convenu dans le salon, y découvre un cadavre et se rue dehors en hurlant pour tomber dans les bras d'un jeune homme.

Pause de Poirot qui me regarde.

— Entrée en scène du jeune premier, dis-je, saluant très bas.

— Et voilà, fit Poirot. Vous voyez, personne, même vous, ne peut s'empêcher de prendre un ton théâtral et bouffon pour parler de cette histoire! C'est un tel mélo, si fantastique! Tout à fait ce qu'imaginerait un Garry Gregson, par exemple. Pour tout vous avouer, quand mon jeune ami est venu me trouver, je m'étais plongé dans l'étude du roman policier des soixante dernières années. On en arrive à considérer les crimes véritables de l'œil d'un romancier : si un chien n'a pas aboyé quand il aurait dû le faire, je me dis : « Ah! voilà du Sherlock Holmes! » de même, si l'on découvre un cadavre dans une chambre close, naturellement je pense : « Tiens, voilà un crime à la John Dickson Carr! » Et puis, il y a aussi mon amie, Mrs. Oliver. Si je trouvais... mais c'en est assez là-dessus. Vous voyez ce que je veux dire.

« Voici donc un assassinat qui se présente sous un jour telle-ment déconcertant qu'on se dit tout de suite : c'est impossible, c'est du roman. Mais, hélas! cette fois-ci, c'est bien vrai; c'est arrivé. Ce qui vous donne matière à réflexion.

Hardcastle l'approuvait pleinement, comme on le voyait à sa tête. Poirot poursuivait :

— Nous avons là, pour ainsi dire, le contraire des conseils de Chesterton : « Où cacher une feuille? Dans une forêt. Où cacher un galet? Sur une grève. » Nous avons de la fantaisie, du mélo-drame, de l'exagération. Si, à l'instar de Chesterton, je me deman-de : « Où donc une femme mûre cachera-t-elle sa beauté fanée? » je ne répondrai pas : « Au milieu d'autres beautés fanées. » Non, pas du tout. Elle la cache sous du rouge, de la poudre, au milieu de fourrures, avec des bijoux autour de son cou et à ses oreilles. Comprenez-vous?

— Ah bien... fit l'inspecteur, qui ne le suivait plus du tout.

— Parce qu'alors ce n'est pas la femme qu'on regarde, ce sont les fourrures, les bijoux, la *coiffure* et ses vêtements de *haute couture**. C'est pourquoi je me suis dit, et j'ai dit à mon ami Colin : puisque dans cette affaire il y a tant de détails qui provoquent l'attention, c'est qu'au fond, elle est très simple. C'est bien là ce que j'ai dit, n'est-ce pas?

— En effet, fis-je. Mais je ne comprends toujours pas.

— Un peu de patience.

— Donc, laissons de côté la mise en scène du crime. Tenons-nous en à l'essentiel. Un homme a été tué. Pourquoi? Et qui est-il? La réponse à la première question dépend manifestement de la réponse à la seconde. Jusqu'à ce qu'on les ait trouvées toutes les deux, on ne peut faire aucun progrès. Ce pourrait être un maître chanteur, un escroc, un mari jaloux... que sais-je encore! Et cet homme — d'après tout le monde — est un homme âgé, très comme il faut, sans rien de remarquable. Et, tout d'un coup, je me suis dit : supposons que cet homme corresponde exactement à ce qu'il paraît : un vieux monsieur respectable, d'apparence aisée. Voyez-vous ce que je veux dire? fit-il tourné vers Hard-castle.

— Euh... fit poliment l'inspecteur.

— Ainsi, dit Poirot, nous voici devant un vieux monsieur charmant, comme tous les vieux messieurs, mais que quelqu'un veut faire disparaître. Qui donc? Là, nous pouvons essayer de rétrécir le champ de nos recherches : dans le coin, tout le monde

---

* *En français dans le texte.*

connaît Miss Pebmarsh, ses habitudes, l'agence Cavendish et cette jeune fille qui y travaille, Sheila Webb. C'est pourquoi j'ai conseillé à mon vieil ami Colin : les voisins... il faut leur parler, se renseigner sur eux. Mais surtout bavarder avec eux. Parce qu'alors ce ne sont pas des réponses qu'on obtient, mais des propos qui leur échappent. Quand un sujet est dangereux, les gens restent sur leurs gardes, mais en parlant de la pluie et du beau temps, ils ne se méfient plus ; ils se laissent aller à dire la vérité, ce qui est toujours plus facile que de mentir. Alors une parole peut leur échapper qui, sans qu'ils le sachent, a beaucoup d'importance.

— Admirable théorie, dis-je. Qui ne s'est malheureusement pas vérifiée dans notre cas.

— Mais si, mon cher. Par une toute petite phrase d'une inestimable valeur.

— Laquelle, dis-je. De qui et où ça ?

— Vous l'apprendrez en temps voulu, mon cher. Si l'on trace un cercle autour du 19, Wilbraham Crescent, n'importe qui, à l'intérieur de cette circonférence, aurait pu tuer Mr. Curry. Et les plus en vedette sont ceux qui se trouvaient sur place : Miss Pebmarsh, qui avait la possibilité de l'assassiner, avant de sortir, à une heure trente-cinq. Ou bien Miss Webb, qui pouvait lui avoir donné rendez-vous là-bas et l'avoir tué, avant de se précipiter dehors en criant au secours.

— Ah ! dit l'inspecteur, nous en venons au fait.

— Et vous aussi, mon cher Colin, fit Poirot en me regardant. Vous étiez sur place, par erreur, soi-disant, cherchant une maison du côté où elle n'était pas.

— Ça alors ! m'exclamai-je indigné. C'est trop fort ! Jusqu'où irez-vous ?

— Rien n'est trop fort pour moi, fit Poirot, superbe.

— Et quand je pense que c'est moi qui vous ai servi cette affaire sur un plateau...

— Il y a beaucoup d'assassins vaniteux, fit Poirot. Si vous en étiez un, vous auriez peut-être aimé me tourner en ridicule.

— A ce train-là, vous finirez par me convaincre moi-même, dis-je mal à l'aise.

Se tournant vers Hardcastle, Poirot continuait :

— Au fond, me suis-je dit, ce crime doit être très simple. Ces montres insolites, ces dispositions prises pour qu'on découvre le corps, pour l'instant, laissons tout cela de côté. Comme dirait votre immortelle Alice au pays des merveilles, ce ne sont que : bateaux, souliers, l'arbre et l'écorce, rois, océans ou bien navets...

« Un vieil homme a été tué, c'est là l'essentiel. Si nous connaissions son identité, cela nous donnerait une indication quant à son assassin. Un maître chanteur nous mènerait vers quelqu'un donnant prise au chantage. Un détective, vers quelqu'un capable d'avoir commis un délit. Un homme riche, vers ses héritiers. Mais si nous ne savons rien de la victime, alors il nous faut chercher parmi les gens en cause, celui qui aurait eu un motif pour tuer.

« Laissons de côté pour l'instant Miss Pebmarsh et Sheila Webb. Parmi les autres, qui pourrait se cacher en jouant un personnage qui n'est pas le sien? La réponse n'est pas encourageante. A l'exception de Mr. Ramsay qui, paraît-il, n'est pas du tout celui qu'il prétend, n'est-ce pas?

Poirot s'arrêta pour quêter mon approbation. Et reprit :

— Tous les autres ont d'excellentes références. Bland est un entrepreneur réputé, Mr. McNaughton a été professeur à Cambridge, Mrs. Hemming est la veuve d'un commissaire priseur du coin, les Waterhouse sont respectablement connus depuis des années. Alors, il faut bien en revenir à Mr. Curry.

« D'où venait-il? Qu'est-ce qui l'a conduit au 19, Wilbraham Crescent? A ce sujet, notons une remarque très intéressante d'une des voisines, une Mrs. Hemming. En apprenant que le mort n'habitait pas au 19 : « Oh! s'est-elle écriée. Alors, il n'est venu là que pour se faire tuer! Que c'est bizarre! » Comme tous ceux qui sont trop égocentriques pour faire attention à ce que disent les autres, elle a eu le don d'aller droit au cœur du problème.

« Toute l'histoire se résume à ça : si Mr. Curry est venu au 19, c'est pour se faire assassiner. C'est tout.

— Moi aussi, j'avais été frappé par cette phrase.

— « Petit, petit, petit, viens donc qu'on t'assassine », poursuivit Poirot, m'ignorant. Mr. Curry est venu et on l'a tué. Mais ce n'est pas tout. Il fallait surtout qu'on ne puisse pas l'identifier : il n'avait donc ni portefeuille, ni papiers d'identité, ni aucune marque sur ses vêtements. Et pour s'assurer de cet incognito, un faux état civil s'imposait. Dès le début, j'étais persuadé qu'un jour ou l'autre quelqu'un se présenterait — frère, sœur ou femme — pour l'identifier de façon définitive.

« Et ce fut une épouse, une Mrs. Rival, dont le nom à lui seul aurait dû éveiller nos soupçons. Dans le Somerset, j'ai séjourné avec des amis dans un village de ce nom — Curry Rivel — avec un « e » au lieu de l' « a ». C'est dans le subconscient, sans s'en rendre compte, que s'est fait le choix de ces noms : Mr. Curry, Mrs. Rival.

« Jusqu'ici tout se tenait. Mais quelque chose m'intriguait :

pourquoi le meurtrier était-il si sûr qu'on n'identifierait pas sa victime? Cet homme n'avait-il pas de famille? Mais on a toujours au moins un concierge, des relations d'affaires.

« D'où j'en suis venu à me dire que personne ne s'apercevrait de sa disparition. De là à supposer qu'il n'était pas Anglais, mais seulement de passage dans ce pays. Hypothèse confirmée par le fait que sa prothèse ne correspondait à aucune fiche établie ici.

« Je commençais à me faire une idée vague du meurtrier et de sa victime. Ce crime avait été très soigneusement prémédité et exécuté. Mais comment l'assassin pouvait-il prévoir l'intervention du hasard?

— Laquelle? fit Hardcastle.

— Par la « *Faute d'un clou, le fer fut perdu*
Faute d'un fer, le cheval fut perdu
Faute d'un cheval, la bataille fut perdue,
Faute d'une bataille, le royaume fut perdu
Et tout ceci par la faute d'un clou.

Et Poirot se pencha en avant.

— Beaucoup de gens auraient pu tuer Mr. Curry. Mais il y en a une seule qui aurait pu tuer, ou tout au moins avoir une raison de tuer cette jeune Edna Brent.

Nous le regardions, stupéfaits.

— Parlons un peu de cette agence de dactylos, où travaillent huit jeunes filles. Le 9 septembre, jour du meurtre, quatre d'entre elles sont chez des clients avec lesquels elles restent déjeuner. Ce sont celles qui d'habitude prennent leur repas de midi à une heure et demie. Les quatre autres, Sheila Webb, Edna Brent, Janet et Maureen s'absentent ensuite de une heure et demie à deux heures et demie.

« Mais ce jour-là, il arrive un petit malheur à Edna Brent. A peine a-t-elle quitté le bureau qu'elle casse un de ses talons dans une grille. Ne pouvant plus marcher, elle s'achète des brioches et rentre à l'agence.

Poirot, pour souligner sa pensée, brandit son index :

« On nous l'a dit, quelque chose tracassait Edna Brent. Sans succès, elle tente de voir Sheila Webb, en dehors du bureau. Seul indice de ce qu'elle avait sur le cœur, les mots qu'elle a prononcés devant l'agent au tribunal : « Je ne comprends pas comment elle a pu dire ça! » Trois femmes avaient déposé ce matin-là : s'agissait-il de Miss Pebmarsh, de Sheila Webb ou de Miss Martindale?

— De Miss Martindale? Mais son témoignage n'a duré que deux minutes!

— Exactement. Elle a simplement rapporté l'appel téléphonique qu'on attribue à Miss Pebmarsh.

— Edna savait qu'il n'était pas de Miss Pebmarsh? C'est ce que vous voulez dire, sans doute?

— Je crois que c'est encore plus simple que ça. A mon avis, il n'y a même jamais eu de coup de téléphone.

Poirot poursuivait :

— Edna perd le talon de sa chaussure, tout près de l'agence. Elle y rentre aussitôt. Mais, enfermée dans son bureau, Miss Martindale ignore le retour d'Edna. Elle se croit seule. Il lui suffira de dire qu'on a appelé à une heure quarante-neuf. Sur le moment, Edna ne se rend pas compte de l'importance de ce qu'elle sait. Miss Martindale fait venir Sheila pour l'envoyer à un rendez-vous. Quand et comment a-t-il été pris? Personne n'en parle à Edna.

« Puis arrive la nouvelle du meurtre et l'histoire se précise; c'est par un coup de téléphone que Miss Pebmarsh aurait demandé Sheila Webb. Et Miss Pebmarsh le nie. Cet appel aurait eu lieu prétendument à deux heures moins dix. Et ça, Edna sait que ce n'est pas vrai. Miss Martindale n'a pas l'habitude de commettre des erreurs. C'est ce qui rend perplexe Edna. Il faut qu'elle en parle à Sheila. Sheila saura ce qu'il faut faire...

« Alors, vient l'enquête. Et là, devant toutes les jeunes filles réunies, Miss Martindale répète son histoire. C'est à ce moment qu'Edna demande à l'agent de garde si elle ne pourrait pas parler à l'inspecteur.

« Au milieu de la foule qui s'écoulait hors de la salle, Miss Martindale l'a probablement entendue : puis elle l'a suivie jusqu'à Wilbraham Crescent. Qu'est-ce qui a poussé Edna à y aller, je me le demande?

— Comme pour beaucoup de gens, l'envie de voir les lieux du crime, probablement, fit Hardcastle en soupirant.

— Oui, probablement. Miss Martindale l'a sans doute abordée, l'a accompagnée un bout de chemin et comme Edna lui exposait ses doutes, elle a décidé d'agir et vite.

« Elles étaient près de la cabine téléphonique. « Vite, lui a dit Miss Martindale. C'est très important. Il faut tout de suite appeler la police pour leur annoncer notre venue. » Edna a l'habitude d'obéir. Elle entre dans la cabine, décroche l'écouteur, Miss Martindale la suit et l'étrangle.

— Sans que personne ne la voie?

Poirot haussa les épaules.

— Tout peut arriver, bien sûr. Mais c'était l'heure du déjeuner et les passants dans la rue étaient bien trop occupés à béer devant le 19. Pour cette femme sans scrupules, ce n'était qu'un risque à courir.

Mais Hardcastle ne semblait pas convaincu.

— Miss Martindale? Mais que viendrait-elle faire dans cette histoire?

— Au premier abord, bien sûr, on ne comprend pas. Mais puisque c'est Miss Martindale qui a tué Edna — mais si — il n'y a qu'elle qui avait intérêt à le faire, alors, elle est forcément mêlée à toute l'histoire. Et je commence à croire qu'elle en est la *Lady Macbeth*. C'est une femme cruelle et sans imagination.

— Sans imagination?

— Non, aucune. Mais très capable. Très organisée.

— Mais pourquoi? Pour quel motif?

Se tournant vers moi, Hercule Poirot pointa un index grondeur :

— Ainsi vos conversations avec les voisins ne vous ont rien appris, hein? Moi, j'ai noté une phrase des plus révélatrices. Souvenez-vous : après avoir discuté de la vie à l'étranger, Mrs. Bland a remarqué qu'elle aimait bien être à Crowdean, parce qu'elle y avait une sœur. Or, Mrs. Bland n'aurait pas dû avoir de sœur. Il y a un an, elle a hérité un gros paquet d'un oncle canadien, en tant que seule survivante de toute sa famille.

Hardcastle se redressa vivement :

— Alors vous croyez...

Mains jointes, paupières baissées, Poirot continuait :

— Mettez-vous dans la peau d'un homme que les scrupules n'étouffent guère, assailli par mille difficultés financières: Un jour, expédiée par un notaire, arrive une lettre lui annonçant que sa femme vient d'hériter une grosse fortune d'un oncle canadien.

« Cette lettre est adressée à Mrs. Bland. Malheureusement, ce n'est pas la Mrs. Bland actuelle, qui n'est que la seconde épouse. Imaginez leur désespoir, leur fureur!

« Mais une idée germe. Qui pourrait bien savoir que ce n'est pas elle, cette Mrs. Bland-là, l'héritière. Personne à Crowdean n'a eu vent de ce précédent mariage qui a eu lieu à l'étranger pendant la guerre, il y a de nombreuses années. Sa première femme est fort probablement morte, peu après, et il n'a pas attendu longtemps pour se remarier. Il possède encore son premier certificat de mariage, des papiers de famille, des photos de parents canadiens décédés à présent. Il ne risque pas grand-chose et de toute façon, ça en vaut la peine. Il tente le coup et ça réussit.

« Les formalités légales s'accomplissent et voilà les Bland riches, prospères, à l'abri des soucis d'argent.

« Mais un an plus tard, que se passe-t-il? A mon idée, voilà. Quelqu'un débarqua du Canada, quelqu'un qui a dû très bien connaître la première Mrs. Bland. Les Bland ont sans doute pensé à éviter une entrevue. Il n'y avait qu'à prétexter une maladie de Mrs. Bland, ou un voyage à l'étranger. Mais cela n'aurait-il pas paru suspect? Le visiteur insisterait sûrement pour la voir...

— Donc à éliminer?

— Oui et, sur ce point, je pense que la sœur de Mrs. Bland a dû jouer un rôle déterminant. C'est elle qui a imaginé et bâti tout le scénario.

— Pour vous, Miss Martindale et Mrs. Bland seraient deux sœurs?

— Ce qui expliquerait tout.

— C'est vrai que le visage de Mrs. Bland m'a semblé familier la première fois que je l'ai vu, dit Hardcastle. Leur allure est différente, mais c'est exact, il y a une certaine ressemblance. Mais comment pouvaient-ils espérer s'en tirer; un homme ne disparaît pas comme ça, on fait des recherches... — Quand on voyage à l'étranger — pour son plaisir, pas pour affaire — on a un emploi du temps assez souple. On envoie une lettre d'un endroit, une carte postale de l'autre. Il se passerait pas mal de temps avant que les gens ne s'inquiètent. A ce moment, qui songerait à établir un rapport entre un homme enterré sous le nom d'Henry Castleton et un voyageur canadien qu'on n'aurait jamais vu par ici. — Si j'étais le meurtrier, dit Poirot, j'aurais fait un voyage éclair en Belgique ou en France pour me débarrasser du passeport de la victime, afin que les recherches se fassent à l'étranger.

Involontairement je sursautai, ce qui attira l'attention de Poirot.

— Oui, fit-il.

— Bland m'a raconté qu'il avait fait dernièrement une petite escapade d'une journée à Boulogne, avec une blonde, à ce que je crois...

— Tout ceci n'est qu'hypothèse, objecta Hardcastle.

— Mais facile à vérifier, dit Poirot.

Puis saisissant devant lui une feuille de papier à en-tête de l'hôtel, il la lui tendit.

— Si vous voulez bien écrire à Mr. Enderby, à cette adresse. Il m'a promis de faire pour moi certaines recherches au Canada. C'est un avoué de réputation internationale.

— Et qu'est-ce que deviennent les montres, dans cette histoire?

— Ah! oui, les montres! (Poirot sourit.) Vous découvrirez sûrement que c'est Miss Martindale, la responsable. Puisque, comme je vous l'ai dit, c'est un crime très simple, il fallait le camoufler en crime mystérieux. Cette montre, avec l'inscription de « Rosemary », Sheila l'a peut-être perdue au bureau où Miss Martindale l'aura ramassée pour l'inclure dans sa mise en scène. Peut-être est-ce à cause de cette montre qu'elle a choisi Sheila pour découvrir le crime...

— Et selon vous tout ceci est le fruit de l'imagination de Miss Martindale?

— Non, pas de son imagination. C'est là où ça devient intéressant. Depuis le début, j'ai flairé un modèle à cette histoire, un modèle qui m'était d'autant plus familier que je venais d'en lire de semblables. J'ai eu beaucoup de chance! Comme Colin peut vous le dire, cette semaine j'ai assisté à une vente de manuscrits. Certains étaient de Garry Gregson. Je n'osais trop espérer, mais la chance a joué en ma faveur. Là! (Et d'un geste de conspirateur il fit jaillir deux cahiers énormes d'un tiroir.) Tout est là! Parmi beaucoup d'autres projets de livres. C'est un de ceux qu'il n'a pas eu le temps d'écrire. Mais Miss Martindale, qui fut sa secrétaire, le connaissait parfaitement.

— Et les pendules, quel rôle avaient-elles, est-ce qu'elles existaient dans l'intrigue de Garry Gregson?

— Mais oui. Elles indiquaient la combinaison d'un coffre, dissimulé derrière une reproduction de Mona Lisa. A l'intérieur, continua Poirot d'un air dégoûté, se trouvaient les joyaux de la couronne de Russie. Des bêtises, quoi! Bien sûr il y avait une histoire sentimentale, une jeune fille persécutée... Oh! ça a bien facilité la tâche de Miss Martindale. Elle n'a eu qu'à l'adapter aux personnages qu'elle a trouvés sur place. Et où donc aboutiraient tous ces magnifiques indices? Nulle part!

Hardcastle ramassa les cahiers, me prit des mains la feuille de papier que je fixai, fasciné. L'adresse d'Enderby y était inscrite à l'envers, ainsi que l'en-tête de l'hôtel, en bas à gauche dans le coin.

Devant ce bout de papier, je compris enfin quel idiot j'avais été.

— Eh bien, monsieur Poirot, disait Hardcastle. Il est certain que vous nous avez donné matière à réflexion. Qu'il en sorte ou non quelque chose...

— Je serai ravi d'avoir pu vous aider, dit Poirot, faisant son modeste.

— Je dois seulement vérifier certains détails...

— Mais bien sûr, bien sûr...

On se salua et Hardcastle prit congé.

CHAPITRE XXIX

Récit de Colin

Une fois de plus, je me retrouvai dans Wilbraham Crescent. Devant la porte du 19 où je sonnai, ce fut Miss Pebmarsh qui m'ouvrit.

— C'est Colin Lamb, lui dis-je. Puis-je vous parler?

— Mais certainement.

Elle me précéda dans le salon.

— Il me semble que vous êtes souvent par ici, Mr. Lamb. J'avais cru comprendre que vous ne faisiez pas partie de la police locale...

— Vous avez raison. Je pense que, dès notre première rencontre, vous avez su à qui vous aviez affaire?

— Je ne comprends pas très bien à quoi vous faites allusion?

— J'ai été terriblement obtus, Miss Pebmarsh. C'est vous que je cherchais en venant par ici. Dès le premier jour, je vous ai trouvée, mais sans m'en rendre compte.

— Distrait par le meurtre, probablement?

— Comme vous dites. Mais, de plus, j'ai commis la stupidité de lire à l'envers un morceau de papier. Je croyais que c'était le 61 que je devais chercher.

— Et que signifie?

— Que la comédie est finie, Miss Pebmarsh, tout simplement. J'ai découvert le quartier général où se fait le planning. Fiches, documents sont classés chez vous en caractères Braille.

« Larkin vous faisait parvenir les renseignements qu'il glanait à Portlebury. Vous, vous les transmettiez à Ramsay qui, ensuite, les acheminait à leur destination. Rien de plus facile pour lui que de passer, la nuit, de sa maison dans la vôtre.

« Une fois, il a égaré une pièce de monnaie tchèque dans votre jardin...

— Quelle négligence!

— Ça nous arrive à nous aussi, quelquefois. Votre façade est parfaite, cependant. Aveugle, vous travaillez dans une institution pour enfants infirmes. Quoi de plus normal que d'avoir chez vous des livres en Braille... Vous êtes une femme d'une intelligence et d'une personnalité peu commune, bien que je ne comprenne pas les mobiles qui vous animent...

— Disons que c'est une vocation, si vous voulez.

— C'est bien ce que je pensais.

— Mais pourquoi me racontez-vous tout cela? Ça ne se fait pas d'habitude, il me semble.

Je consultai ma montre.

— Vous avez deux heures devant vous, Miss Pebmarsh. Passé ce délai, des membres de la Section spéciale seront ici.

— Je ne comprends pas. Pourquoi êtes-vous venu seul, avant eux? Pourquoi me donner ce qui m'a l'air d'un avertissement?

— C'en est un en effet. J'ai précédé mes collègues pour veiller à ce que rien ne quitte cette maison. Rien, sauf vous-même. Vous avez deux heures pour partir, si vous le désirez.

— Mais pourquoi? Pourquoi?

— Parce que, dis-je calmement, il y a de fortes chances pour que d'ici peu vous deveniez ma belle-mère... sauf erreur de ma part.

Silence. Millicent Pebmarsh se leva, alla à la fenêtre. Je ne la quittai pas des yeux; je n'avais aucune illusion : on ne pouvait lui faire confiance. Et si on n'est pas sur ses gardes, même une aveugle est capable de vous jouer des tours. Si je lui en donnais l'occasion, son infirmité ne la gênerait nullement pour me coller un automatique dans les reins.

Sans s'émouvoir, elle me répondait :

— Avez-vous tort ou raison... ce n'est pas moi qui vous le dirai... Mais qu'est-ce qui vous fait croire à... cette éventualité?

— Vos yeux.

— De caractère, en tout cas, nous ne nous ressemblons guère.

— Non, c'est juste.

— J'ai agi pour son bien, lança-t-elle presque avec défi.

— Chacun son opinion. Chez vous, la cause a passé avant tout.

— C'est ce qu'il faut.

— Je ne suis pas de votre avis.

De nouveau le silence. Puis je l'interrogeai :

— Vous saviez qui elle était ce jour-là?

— Non, jusqu'à ce que j'entende son nom... mais je me suis toujours tenue au courant de ce qu'elle devenait.

— Vous êtes moins dure que vous ne le souhaiteriez.

— Ne dites donc pas de bêtises.

— Le temps court, Miss Pebmarsh, remarquai-je en regardant ma montre.

Elle se dirigea vers son bureau.

— J'ai une photo ici... d'elle, quand elle était enfant.

J'étais déjà derrière elle quand elle ouvrit le tiroir. Ce n'était pas un revolver qu'elle gardait là, mais un couteau, meurtrier malgré sa petite taille. Ma main se referma sur la sienne pour le lui arracher.

— Je suis peut-être sentimental, mais pas fou, lui dis-je.

A tâtons, elle se laissa tomber dans un fauteuil, sans manifester la moindre émotion.

— Je ne vais pas profiter de votre offre, fit-elle. A quoi bon? J'attendrai qu'on vienne me chercher. On a toujours des occasions d'agir, même en prison.

— Faire de la propagande; c'est ça?

— Si vous voulez.

Nous étions là, assis, hostiles l'un envers l'autre, mais malgré tout nous comprenant.

— J'ai donné ma démission du Service, lui annonçai-je. Je reprends mon ancien métier : l'océanologie. J'ai entendu parler d'un poste dans une université australienne.

— C'est très sage, à mon avis. Vous n'étiez pas assez dur pour un tel métier. Vous ressemblez au père de Rosemary. Il n'a jamais pu comprendre ces paroles de Lénine : « Chassez la pitié ».

Je me souvins alors de ce qu'avait dit Hercule Poirot.

— Je suis heureux d'avoir un cœur d'homme, fis-je.

Puis, chacun convaincu que l'autre avait tort, nous avons gardé le silence.

Lettre de l'inspecteur Hardcastle à M. Hercule Poirot.

Cher monsieur,

Nous détenons maintenant des preuves qui, je crois, sont de nature à vous intéresser.

Un certain Mr. Quentin Duguesclin a quitté Québec (Canada) pour l'Europe, il y a environ quatre mois. Il n'avait aucune famille, et n'avait pas fixé de date de son retour. Son passeport a été retrouvé par le propriétaire d'un petit restaurant de Boulogne qui l'a remis à la police. Personne ne l'a encore réclamé.

Mr. Duguesclin est un ami de longue date de la famille des Montrésor, de Québec. Mr. Montrésor, chef de cette famille, est mort, il y a dix mois, laissant son immense fortune à sa seule parente, sa nièce, Valérie, épouse de Josaiah Bland, de Crowdean, Angleterre. Apparemment, toutes relations avaient été rompues entre Mrs. Bland et sa famille canadienne qui s'était violemment opposée à son mariage. Avant son départ, Mr. Duguesclin a déclaré à l'un de ses amis qu'il aimait beaucoup Valérie et qu'il avait l'intention de passer chez les Bland pendant son séjour en Grande-Bretagne.

Le corps jusqu'ici considéré comme celui de Harry Castleton a été identifié de façon formelle comme étant Quentin Duguesclin.

Dans un coin des chantiers de Bland, on a retrouvé certains panneaux récemment repeints. Après traitement, on a pu y lire très distinctement : Blanchisserie Snowflake.

Je vous fais grâce des détails, mais le juge d'instruction est d'accord pour lancer un mandat d'amener contre Josaiah Bland.

Comme vous l'aviez supposé, Miss Martindale est la sœur de Mrs. Bland. Bien que je partage votre point de vue là-dessus, sa participation à ces crimes sera dure à prouver. Elle est très forte, c'est certain. J'ai cependant quelque espoir en Mrs. Bland. Elle est du genre à se mettre à table.

La mort de la première femme de Bland en France, et son remariage avec Hilda Martindale, en France aussi, doivent sans doute être faciles à établir, bien que certaines archives aient été détruites.

J'ai été très heureux de faire votre connaissance et je vous remercie des suggestions très utiles que vous m'avez faites. J'espère que les aménagements et la nouvelle décoration de votre appartement vous donnent toutes satisfactions.

Bien sincèrement à vous,

Richard Hardcastle

Nouvelle note de R. H. à H. P.

Bonne nouvelle! La femme Bland a lâché le morceau. Elle a tout avoué! Elle met tout sur le dos de sa sœur et de son mari. D'après elle, « quand elle a deviné ce qu'ils avaient l'intention de faire, il était trop tard », soi-disant. « Elle croyait qu'ils voulaient seulement le droguer pour l'empêcher de se rendre compte qu'elle n'était pas celle qu'il connaissait! » Comme c'est plausible!

Quant à Miss Martindale, les gens du marché Portebello l'ont reconnue : c'est elle, la dame « Américaine » qui a acheté deux des pendules.

Maintenant, Mrs. McNaughton affirme avoir vu Duguesclin quand Bland l'a transporté dans son garage. Est-ce vrai?

Notre ami Colin vient d'épouser cette fille. A mon avis : il est fou à lier.

Bien amicalement à vous,

Richard Hardcastle

TABLE DES MATIÈRES

Ce volume
des œuvres complètes
d'Agatha Christie
a été réalisé
d'après la maquette typographique
de Pierre Faucheux / Dedalus

Edition produite par
Edito-Service S.A., à Genève

Imprimé en Italie